前　言

　　6500年前，人类通过烧制过程中的声响来判断陶制品是否完好。20世纪后半叶，人类才对材料的声发射现象进行系统研究，声发射技术开始在地质监测、裂纹监视、液体泄漏等领域发挥作用。随着技术发展，尤其是计算机技术和信号分析理论的进步，声发射技术越来越成熟，开始在桥梁、管道、压力容器及立式储罐检测方面得到更加广泛的应用。

　　自从20世纪80年代将声发射技术运用于储罐腐蚀检测以来，声发射技术检测储罐底板腐蚀取得了重要的技术进展和运用经验。相比于传统的开罐检测，声发射检测腐蚀具有施工简单、检测方便、节省成本的优势，尤其在石油企业提出"开源节流、降本增效"后，声发射技术进行储罐底板腐蚀检测与评价得到了行业的特殊关注。本书从声发射机理、腐蚀机理的声发射源产生，以及不同声发射源的声发射特性等方面出发，对声发射腐蚀机理进行详尽论述，并展示了大量声发射实验，验证其在腐蚀检测方面的可行性。书中的声发射信号处理方法、声源识别定位方法及多声源评价方法在声发射腐蚀检测工程中已得到大量的运用。本书既是一本声发射通识书，也是一本声发射专业书籍，希望本书的出版能够为从事声发射技术研究与运用的学者、工程师和对声发射技术感兴趣的学生提供一些参考。

　　本书是由长期从事声发射检测的一线工作人员王其华、赵永涛主编，由杜卫东、孙文勇、刘文才、苗文成、邱枫等担任副主编，并在王立涛、王海峰、牛蕴、朱立业、孙秉才、李伟、李佳宜、李墨松、杨光福、吴祚祥、张雪、张增晓、陆杏区、罗方伟、周亚楠、周福民、庞子祺、胡滨、侯政煜、徐菊芳、龚克、梁林佐、梁爽、魏振强等人参与下完成。

　　本书在编写过程中参阅了大量的相关资料，在此，谨对原作者表示真挚的感谢。

　　由于编者水平有限，书中难免出现疏漏和错误之处，敬请各位读者不吝赐教。

目 录

第1章 声发射技术概论 ·· (1)
  1.1 声发射现象 ·· (1)
  1.2 声发射技术 ·· (1)
    1.2.1 传感器 ·· (2)
    1.2.2 中间处理环节 ·· (2)
    1.2.3 记录、分析与处理 ··· (3)
    1.2.4 声耦合剂 ··· (3)
  1.3 储罐底板腐蚀声发射技术发展 ·· (4)
    1.3.1 国外声发射技术发展 ··· (4)
    1.3.2 国内声发射技术发展 ··· (5)
  1.4 腐蚀声发射源分析、识别和评估技术发展 ··· (6)
    1.4.1 国外腐蚀声发射源分析、识别和评估技术发展 ······························· (6)
    1.4.2 国内腐蚀声发射源分析、识别和评估技术发展 ······························· (7)

第2章 储罐底板腐蚀声发射源 ··· (14)
  2.1 原油储罐底板腐蚀 ··· (14)
    2.1.1 罐底沉积水 ··· (14)
    2.1.2 H_2S，CO_2，O_2 的影响 ··· (14)
    2.1.3 硫酸盐还原菌 ·· (14)
    2.1.4 其他因素 ··· (15)
  2.2 罐底金属阳极溶解产生声发射源 ··· (15)
    2.2.1 晶格缺陷 ··· (15)
    2.2.2 能量转变 ··· (21)
  2.3 罐底金属钝化膜破裂和阴极析氢声发射源 ·· (24)
    2.3.1 钝化膜破裂 ··· (24)
    2.3.2 罐底腐蚀气泡破裂 ·· (25)
    2.3.3 金属腐蚀气泡破裂 ·· (28)

第3章 储罐常用材料腐蚀声发射信号处理技术 ··· (33)
  3.1 储罐常用材料腐蚀过程声发射检测 ··· (33)
    3.1.1 声发射系统 ··· (33)
    3.1.2 试件选用 ··· (33)
    3.1.3 腐蚀溶液配置 ·· (34)
    3.1.4 声发射监测系统 ··· (34)
    3.1.5 储罐常用材料腐蚀过程中的噪声信号 ··· (36)
    3.1.6 储罐常用材料腐蚀声发射信号 ·· (37)

        3.1.7 储罐常用材料点蚀过程声发射信号参量 …………………………… (38)
        3.1.8 腐蚀同声发射特征参数之间的关系 …………………………………… (45)
    3.2 声发射信号处理工具——小波分析 ………………………………………… (46)
        3.2.1 小波变换特点 …………………………………………………………… (46)
        3.2.2 小波变换原理 …………………………………………………………… (46)
        3.2.3 点蚀声发射信号小波的多分辨分析 …………………………………… (48)
    3.3 储罐常用材料腐蚀声发射信号的小波分析 ………………………………… (50)
        3.3.1 低碳钢点蚀声发射信号的特点 ………………………………………… (50)
        3.3.2 低碳钢点 ………………………………………………………………… (51)
        3.3.3 低碳钢点蚀声发射信号最大分解尺度选择 …………………………… (53)
        3.3.4 低碳钢点蚀声发射信号的小波去噪 …………………………………… (57)
        3.3.5 低碳钢点蚀声发射信号的小波特征提取 ……………………………… (61)

第4章 罐底金属腐蚀及常用腐蚀材料声发射特性 ………………………………… (66)
    4.1 声发射特性研究 ……………………………………………………………… (66)
        4.1.1 罐底金属腐蚀及声发射检测 …………………………………………… (66)
        4.1.2 声发射原理及监测 ……………………………………………………… (66)
        4.1.3 排除性实验 ……………………………………………………………… (68)
    4.2 罐底金属析氢腐蚀行为声发射 ……………………………………………… (70)
        4.2.1 罐底金属自腐蚀过程声发射 …………………………………………… (70)
        4.2.2 罐底金属极化过程声发射 ……………………………………………… (70)
        4.2.3 罐底金属腐蚀过程的电化学阻抗 ……………………………………… (75)
        4.2.4 罐底金属腐蚀过程的腐蚀产物和腐蚀形貌 …………………………… (77)
    4.3 罐底金属吸氧腐蚀行为声发射 ……………………………………………… (78)
        4.3.1 罐底金属腐蚀过程的声发射 …………………………………………… (78)
        4.3.2 罐底金属极化过程声发射特征 ………………………………………… (80)
        4.3.3 罐底金属腐蚀过程的电化学阻抗 ……………………………………… (83)
        4.3.4 罐底金属腐蚀过程的腐蚀产物和腐蚀形貌 …………………………… (85)
    4.4 罐底金属腐蚀严重程度的声发射表征 ……………………………………… (86)

第5章 不同介质模拟储罐声发射长期在线监测 …………………………………… (88)
    5.1 不同介质模拟储罐声发射长期监测 ………………………………………… (88)
        5.1.1 水介质模拟储罐底板腐蚀声发射监测 ………………………………… (88)
        5.1.2 盐酸介质模拟储罐底板腐蚀声发射监测 ……………………………… (99)
        5.1.3 不同品质原油介质模拟储罐底板腐蚀声发射监测 …………………… (104)
        5.1.4 不同品质原油模拟储罐底板腐蚀声发射监测 ………………………… (108)
    5.2 同介质同周期挂片腐蚀 ……………………………………………………… (110)
        5.2.1 挂片腐蚀 ………………………………………………………………… (110)
        5.2.2 腐蚀严重程度分析 ……………………………………………………… (112)

第6章 不同地区模拟储罐底板腐蚀声发射检测 …………………………………… (133)
    6.1 声发射检测过程 ……………………………………………………………… (133)
    6.2 声发射结果研究 ……………………………………………………………… (134)

6.2.1	土壤对储罐底板腐蚀的影响	(134)
6.2.2	土壤溶液对储罐底板腐蚀的影响	(137)
6.2.3	声发射监测对比	(140)

第7章 不同工况下模拟储罐底板动态腐蚀 (142)

- 7.1 声发射模拟系统 (142)
- 7.2 声发射系统参数设置 (142)
- 7.3 不同工况罐底板声发射 (143)
- 7.4 声发射监测动态腐蚀 (143)
  - 7.4.1 有使用历史的模拟储罐与静止工况下新罐的声发射监测 (144)
  - 7.4.2 模拟储罐底板局部扰动后的声发射监测 (146)
  - 7.4.3 模拟储罐底板局部破坏后的声发射监测 (148)

第8章 大型储罐底板腐蚀微弱信号采集技术 (151)

- 8.1 二次放大技术 (151)
  - 8.1.1 储罐检测二次放大技术 (152)
  - 8.1.2 二次放大技术应用 (152)
- 8.2 罐底声发射源定位识别 (153)
  - 8.2.1 平面任意三角形定位 (153)
  - 8.2.2 独立通道控制式区域定位 (155)
- 8.3 浸入式储罐底板腐蚀声发射监测 (156)
- 8.4 浸入式罐底腐蚀声发射全域监测 (157)
  - 8.4.1 传播特性 (157)
  - 8.4.2 浸入式模拟罐底腐蚀声发射监测 (161)

第9章 基于多源统计参量的储罐底板腐蚀状态声发射评价 (162)

- 9.1 浸入式储罐底板腐蚀声源识别 (162)
  - 9.1.1 短基线平面网格拓扑阵列 (162)
  - 9.1.2 声源识别 (164)
- 9.2 浸入式储罐底板腐蚀多声源辨识 (165)
  - 9.2.1 模拟储罐底板多声源辨识 (166)
  - 9.2.2 基于独立分量分析的信号分离 (167)
  - 9.2.3 基于相关分析的同源信号聚类 (171)
- 9.3 基于多源统计参量的储罐底板腐蚀状态声发射 (174)
  - 9.3.1 基于多源统计参量的罐底腐蚀声发射监测 (174)
  - 9.3.2 基于多源统计参量的罐底腐蚀声发射监测对比 (176)

参考文献 (180)

第1章　声发射技术概论

1.1　声发射现象

材料受外力或内力作用产生变形或断裂，以弹性波形式释放出应力—应变的现象称为声发射，又称为应力波发射、应力波微振动等。

声发射是一种常见的物理现象，如果释放的应变能足够大，就可产生人耳听得见的声音。据中国史料记载，公元前1000年左右的周朝，周幽王的宠妃褒姒爱听撕裂绢的声音，于是周幽王下令每日进绢百匹，由专人负责撕绢以取悦爱妃，可以认为，绢的断裂声是中国最早的有关声发射的记载。无独有偶，中国四大名著之一的《红楼梦》也有声发射的相关内容，晴雯与贾宝玉吵架，气得把手中扇子撕得粉碎，宝玉见此情景说，"你若喜欢听扇子裂损的声音，那你就撕扇子听好了"。绢和扇子的材料不同，在力的作用下断裂过程中产生的应力—应变能已足够大，其声响可达到激励人耳、取悦于人的程度。上述非金属材料的声发射的频率应属音频的范畴。

声发射和微振动是自然界中随时发生的自然现象，如树枝折断产生的咔嚓声响、骨头折断的声音以及岩石的破碎声无疑都是人耳能听到的声发射信号。

锡鸣声是人们首次听到的金属材料的声发射现象。公元前3700年人类冶炼出纯锡，纯锡在塑性变形期间机械栾晶产生可听得到的声发射，因此，可以认为锡鸣是人类最早观察到的金属中的声发射现象。

20世纪50年代初，德国人Kaiser观察到铜、锌、铝、锡、黄铜、铸铁和纯金属或合金在变形过程中都有声发射现象。近年来的研究表明，大多数金属材料塑性变形和断裂时均产生声发射现象。材料在应力作用下的变形与裂纹扩展是结构失效的重要机制，这种直接与变形和断裂机制有关的源通常被称为典型的声发射源。将流体泄漏、摩擦、撞击、燃烧等与变形、断裂机制无直接关系的另一类弹性波称为其他声发射源或二次声发射源。

在材料加工、处理和使用过程中，有许多因素能引起内应力的变化，从而产生声发射信号，从发射源发射的弹性波最终传播到材料的表面。例如，在机械加工制造及金属切削加工过程中，工件的断裂、工件与刀具的摩擦、切屑的变形、切削刀具的破损和工件的塑性变形等，这些丰富的声发射信号都会以弹性波的形式最终传播到加工系统的特定表面。

以金属切削加工常用的精加工方法磨削为例，其切削刀具采用由大量随机分布的微小而锋利的刀具（如金刚砂等）构成的砂轮去除材料，从微几何的角度看，在磨削过程中磨粒的破损、金属的塑性变形等随时都产生声发射现象。

1.2　声发射技术

声发射现象产生的声发射信号强度差别很大。地震的声响、树枝的断裂声等人耳可听到的声发射信号毕竟是少数，机械工程中如此大的声响并不多见。绝大多数声发射信号如构件裂纹的产生与扩展、塑性变形的产生及加剧等，其应变能的能量都很小，声发射信号的强度很弱，欲检测到这些信号并判断其源自何处，靠人们的听觉系统是难以实现的，必须借助现代测试技术手段，利用对声发射信号变化敏感的器件——传感器，将声发射信号的声能转换成电能，即将声波的振动信号转换为电信号，进而判断声发射的产生及其形态特征。工程中，人们将借助于传感器探测，经记录、分析声发射信号并推断声发射源的技术称为声发射技术。

声发射技术是现代动态测试技术在声发射领域的具体应用。现代动态测试技术涉及数学、物理学、力学、电子学、误差理论与数据处理等多门学科。

1.2.1 传感器

人类器官接收外界信号的能力受到其感官生理机能的限制。实验表明，人类大脑对听觉的吸收率仅为11%，能感知的声音信号频率为20~20000Hz。各种材料的声发射信号频率范围很宽，从几赫兹的次声频到数兆赫兹的超声频；声发射信号的幅度范围也很大，从10113m的微观位错运动到1m的地震波。

人耳是一种探测声波的声传感器，是通过声波的压力作用耳膜而探测声音的。传感器是人感官的延伸，其关键作用是扩展人类感知信息的能力。例如，声发射传感器不仅能感知20~20000Hz的音频，也能检测低于20Hz的次声频和大于20000Hz的超声频。声发射传感器是一种转换装置，它的作用是将材料塑性变形或裂纹产生的弹性波转换成易于检测、处理的电信号（如电荷），传输给测试系统进行分析、处理，以便得到声发射源的实时信息。

在对声发射原始信息的准确可靠捕获与转换过程中，传感器的性能起着至关重要的作用。为了减少测量误差，要求传感器具有下述良好性能：一是传感器的输出信号与输入信号之间成比例关系，即线性度好，这样才能避免或减小线性误差；二是当传感器的输入信号变化一定数值时，输出信号变化较大，通常把输出信号的变化量与输入信号的变化量之比称为灵敏度，也就是说，传感器应具有足够高的灵敏度；三是传感器反应敏捷，即传感器输出信号的变化随输入信号的变化而变化，这就要求传感器能迅速、精确地跟踪输入信号，具有足够的带宽，以跟踪变化快慢不同的声发射波，即具有良好的动态特性。

声发射传感器在声发射技术和应用中占有十分重要的地位，是声发射技术及应用的首要环节。基于声发射信号的随机性和频带宽的特点，要想在声发射信号中提取有用信息，离不开高可靠性、高质量的声发射传感器。

工程应用表明：声发射信号的频率成分取决于材料性质和构件的具体特性，考虑到低频机械噪声干扰及高频波传播过程中的衰减，声发射传感器的使用频带宽度为0.02~2MHz，压力容器检测的使用频带宽度为100~300kHz。

传感器灵敏度和工作带宽往往是矛盾的两个方面，即灵敏度高，工作带宽相对较窄。选取传感器时，应根据被测对象、信号的强弱和频率高低并兼顾传感器的灵敏度和工作频率范围。

1.2.2 中间处理环节

中间处理环节包括信号的前置放大、调制、放大、滤波、积分、微分和A/D转换等，将传感器输出的电信号转换成有适度信噪比、具有一定幅值的电压或数字信号，以便于观察、记录和分析。以工程中常用的 K，Eg 式声发射传感器为例，其输出为电荷量，功率小、内阻高、不容易读出，需要采用中间处理电路将传感器的高内阻转换为低输出阻抗，以便对信号进行放大。由于电荷信号不易放大，需要将电荷信号转换为电压信号，便于后续电路处理，以提高抗干扰能力。因此，中间处理环节是声发射检测系统不可或缺的重要组成部分。

1.2.3 记录、分析与处理

现代声发射检测系统的记录、分析与处理多采用数字方式，如业界广泛采用的美国物理声学公司（PAC）的系统以及德国 Vallen 公司 AMSY 的超高速、全数字、全波形、强干扰声发射采集系统，都可以实时、全数字、多通道同时采集声发射参数和波形，既可在检测进程中实时对数据进行分析，也可在事后对记录数据进行处理，不仅适用于现场测试，也适用于实验室研究。系统可实时显示各类型图表，如定位图、历程图、关系图、分布图、三维图、波形图、频谱图及数据列表功能，对采集到的声发射信号进行频谱分析、统计分析、定位计算、堆积计算、信号模式自动识别以及小波分析等，从传感器采集的信号中滤除各种干扰，以获取构件的声发射信号。

PAC 是专业从事声发射检测技术研究的公司之一，其研制生产的多通道声发射系统，采用基于现代计算机软硬件平台的计算机一体化的 PCI 总线结构，吸取融合了 FPGA-DSP（可编程门阵列—数字信号处理器）技术，其核心部件是数字化的声发射卡。声发射卡以 32 位 DSP 为基础，可对所有通道声发射信号进行实时波形分析及处理，包括声发射采集、外参量（温度、压力等）输入采集及分析、数字滤波、声发射特征提取、报警输出、各种定位功能、多参数分析、相关分析、聚类分析、波形滤波及相关分析、图形滤波、快速傅里叶变换（FFT）分析、HiT 数据线形显示、统计及重放功能等。

1.2.4 声耦合剂

声发射技术的首要环节是用传感器准确获取声发射源的声发射信号。声发射是弹性机械波，传感器与构件待测表面是否具有良好的声耦合，是准确获取声发射信号的首要环节。为此，在工程应用中需要在传感器与构件表面之间填充声耦合剂，这是声音的传播特性所决定的。

填充耦合剂的目的是在试件与传感器之间构建一个良好的声波传播路径，用耦合剂填充试件表面与传感器接触面之间的微小空隙，以免这些微小空隙内微量空气影响声波的穿透能力，减小声阻。另外，耦合剂具有过渡作用，可减小传感器与待测构件表面之间的声阻抗差，减小声发射波在该接触面的能量损失。再者，耦合剂的润滑作用可减小传感器表面与构件表面之间的摩擦。

研究表明，在一些应用中正确选择和使用耦合剂，比不采用耦合剂传感器的输出高许多。

耦合剂和试件表面材料之间应有严格的化学兼容性，即耦合剂不得浸入试件材料表面，以免腐蚀或损伤试件及传感器表面。从原理上讲，所有液体如油、水、甘油等均可用来做耦合剂，但由于大部分液体不能传递剪切力，工程中常用环氧树脂、真空脂、凡士林、黄油和快干胶等做耦合剂。安装传感器时，几牛顿的吸力可使耦合剂的厚度最小化。

耦合剂的声学性能好坏对获取的声发射质量影响很大。劣质耦合剂不仅不能改善和保证传感器与被测构件表面的耦合质量，反而可能使声发射源的声波能量损失，降低分辨率。这就要求：

（1）耦合剂声阻抗与传感器和被测构件待测面材料之间匹配良好。
（2）耦合剂透声性好，耦合剂材料的声衰减系数小。

耦合剂的物理性能对声发射波的采集也有较大影响。为减小声波能量在采集初始阶段的损失，要求耦合剂均匀、不含颗粒或杂质、不含气泡，因为声波通过空气传播时，空气时而变疏，时而变密，可使传感器采集的声波产生失真。

耦合剂应具有一定的黏滞性，不易流淌，且易挤出，不变色，稠度不易改变，不析出，不变质，以保证在测试过程中采集声发射信号的稳定性，因为耦合剂黏度和稠度的变化将改变声发射弹性波的传播历程，从而使信号产生失真。

1.3 储罐底板腐蚀声发射技术发展

1.3.1 国外声发射技术发展

声发射检测技术（Acoustic Emission Testing Technology）简称 AE，20 世纪 50 年代初德国学者 Kaiser 的研究理论标志着现代声发射检测技术的开始。60 年代，声发射检测技术得到许多国家的重视，日美的学者从金属塑性变形的声发射和位错的联系，及各种材料声发射现象的机理着手开展探讨，并取得一定进展。声发射检测技术在常压立式储罐的应用最早开始于 20 世纪 90 年代，当时美国物理声学公司（Physical Acoustics Corporation，简称 PAC 公司）接受用户的委托，进行不开罐条件下罐底腐蚀状况的声发射检测技术研究，并与 BP、ICI、KPE、Esso 等公司共同合作开展项目的开发，现场检测和结果论证工作。1993 年 Cole 发表了声学方法应用于储罐完整性评价的报告，文章对声学方法检测储罐罐底进行了理论分析，指出了声学方法的巨大研究价值和潜力。P. J. vandeLoo 于 1998 年发表了声发射储罐检测的可靠性研究报告，报告根据 589 个罐的数据库，对声发射罐底检测技术的可靠性进行分析，指出根据声发射检测结果对罐底腐蚀状况进行分类的误判概小于 5%，能够降低炼油厂维修储罐的成本并减少事故隐患。2001 年 Jeong-Rock Kwon，Geun-Jun Lyu 等，通过对维修后的立式储罐罐底采用声发射方法进行复检，发现了储罐底板焊缝中所包含的活性缺陷。表明了声发射方法是常规无损检测方法的有效补充及声发射方法是可以获得材料动载荷状态下疲劳裂纹扩展信息的观点。2002 年 Sokolkin 等对声发射技术在钢制立式储罐底板在线检测方面的前景进行了展望，并分析了罐底声发射检测过程中可能遇到的噪声干扰问题。2003 年 Nedzvetskaya 等通过实验对大型立式储罐底板泄漏产生的主要声源进行了研究，得到了大型立式储罐底板声发射检测通道数量的计算式。

近年来，经过大量的实验室研究与现场推广应用，美国 PAC 公司已经建立了储罐声发射检测、分析和评价的数据库，但这些数据和评价方法对外是保密的，只对用户开展技术服务，没有对该技术进行专利申请。PAC 公司陆续对数千台常压和承压储罐进行了声发射在线检测，根据声发射检测结果与开罐检测结果形成的数据库，开发了 TANKPAC 大型常压金属储罐底板检测专家系统，用于对储罐底板的腐蚀和泄漏状况进行评价，并根据检测结果推荐清罐检查的优先顺序或下一次进行声发射技术检测的周期。目前，壳牌（Shell International-al Oil Product BV）、埃克森（Exxon Corporation）、Dow 等多家国际石油公司均采用其技术对其所拥有的储罐进行在线检测。国外一些发达国家（如美国、日本、英国、德国等）的大型石油和石化企业开始接受这项新技术。

日本是最早开展基于声发射在线检测结果进行储罐底板腐蚀速率定量化评价研究的国家。2005年，日本的技术人员将声发射实验数据与罐底板腐蚀量和腐蚀速度的数据进行比较，确定两者之间有良好的相关性。利用检出的声发射信号等参数，得到腐蚀量与腐蚀活性度之间的定量关系曲线，利用该曲线，可实现对腐蚀量和腐蚀速率的量化评价。

1.3.2 国内声发射技术发展

20世纪70年代，国内开始了声发射检测技术的研究。起初仅限于声发射与断裂力学关系的探讨，以及对裂纹扩展的检测。20世纪80年代初，声发射检测技术开始应用在压力容器的检测检验方面。但是因为当时声发射检测设备技术的限制，以及检测人员缺乏对声源特性的了解，实际检测结果与试验结果有较大偏差。80年代中期，中国特种设备检测研究中心从美国PAC公司引进SPARTAN声发射检测源定位与信号处理分析系统。该设备的现场检测效果较好，从此中国声发射检测技术的研究突飞猛进。广州声华科技有限公司开发了声发射储罐底板定位软件，并于2004年3月测试成功。声发射检测技术在储罐在线检测中的应用，正面临着更高层次全新的发展前景。

2007年，中国特种设备检测研究中心、东北石油大学、中国石油安全环保技术研究院、北京科海恒生科技有限公司和浙江特种设备检测中心等单位基于对检测到的大量储罐声发射数据的分析，制定了相应的中国机械行业检测标准JB/T 10764—2007《无损检测常压金属储罐声发射检测及评价方法》，中国常压金属储罐底板的声发射测试方法有了正式的规程。此后，声发射检测技术越来越广泛的应用于石油石化行业的储罐底板腐蚀检测。并且在现场检测过程中，一直采用的测试方法为根据储罐的尺寸型号，确定传感器的数量，在距罐底200~500mm高的罐壁上，沿圆周方向均布一定数目的传感器，并由电缆线连到声发射仪上。罐底板由于直径较大，除边缘外一般不能接近，信号的强度相对较弱，因此采用中心频率较低（20~60kHz）的传感器来接收声发射信号，以使信号通过油等介质传播到数十米远的地方，通过声发射采集系统对储罐底板腐蚀声发射信号进行采集。直到2010年中国石油管道研究中心的林明春介绍了护卫传感器在拱顶储罐罐底声发射检测中的应用，可有效地滤除拱顶滴液产生的干扰声信号，在某种程度上算是对声发射测试方法的改进。张涛通过分析一天之内声发射数据量的变化趋势寻找检测结果与昼夜变化的联系，探究了传感器布置间距和布置高度与声发射检测结果的关系，总结了检测过程中储罐的静置与加载带来的影响。而Lackner G等在2002年二十五届欧洲声发射会议上就介绍了用声发射技术进行罐底腐蚀检测过程中获取可靠数据的方法，比如应避免在大风和雨雪天气进行检测，检测时应尽量消除储罐内部及其周围的噪声源，传感器应与罐壁金属紧密接触，检测时可采用护卫传感器消除来自罐顶的噪声，比国内早了8年。

浙江省特种设备检验研究院刘富君等人，中国石油化工股份有限公司青岛安全工程研究院韩磊等人，南京工业大学刘涛等人，中国人民解放军海军后勤技术装备研究所倪余伟等人均从不同的角度进一步论证了声发射检测技术应用于储罐底板腐蚀状态检测的优势和前景。

同时东北石油大学戴光、李伟、蒋鹏，中国石油安全环保技术研究院研究人员也在此方面进行了深入研究。中国石油管道沈阳龙昌管道检测中心朱建伟，中国石化镇海炼化邬康迪等人将储罐底板腐蚀声发射检测结果与开罐漏磁检测结果对比分析，发现二者虽然在局部存在偏差，但总体上有很好的一致性。为了减少偏差，提高声发射对储罐底板腐蚀检测的可靠性，国内外学者在储罐底板腐蚀声发射源分析、识别及评估方法进行了广泛的研究。

1.4 腐蚀声发射源分析、识别和评估技术发展

1.4.1 国外腐蚀声发射源分析、识别和评估技术发展

声发射技术对于监测结构件的早期损伤是一种比较有效的方法。早在 20 世纪 80 年代，就有不少学者研究过腐蚀过程的声发射现象，并试图利用声发射技术来监测腐蚀过程。当时研究较多的是应力腐蚀开裂过程中的声发射，一般采用窄带声发射传感器接收信号，并使用参数分析方法人们很难将接收到的声发射信号与产生声发射的源机制相联系。因此，有关这方面的研究一直进展不大。经过 20 多年的发展，对储罐罐底腐蚀声发射检测的研究由最初的检测方法研究逐步深入到声发射源的产生机理、声发射信号的传播以及声发射信号的处理等方面的研究。随着近些年世界各国对石油储备安全的重视，继英国、德国、美国之后，俄罗斯、日本、韩国、澳大利亚、伊朗等国均已经开始了该检测方法的研究。

1976 年，Rettting 和 Felsena 证实，浸入盐水中的铝丝在腐蚀过程中，产生的声信号计数率与氢产生率之间存在线性关系。

1977 年，Mansfeld 等人把 Al 和 Zn 组成腐蚀电偶，同时测量声发射信号和腐蚀电位，将 Zn 断开，发现腐蚀电位上升，而振铃计数先降低后增加，当腐蚀电位到达最大值时，振铃计数率也到达最大值。

1987 年，Magaino 等人用电化学噪声和声发射研究 304 不锈钢局部腐蚀时也发现声发射信号的产生与电位波动有一定的对应关系。

1993 年，SealKHW 等人将低碳钢放在不同浓度盐酸溶液中，发现腐蚀的质量损失率同振铃计数率基本呈线性关系。

1995 年，Mazille H 等人在研究 316L 不锈钢点蚀时，发现试样表面点蚀个数与事件计数有很好的线性关系。

2001 年，M. Fregonese 等人对不锈钢点蚀过程进行了声发射监测实验，发现点蚀初始无明显声发射现象产生，而点蚀坑的扩展和传播阶段产生声发射共振信号。

2002 年，Sokolkin A V 等人总结了 20 世纪 90 年代以来采用声发射技术检测立式储罐积累的一些经验，指出声发射活性与罐底腐蚀具有一定的相关性，且罐底腐蚀是导致储罐泄漏最主要的原因。

2003 年，Nedzvetskaya O V 等人分析了板中的兰姆波及液体中传播的纵波等不同介质中的声发射波的传播特性，通过实验对大型立式储罐底板泄漏产生的主要声源进行了研究，对声发射技术在钢制立式储罐底板在线检测方面的前景进行了展望，并分析了罐底声发射检测过程中可能遇到的噪声干扰问题。同年，法国国立应用科学院 Y. P. Kim 等人研究了声发射检测钢板缝隙腐蚀的能力，得出缝隙腐蚀的萌生和发展与声发射信号参数的变化有直接的关系，可以利用这些声发射参数，测定腐蚀状况。

2005 年，Park S 等人对坐落于酸性沙地上的金属钢板的腐蚀过程中的腐蚀速度和 AE 活度进行测试，并评估两者之间的关系。对由于坐落于酸性沙地上的储罐底板腐蚀产生的声发射源进行了检测，发现低 pH 值时的强烈腐蚀能通过 AE 方法进行检测。阴极反应产生的氢气，累积产生的气蚀，是储罐底板腐蚀产生声发射源。AE 活度随沙的酸度变化。AE 活度和腐蚀速率之间呈正相关关系。证实腐蚀损伤可以用 AE 方法检测，储罐底板的腐蚀速率能

够使用这种方法估计。这表明 AE 方法可以用来发展为一个全球诊断系统，评估在役油罐底部的腐蚀损伤。AE 的使用能减少油罐的维修成本。

2006 年，Park S. 等又通过模拟实验研究了中性、压力载荷条件下储罐罐底腐蚀过程中的声发射信号特征研究，研究表明裂纹扩展和罐底沙土的移动是检测过程中的声发射源，腐蚀速率与声发射信号活性有正相关关系，因此根据声发射信号的活性可以估计罐底腐蚀情况。

2007 年，Yuyama S 等通过对比 17 个储罐的声发射检测结果与罐底板超声和漏磁扫查结果，结果表明声发射源的分布与罐底板的腐蚀程度具有一定的相关性，罐底板厚度损失越严重的区域声发射源分布越密集。

2008 年，Riahi M 等建立一个神经网络模型，利用实验室中对模拟的小型储罐腐蚀、泄漏过程进行监测，将得到的声发射信号训练神经网络，利用该神经网络模型分析现场检测的数据，可以从现场数据中区分出泄漏和腐蚀所产生的声发射信号。同年，C. Guedes Soares 等人基于大气中温度、二氧化碳和硫化氢的浓度对船用原油储罐腐蚀行为的影响，通过对原油储罐中不同环境因素的修正，建立了基于非线性时间标准的新型腐蚀损耗模型。同年 Idrissi 等人给出了 E20、XC40、A60 三种碳钢在磷酸中电化学腐蚀时由氢气泡产生的声发射信号的波形，发现生成大量氢气泡时波形为连续型，信号幅度较强，而生成少量氢气泡时波形为突发型，信号幅度较弱。

而泰国国王科技大学声发射先进无损检测技术中心自 2001 年以来，一直在研究使用 AE 进行腐蚀检测；Jirarungsation 等人研究发现了 AE 和腐蚀损伤机制之间的关系（2002 年）；2003 年，Saenkhum 等人利用前馈式神经网络对钢板腐蚀严重程度进行分类，取得比较好的分类结果；利用到达时间差，研究了源定位方法，开发出了基于 FPGA 的用于定位腐蚀源位置的系统（Jomdecha 等，2004，2007）；2010 年，提出用持续时间和共振频率替代 AE 活度用来对腐蚀源进行分类，有助于识别点蚀过程和均匀腐蚀过程的声源，并依据腐蚀机制和 AE 理论，以及实验结果两个腐蚀过程的声源识别基本方法进行了解释。

2011 年，Prateepasen 等人发表《基于声发射源识别预测腐蚀严重程度》，指出根据声发射信号频谱可以区分腐蚀过程中的声发射源，时域中的声发射撞击速率可以用来预测腐蚀严重性。

1.4.2 国内腐蚀声发射源分析、识别和评估技术发展

声发射技术应用于储罐底板腐蚀声源识别方面的研究工作晚于国外。

1988 年、1990 年，戴光等对应力腐蚀过程中的声发射监测与分析中，应用参数关联分析法成功地将不同信号区分开来。

2006 年，李伟对低碳钢点蚀过程产生声发射源与点蚀声发射信号的分析技术展开研究，建立了低碳钢点蚀过程气泡破裂产生声发射源数学模型，证明气泡破裂产生声源可以被声发射检测系统所接收；获得不同点蚀声发射信号，确定低碳钢点蚀过程产生声发射信号分为三个阶段：初始孕育期、迅速发展期和平稳期；确定出 Daubechies 小波族的 Db16 和 Db18 小波是适合于点蚀声发射信号分析的小波基，并给出了点蚀声发射信号的小波降噪算法；将独立分量分析应用于低碳钢腐蚀声发射信号处理，提出了基于小波消噪与独立分量分析相结合的声发射混合信号分离方法。姚舜刚通过对立式储罐泄漏和腐蚀现象的分析，分析了立式储罐声发射的有效活动声源，确定罐底产生有效活动声源的种类，以及声源信号各特征参量的

主要取值范围，各特征参量取值分布的特点及信号的变化规律。闫河通过对三种不同激励方式下所对应信号之间的差异及来源于同一源的不同接收处信号的差异，区分不同激励方式所产生的信号并明确是否可以由所接收的信号来推断源信号特征。

2007年，方江涛针对金属腐蚀过程产生声发射源与腐蚀声发射信号的分析技术展开研究，针对金属腐蚀过程产生声源进行参量分析，研究表明金属腐蚀过程可分为三个阶段：初始腐蚀期、快速腐蚀期、稳定腐蚀期。并利用参量分析对金属腐蚀声发射信号进行特征提取，得出金属腐蚀声发射信号的幅度，从而验证了理论分析的正确性。

2008年，李一博等人基于大型常压立式金属储罐底板在线声发射检测及定位的原理，针对声发射检测过程中因声源性质不明确导致的罐底完整性评价结果不准确的问题，采用小波分析方法对罐底声发射信号进行了分解，通过提取声发射信号在不同小波分解频带上的特征频谱系数，与声发射波形参数共同作为BP神经网络学习样本集的特征向量，对神经网络的模式识别性能进行了优化；采用该神经网络对罐底裂纹、腐蚀、泄漏、机械噪声和电磁噪声等不同性质的声发射源进行判别时，其正确识别率均在90%以上，使基于声发射在线检测技术的储罐底板结构完整性评价技术更趋于完善和实用化。邢菲菲等人在建立储罐罐底腐蚀实验平台的基础上，研究了一种基于LM（Levenberg-Marquardt）BP算法的罐底腐蚀信号模式识别方法，选取上升时间、计数、能量、持续时间、幅度这5个声发射信号特征参数作为BP神经网络的输入构建区分腐蚀信号和其他两类声发射信号的模式识别系统，由传统的BP算法与LMBP算法的对比分析比较得到LMBP算法解决了传统BP算法收敛速度慢，容易陷入局部极小点的问题。又采用小波分解和小波包分解两种方法提取罐底声发射信号特征，发现两种方法均有效，基于提取的特征向量建立BP神经网络、RBF神经网络对声发射信号进行模式识别，发现RBF更具优势。张万岭等人采用声发射技术对常温下饱和硫化氢溶液中16MnR钢试样的电解充氢过程进行监测，分析总结了声发射检测信号的特征和来源，利用金相方法加以验证了16MnR钢具有一定的抗氢致开裂的能力，表明采用声发射技术可以灵敏地监测该环境下的腐蚀电解过程。钟建强等人采用声发射检测技术对5A03（LF3）铝合金腐蚀过程进行监测，证明利用声发射技术检测铝合金贮罐腐蚀破坏状态的可行性，分析了铝合金腐蚀声发射信号的分布及关联性。李志刚等人利用小波变换剔除腐蚀声发射信号中的噪声成分，根据小波变换的原理建立小波剔噪的步骤，合理选择小波函数及分解层数，根据现场噪声水平确定小波分解高频层系数的阈值。

2009年，姜君通过对储罐检测技术的研究和分析比较，选择了声发射技术应用在储罐检测方面，针对声发射信号的特点和产生机理，提出对储罐裂纹声发射源定位的一套实用有效的方案。邓伟峰采用电化学噪声技术对304NG不锈钢的应力腐蚀开裂进行检测是十分可行的，可以通过电化学噪声时域谱尖锐的暂态峰、电位PSD谱图中高频线性段斜率K值等参量区分材料表面腐蚀状态，得到了发生应力腐蚀开裂的典型声发射信号、声发射振铃计数和能量计数等信息，表明可以采用声发射技术检测应力腐蚀开裂的发生。

2010年，张颖等人针对难以停产检测储罐底板腐蚀的情况，利用统计相关分析方法，结合专家经验，确定反应储罐底板腐蚀状况的主要外部表征因素，建立基于外部表征因素的储罐底板腐蚀状况贝叶斯判别预测方法。王伟魁等人采用声发射技术和电化学噪声技术研究了304控氮不锈钢C型环试样在0.5mol/L NaCl与1.5mol/L H_2SO_4的混合溶液中，恒载荷情况下的腐蚀过程。分析了腐蚀过程中所产生的声发射信号的振铃数随时间分布情况，以及不同阶段的声发射信号的频谱特征，对比分析声发射检测结果与电化学噪声检测结果表明，声发射检测技术对于 304 控氮不锈钢在酸性 NaCl 溶液中所产生的腐蚀声发射信号很敏感，在不同腐蚀阶段中，声发射信号特征差异明显，对于判断不同腐蚀阶段具有指导意义，声发射与电化学噪声测试结果基本一致，将声发射检测与电化学噪声检测结合使用，有助于使现场检测结果更加可靠。又提出了一种基于相关分析的声发射罐底检测降噪方法以消除虚定位事件，使得罐底评估的结果与开罐实测的结果更加相符。张涛等人在利用声发射技术对 4 个大型原油储罐底板腐蚀情况进行现场检测的基础上，对采集到的声发射信号进行处理分析，并对比了不同时段的用于罐底信号定位的声发射事件，结果表明：同样一个储罐在白天和夜间得到的声发射事件数量差异巨大，在夜间采集的声发射数据更能代表罐底腐蚀的实际情况，可用于判别检测过程是否受到噪声影响。王芳等人为了预防特种设备由于出现严重腐蚀而造成的安全问题，采集、分析压力容器用钢 16MnR 钢腐蚀的声发射信号，提出利用小波变换分析特种设备运行过程中腐蚀引起的声发射信号特征的方法，并进行了小波去噪，为现场检测提供了可靠依据。常向东等人在实验室建起一个小型仿真油罐，模拟各种相似工况，提供数据以及判别声波信号的方法；在炼油厂地面储油罐上安装的声发射器用来收集数据，并与从实验室中获取的数据进行结合分析以区别出渗漏和腐蚀信号的不同之处，利用神经网络系统对被测油罐进行了分类。李光海等人讨论了常压储罐中声发射信号产生的机制和传播过程，试验研究了液体介质中声发射源的定位、波速的计算及声发射信号的衰减规律，提出了声发射信号的分析方法以及结果评价方法，指出由于信号传播路径的不确定，使定位分析较困难，而从每个通道单位时间的撞击数来判断更有实际意义。魏永佳采用电化学噪声技术与声发射技术联合的方式对 304NG 在酸性氯化钠溶液中慢应变速率拉伸与恒载荷拉伸条件下 SCC 过程进行了研究，结果表明，试样 SCC 出现较为迅速，304NG 的腐蚀形态由应力腐蚀和点蚀等局部腐蚀逐渐发展成为包括裂纹和蚀孔发展的复杂的全面腐蚀，4 个不同应力值的恒载荷拉伸试样电位和电流密度随时间变化曲线与慢拉伸试样相似，通过声发射信号能量总计数—时间与振铃总计数—时间曲线斜率的变化，可以区分出试样表面腐蚀发展的不同阶段。郭冰等人进行了储罐群 RBI 技术的应用研究，通过对 RBI 应用过程出现的问题和积累的经验进行总结，提出了储罐应用 RBI 技术的一般程序，包括：数据采集原则和内容、风险分析过程、检验策略制定原则和方法。

2011 年，杜刚等人针对声发射罐底检测过程中传统分析方法无法准确判断储油罐罐底腐蚀区域腐蚀程度的问题，提出了基于平均频谱的储油罐罐底腐蚀声发射特征分析方法，用于判断储油罐罐底板腐蚀类型，该方法利用平均值原理，分别求出罐底板不同腐蚀区域的平均频谱，再通过傅里叶逆变换得到该区域的平均波形，以此来表征腐蚀区域占主导地位的声发射信号特征，为了验证分析方法的有效性，进行了现场储油罐检测实验，实验过程中应用护卫传感器屏蔽罐内噪声干扰，实验结果表明，护卫传感器可以有效屏蔽大量罐内噪声信号，使定位结果更加准确．应用护卫传感器所得到的定位结果与开罐检测结果基本一致，在获得准确的声发射定位结果的前提下，应用基于平均频谱的分析方法，可以有效识别不同腐蚀类型，进而准确判断出罐底腐蚀程度。钟建强等人对 5A03 铝合金在不同浓度硝酸溶液中腐蚀过程的声发射信号进行采集，发现声发射信号撞击数的多少能够反映合金不同腐蚀损伤程度，不同浓度硝酸中 5A03 铝合金腐蚀声发射信号的上升时间、持续时间、振铃计数、能量等特征参数的分布具有较大差异，可通过 90% 的分布区间加以区分，利用所建立的 BP 神经网络能够对 5A03 铝合金储罐腐蚀损伤程度进行模式识别。张颖等人根据领域专家经验，利用与储罐底板腐蚀相关的外部表征因素，采用随机重启爬山算法等 5 种启发式算法构建储罐底板腐蚀状况贝叶斯网络智能评价模型，将模型预测结果与声发射在线检测结果对比，随机重启爬山算法构建的网络模型预测能力优于其他4种算法的网络结构。又为了解决利用声发射在线检测技术对储罐底板腐蚀状态进行评价时，主要依赖检测人员经验的问题，使该项技术能更好的推广和应用，利用储罐底板在线检测的声发射信息和外观检查信息，并根据相关标准及专家经验，确定与储罐底板腐蚀状态相关的表征因素，采用遗传算法（GA）改进贝叶斯网络（BN）搜索方法，建立基于GA的BN智能评价方法，针对声发射在线检测信息和外观检查信息，分别建立基于标准用声发射因素、基于声发射因素和综合考虑声发射因素和外观检查因素的基于在线检测信息的储罐底板腐蚀状态评价模型，通过对测试样本的评价，对比声发射检测专家评价结果，其中基于在线检测信息的储罐底板腐蚀状态评价模型的准确率为96%，能够对储罐底板腐蚀状态进行可靠的智能评价。康叶伟等人分析了罐底声发射在线检测的重要影响因素，并提出了解决措施，分析了声发射技术对罐底板检测评价的可靠性，结果表明：声发射技术对于实际腐蚀较轻和较严重两种状态储罐的评价结果较精确；对于腐蚀状态中等的储罐，评价结果的可靠性相对较低。周祥等人采用熵最大化分离腐蚀信号，运用反馈式分离使采集到的混叠腐蚀信号成功分离，并通过仿真实现了线性混合声发射信号的分离，为进一步对腐蚀点的定位做好前期准备。王伟魁研究了304控氮不锈钢试样在酸性氯化钠溶液中慢应变速率拉伸过程的声发射特征，采用基于自组织映射神经网络和K均值聚类算法对长时间慢拉伸实验的声发射信号进行聚类分析，通过分析各类信号的持续时间、上升时间、振铃、能量、幅值、波形、频带能量等特征，从中找出了裂纹信号。将分类后的信号作为样本训练神经网络，对短时间慢拉伸实验检测到的声发射信号进行识别，找出了应力腐蚀初期的裂纹萌生信号，且与长时间慢拉伸实验检测到的声发射信号特征一致。同时又研究了罐底声发射信号的融合过程，提出了基于聚类分析的声发射信号融合方法，从而提高了对声发射事件提取的准确度，有效降低了噪声信号的干扰；根据罐底声发射源的定位要求，分别采用三角定位算法和超定定位算法对罐底声发射源进行定位，并根据两种算法的特点分别选用了不同的数值解算方法，采用蒙特卡洛方法对比研究了两种定位算法在理想情况下和非理想情况下的定位性能，对罐底声发射源定位分析具有重要指导意义；为实现对罐底腐蚀区域的自动化识别和评估，研究小波聚类算法，并将该算法应用到声发射源罐底分布区域的识别，提出采用声发射源分布信息熵对区域识别效果进行评价，通过对现场检测数据的分析，对小波聚类算法的参数设置范围进行了优化，进而提高识别效率。

2012年，李伟等人应用声发射技术，对低碳钢均匀腐蚀过程进行了检测，获取了低碳钢均匀腐蚀过程中的腐蚀声发射信号，并应用特征参量和小波包变换相结合的方法，分析了低碳钢腐蚀过程的声发射信号特性。又应用声发射技术分别对Q235均匀腐蚀过程中的气泡产生与金属溶解两个过程进行了监测，获取了Q235均匀腐蚀过程中的气泡产生与金属溶解声发射信号，并应用特征参量分析法，分析了气泡产生与金属溶解过程的声发射信号特性，研究发现应用能量、质心频率和峰值频率3种特征参量能准确区分两种不同的腐蚀信号，研究结果为Q235均匀腐蚀过程的声发射研究和噪声信号的分离提供了参考。张春辉利用声发射参数分析法，分析了Q235均匀腐蚀气泡产生过程和金属溶解过程的声发射特征。运用小波分析在信号去噪和特征提取中的相关理论知识，结合实际声发射信号的特点采用阈值去噪方法剔出了噪声信号的干扰，并对降噪处理后的信号进行四层小波包分解，提取分解后各节点能量作为神经网络的输入，在结构上选取"紧致型"的小波神经网络，以Morlet小波函数作为隐含层激励函数，网络学习训练过程基于误差的逆向传播，按照梯度下降方向调整网络参数，同时避免了网络陷入局部最优解中，达到了对均匀腐蚀过程中金属溶解与气泡破裂过程的模式识别。杜刚基于声发射检测技术研究304核级不锈钢材料的耐蚀性能，并与电化学阻抗谱检测结果进行对比，首次提出了判断材料耐蚀性能的腐蚀声发射参数指标；基于声发射检测技术研究304核级不锈钢材料的应力腐蚀过程，并与电化学噪声检测结果进行对比，发现声发射检测技术对于不锈钢裂纹扩展十分敏感，可以有效检测出不锈钢材料内部动态缺陷，首次提出利用声发射信号平均频谱来表征不锈钢材料的不同腐蚀阶段，实验结果表明不同腐蚀阶段的声发射特征差异明显；提出利用K-means聚类算法对腐蚀过程中的声发射信号进行聚类分析，并利用小波包变换方法对不同聚类的声发射信号进行特征提取，实现了对于声发射信号源的类型识别。赵佳基于独立分量分析的fastICA算法对罐底腐蚀声发射信号进行降噪研究，仿真过程实现了对双指数模型声发射信号与噪声信号混合信号的分离。于洋应用有限元方法对储油罐声发射信号传播情况进行了仿真研究，发现在介质一定的前提下，信号沿周向传播明显。周祥应用小波分解对采集的突发信号和连续信号进行分析，选取不同小波尺度下的分解信号，通过对腐蚀信号的频域研究表明，突发型信号能量集中，频率主要集中在50~80kHz之间，信号具有间断性，主要是因为金属表面钝化膜的破裂和气泡破裂瞬间释放的能量所导致的，连续型声发射信号的能量相对分散，其频率主要集中在30~50kHz之间，这主要是因为在腐蚀过程中化学反应持续产生的能量所导致的；对混合信号分离进行了研究，利用盲源分离算法能够分离信号源个数未知条件下的混合信号的优点，设计了非高斯信号的混合迭代分离算法，实现了混合腐蚀信号的分离。王伟魁提出了一种基于小波聚类的罐底声发射源聚集区域自动识别方法，算法过程主要包括：划分网格、二维离散小波变换、区域查找和标记、确定声发射源所属区域等步骤，现场实验数据表明，该方法能够对任意分布形状的声发射源聚集区域进行自动识别，特别是能够将因加热盘管腐蚀产生的声发射源划分到同一区域，有效提高了对罐底腐蚀评估的效率和准确性，以声发射源分布信息熵作为区域识别有效性的评价指标，选择信息熵最大的识别结果作为最终声发射源聚集区域识别结果最为有效。又提出了一种基于聚类分析的罐底声发射信号融合方法，其基本原理是先根据事件定义时间进行初始声发射事件判定，然后采用聚类分析方法对初始声发射事件中的信号进行分类，将每一类信号分别判定为一个声发射源。黄瑾发现声发射信号与泄漏孔径的关系：在一定范围内，随着孔径的减小，单位面积收集的声发射信号数量而增多，当泄漏孔径小到某种程度时，声发射信号又会逐渐减少。方伟等人通过存在沉淀的原始状态模拟储罐与清洗罐底后声发射试验结果对比，得出罐底沉淀物会产生部分声发射信号并影响声发射检测，以及涂层对声发射检测影响较小的结论。徐耀松等人采用曲线拟合法对每路传感器采集信号进行波达时刻估计，然后进行信号截取，对两路传感器截取信号进行基于相位变换的广义互相关，实现信号的时延估计，该方法能有效克服多途干扰，提高时延估计性能。同时针对有限空间液态场中水声信号的多途效应严重影响声源目标定位问题，提出一种基于粒子滤波的到达时间差（TDOA）声源定位方法，充分考虑广义互相关结果中多途效应导致的多个峰值，采用高斯似然函数进行重要性采样，实现对多途效应影响的抑制。毛雪伟研究声发射信号的分析处理方法，包括散点矩阵、自组织特征映射神经网络及K均值运算等，对材料腐蚀过程中的声发射信号进行特征提取和聚类分析，并实现对应力腐蚀过程中不同腐蚀形态的准确识别。邱枫等人应用BP人工神经网络建立储罐底板腐蚀智能评价模型，降低了人为经验因素对储罐评估的影响。同时建立储罐底板腐蚀声发射典型参量对漏磁检测数据的量化评价模型，实现风险腐蚀速率的评估。

2013 年，张明宇采用自回归模型为特征提取方法，结合声发射实验平台采到的钢板裂纹的开裂、腐蚀形成的钢板薄弱区的受载变形、腐蚀生成氧化物的剥离产生的声发射信号，采用信号分段、每段分别提取 AR 特征值的方法，克服了传统 AR 模型参数提取方法应用在长时序列方面的缺陷。李涌泉等人采用沸腾硝酸法和声发射技术研究了敏化 316L 奥氏体不锈钢的晶间腐蚀特性，通过失重法对 3 个周期实验的腐蚀速率进行计算和评定，并利用金相显微镜观察了各周期实验后试样腐蚀形貌，同时利用声发射检测系统实时采集了实验过程中的晶间腐蚀声发射信号，通过对信号进行参数分析和小波分析探究了敏化 316L 不锈钢晶间腐蚀的声发射信号特征规律。张雯雯针对储罐罐底腐蚀声发射信号的特点提出了短时分形维数增强法，具体研究了短时分形维数方法的提出背景，应用原理与适用条件，及此方法应用于罐底腐蚀声发射信号时频分析中的优势。周亮以径向基函数（RBF）作为支持向量机的核函数，针对 RBF 核函数的参数选取设计三种参数寻优方法：网格搜索法、遗传算法寻优和粒子群参数寻优（PSO），利用三种参数寻优方法对 RBF 核函数的关键参数进行了分析。杜刚针对航天结构关键材料 304 不锈钢的腐蚀问题，应用声发射无损检测技术对 304 不锈钢在极化条件下的腐蚀失效行为进行了研究，表明 304 不锈钢腐蚀过程主要包括点蚀孕育、点蚀发生和点蚀发展三个不同阶段，在点蚀孕育阶段和点蚀发展阶段声发射信号数量较为平稳或保持不变，而在点蚀发生阶段声发射信号数量大幅增加，声发射检测结果被 SEM（扫描电子显微镜）观测结果证实，提出利用声发射腐蚀时间参数判断 304 不锈钢材料耐蚀性能。李伟对 Q235 和不锈钢点蚀过程中的声发射信号特征进行实验研究。选取 Q235 腐蚀历程中的数据样本，对声发射信号进行了 K 均值聚类，区分噪声信号与腐蚀过程中的声源信号，得出了 Q235 腐蚀过程中声发射特性。陈涛采用盐水腐蚀真实罐底板，模拟油罐腐蚀，提取全波形文件中被识别为腐蚀类别的特定帧信号，选取合适的自适应阈值电压得到信号特征参数，将全波形信号和信号特征参数入库，根据数据库特征参数训练支持向量机分类器，应用到实际油罐检测中并与开罐检测结果作对比，达到预期油罐分类效果。潘渊讨论了常压储罐中声发射信号产生的机制和传播过程，试验研究了液体介质中声发射源的定位、波速的计算及声发射信号的衰减规律，提出了声发射信号的分析方法以及结果评价方法。张延兵对储罐液位上升情况下，充装液位超过 80%情况下的储罐底板腐蚀信号进行了监测和分析。

2014 年，张男采用了基于遗传—匹配追踪（GA-MP）算法对信号波形进行匹配，可以良好地重构声发射信号，达到从腐蚀声发射信号中提取特征信息的目的。马佳良分别利用人工蜂群算法（ABC）、粒子群算法（PSO）和遗传算法（GA）对相关向量机核函数参数进行优化，对几种寻优算法性能进行了对比，采用基于二叉树结构的一对多扩展方法，将二分类相关向量机模型扩展成四分类模型，研究将不同声发射参数作为输入特征向量时，对模型分类性能的影响，证明人工蜂群算法优化相关向量机算法的实用性。张延兵对一放置 2 年时间的储罐试验模型进行长周期的声发射腐蚀监测，通过研究其在稳定腐蚀状态下的声发射信号特征，分析其腐蚀的机理和信号产生的原因，形成对储罐腐蚀更深入的认识。杜刚研究了 304 不锈钢试件在酸性 NaCl 溶液中进行慢应变速率拉伸试验过程中的电化学噪声和声发射特征，提出了基于 K-Means 聚类算法的声发射信号聚类分析，并对各聚类信号进行小波包特征提取，研究结果表明：在测试体系中，304 不锈钢很容易发生应力腐蚀，其腐蚀形态由局部腐蚀逐渐发展成为全面腐蚀，腐蚀过程中表征点蚀、裂纹和气泡破裂的声发射信号特征差异十分明显，声发射检测结果与电化学噪声检测结果基本一致。高胜应用声发射技术对 Q235、Q345R 和 304 不锈钢 3 种材料在 NaCl 溶液中的腐蚀过程进行了监测，获取了 3 种材料腐蚀过程中腐蚀产物的生成与剥落和气泡在材料表面的波动所导致的声发射信号，并应用声发射信号特征参量分析法和小波特征能谱系数分析方法，分析了 3 种材料在 NaCl 溶液中腐蚀产生的声发射信号的特征。于洋采用短时分形维数和离散分数余弦变换相结合的降噪方法，利用声发射检测系统，对 Q235 钢板的全面腐蚀和局部腐蚀声发射信号进行了降噪处理，实验结果表明，腐蚀声发射信号分别加入白噪声、有色噪声和粉红噪声，在输入信噪比为 0~15dB 的条件下，此方法降噪效果与标准离散余弦、离散分数余弦变换方法相比，输出信噪比最高可提升 8dB，所述降噪方法对检测腐蚀声发射信号以及对金属剩余寿命的评价具有一定意义。曹慧针对传统的模糊聚类算法初始化需给出聚类个数，提出了一种基于高斯核有效性指标判定的聚类数优化方法。同时针对 FCM 算法初始聚类中心敏感，容易陷入局部的最优点等缺点，利用 GK 算法优化选取初始聚类中心，克服了模糊聚类算法对初始值的敏感的缺点，实现对数据集的无监督地进行模糊划分。宗福兴利用混合因子分析进行预处理，及改进的独立分量分析算法实现源信号的分离，根据时域和频域的相关知识，将独立分量中的噪声通道去除，达到声发射信号有效去噪的目的。

目前，对于储罐底板声发射检测技术，主要通过对底板声发射源的分析来进行完整性评价。由于在检测过程中不可避免地存在大量的噪声信号，为了对储罐底板腐蚀状态进行更加准确的判断，主要的研究工作方向是对声发射信号进行降噪处理，例如采用频谱分析、小波变换、人工神经网络和相关分析等方法对其进行处理，进而对声发射源进行分析，从而获得准确的评价结果。但是，储罐声发射在线检测技术的最终目的是对储罐结构的完整性进行评价，而这也是使用单位最关心的问题。但要对一个储罐做出合理的评价，是建立在对腐蚀状态的数据做全面采集，并对所采集的数据信息的分析结果基础之上。由于大型储罐底板腐蚀情况复杂，中央部位的微弱腐蚀信号容易衰减而存在漏检现象，提高微弱信号的采集精度是全面获得储罐底板腐蚀信息的重要途径。同时储罐底板腐蚀状态是非均匀变化过程，基于盛装不同品质原油模拟储罐的静态腐蚀和动态腐蚀声发射长期监测及特性分析，获取储罐底板状态更加丰富的信息，建立基于多元统计参量的储罐底板腐蚀状态声发射评价模型，实现对其更加准确的评估及智能预测。为及时发现储罐底板安全隐患，制定科学的检修维修计划，提供一种更加可靠的安全检测技术。这些方面的工作，目前国内外尚未见报道。

第 2 章 储罐底板腐蚀声发射源

2.1 原油储罐底板腐蚀

2.1.1 罐底沉积水

罐底的沉积水是原油储罐内底板的腐蚀根源。冷凝水、雨水和采油的回注水是沉积水的主要来源。由于不同地区、不同作业点的原油品种、原油开采时间以及回注水处理工艺差别较大，导致沉积水的成分差异较大。沉积水腐蚀性受到以下因素的影响：pH 值、Cl^-、硫化物含量、矿化度等。沉积水中氢离子的浓度决定了 pH 值。当 pH 值维持在 7 左右时，腐蚀速率受到氢离子浓度变化的影响不大；沉积水中 Ca^{2+}、Mg^{2+} 高时，会导致矿化度高，一方面会有利于沉积结垢，抑制氧的扩散，致使氧浓差电池腐蚀的形成，同时会增强沉积水的电导率，促使电子的迁移，从而加速腐蚀反应；Cl^- 极化度值较高，属于强烈的腐蚀催化剂，能够加速腐蚀发生。

2.1.2 H_2S，CO_2，O_2 的影响

由于空气中的 CO_2、O_2 很难扩散到储罐内底板上的沉积水层中，因而在罐底部它们的含量较小，但不能说罐底部是完全的厌氧环境，因为原油在出油和付油过程中会带一定的空气，所以在研究中这项因素也不可忽略。

目前研究发现 H_2S 气体是储罐气体腐蚀因素中发挥作用最大的。该种气体会在水中稀释成弱酸，并能分解形成具有腐蚀性。同时不可忽视的是 H_2S 能作为催化剂，促进储罐底板对阴极还原过程中所形成的氢吸收，致使高强度钢发生硫化物应力腐蚀。同时硫化合物溶解后能形成硫化物酸，被定性为强度最高的腐蚀性硫化物。

2.1.3 硫酸盐还原菌

由于原油储罐底部环境是密闭的，处于低氧环境，这是硫酸盐还原菌（SRB）适宜的生存条件。硫酸盐还原菌在成长、繁殖生命期中会产生腐蚀性产物：酸、碱、硫化物和其他有害离子，促使本身无害的环境变得具有腐蚀性，加速油罐底部钢板的腐蚀，缩短了储罐的正常工作寿命，且会带来不利的影响及安全隐患。

目前研究人员对于 SRB 的腐蚀机理没有统一的认识，大家能普遍接受的观点是 Von Wozogen Kuer 和 Vander Vlugt 提出的阴极去极化理论，这可由下列反应表示：

阳极的反应：$4Fe \rightleftharpoons 4Fe^{2+} + 8e^-$

水的离解：$8H_2O \rightleftharpoons 8H^+ + 8OH^-$

阴极反应：$8H^+ + 8e \rightleftharpoons 8H$

阴极去极化：$SO_4^{2-} + 8H \rightleftharpoons S^{2-} + 4H_2O$（在 SRB 作用下）

腐蚀产物：$Fe^{2+}+S^{2-}\rightleftharpoons FeS$

$3Fe^{2+}+6OH^-\rightleftharpoons 3Fe(OH)_2$

总反应：$4Fe+SO_4^{2-}+4H_2O\rightleftharpoons 3Fe(OH)_2+FeS+2OH^-$

V. L. Rainha 等人认为总反应式是毋庸置疑的，但是对于其中的个别步骤仍然无法确定。King 和 Miller 认为 FeS 在反应中吸收了 H 分子。之后 FeS 重新生成，并且在整个氢化酶系统充当阴极。另一方面 Costdlo 认为并不是 H 离子而应该是 H_2S 参与了阴极反应，其中反应式是：$2H_2S+2e^-\rightleftharpoons 2HS^-+H_2$。根据其细菌氢化酶系统通过消耗 H_2，生成 H_2S。

2.1.4 其他因素

1）紊流因素

原油储罐需要经常进行进油和出油操作，使得罐中的油和水发生大幅的流动，导致罐底流体紊流形成，由于是多块钢板传接制成的罐底，所以会导致钢板起伏波动，使得钢板表面的涂料受到大幅度的磨损和挠弯，加速腐蚀的形成。

2）力学因素

浮顶储罐设置有内浮盘，并浮于油液面之上，以减少液相的蒸发。需要安装支柱在内浮盘的底部，使得在油罐放空时，可以支撑住内浮盘，使其与键内底板保持一定的高度距离。因此在出油和进油作业时，油面发生波动，支柱会对内底板形成振动和冲击载荷，促使缝隙腐蚀、点蚀、振动损伤等形成。因此机理分析时则不可避免地要考虑力学因素和相关化学因素。

3）操作因素

C. Guedes Soares 和 Y. Garbatov 等人认为原油以及炼化产品油罐表面形成油性和蜡质性的膜，这种膜在一定程度可以防止碳钢的腐蚀。但是，在油罐清洗过程中，如果直接利用水冲洗，一些区域的膜会被破坏。而别的区域的膜，由于结构因素，或是离水管口远，而未被破坏，并保存下来，易形成氧浓差腐蚀反应。这种不完全的冲洗造成罐底的腐蚀。同时温度和压力作为特别的因素需要考虑到。

2.2 罐底金属阳极溶解产生声发射源

2.2.1 晶格缺陷

1）间隙原子与空位

在理想的固体晶格内，原子分布在节点中，并围绕它们自己的中心位置附近做热振动。只有在绝对零度的条件下，原子在节点中才能处于静止状态（不考虑量子效应的情况下）。原子的热运动要产生热噪声，这种噪声的能量均匀分布在有几分之一赫兹到 10^{13} 赫兹的频率范围内。这一点与电磁辐射所产生的，频谱均匀分部的可见白光很相似，所以晶格的热噪声叫做"白"噪声。在室温条件下，单位频率范围内热噪声的能量约为 4×10^{-21} J/Hz。

晶格内原子热振动的振幅和速度是根据宝耳兹曼定律按统计分布规律分布的。根据这一定律，部分原子的运动速度较高，同时移动的距离也较大，它们能够离开自己的平衡位置（节点），而落到其他原子的中间。在这种情况下就形成了两种截然不同的缺陷：空位与间隙原子，如图 2.1 所示。这些缺陷引起晶格的歪曲，歪曲会使晶格的位能进一步增加。但是，与此同时，间隙原子还有可能遇到空位。当它们相遇时晶格的歪曲就消失，晶格的两种缺陷也就相互抵消了。这时，造成晶格歪曲所增加的位能转变为弹性振动能，而辐射声发射脉冲，脉冲的能量应等于空位与间隙原子能量的总和（指抵消的静电反应过程中）。对于金属来说，辐射脉冲的能量约为 10^{-19} J。

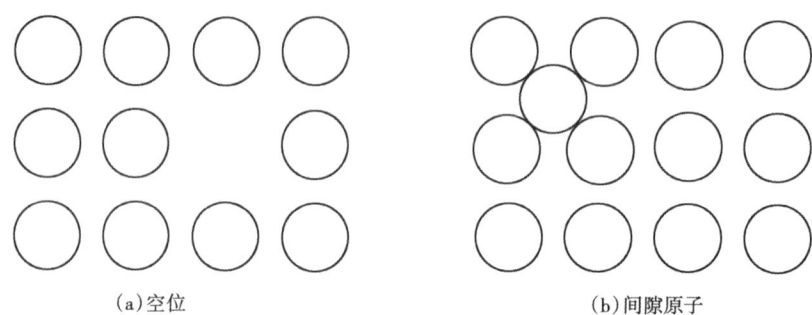

(a) 空位　　　　　　　　　　　　(b) 间隙原子

图 2.1　晶格的缺陷

晶格中存在微观缺陷的情况下，晶格热噪声的参数与理想晶格热噪声参数相比肯定是会有差别的。热噪声参数取决于结晶格子缺陷的形式，缺陷的数量和大小，以及缺陷所处的条件。热噪声的特点要随着参加到辐射过程中来的空位与间隙原子的组成，混合情况和相互抵消的过程而发生变化。这样，白噪声就变成带"颜色"的了。

在金属腐蚀的阳极过程中，作为阳极发生氧化反应的溶解过程为外电流作用下的强制溶解，以及自发性阳极溶解。其主要步骤表现为：

（1）金属原子离开晶格转为表面吸附原子：

$$M（晶格）\longrightarrow M（吸附） \tag{2-1}$$

（2）表面吸附原子越过双电层进行放电，变为金属离子并形成水合离子：

$$M（吸附）\longrightarrow (M^{n+}) + ne \tag{2-2}$$

$$(M^{n+}) + mH_2O \longrightarrow (M^{n+}) \cdot mH_2O \tag{2-3}$$

（3）金属水合离子从双电层的溶液一侧向溶液本体迁移：

$$总反应：M^{n+} \cdot ne + mH_2O \rightarrow M^{n+} \cdot mH_2O + ne \tag{2-4}$$

由此，当金属阳极反应的步骤（1）发生时，高能金属原子离开晶格，晶键的断裂会发出瞬态弹性应力波，产生声发射现象；并且原位置便会形成空位，表面吸附原子可能成为间隙原子，发生相互抵消作用，释放能量，从而形成声发射源。若腐蚀活性和腐蚀速率大，大量的金属原子离开晶格，空位和间隙原子增多，相互抵消作用增加，声发射脉冲增多，声发射事件数增加。

2）位错

对金属固体的机械性能起决定性影响的晶格缺陷是位错。常见的刃型位错相当于一个未充满原子的平面，被"放入到"完整的原子平面当中所形成的缺陷。在"多余"原子平面结束的位置晶格发生歪曲，而形成位错核心。位错线所形成的歪曲区域沿着原子平面断开线而延伸，即在间隙原子与空位都是点缺陷的情况下，位错是一种线缺陷。晶格的歪曲与它本身的变形有关。由于结晶中的位错存在使机械变形抗力大大下降。当有力作用在存在位错的结晶上，一般认为，当载荷达到 $10^{-2}G \sim 10^{-3}G$（G——剪切弹性模量），会发生位错的滑移。

位错的转移是一种断续的跳跃过程，它不是一个平稳的运动，而是伴随有加速度的运动，而且加速度也是在不断变化的，运动位错没有固定位置，均为瞬时位置。位错运动相当于跳跃式的机械运动，所以伴随有冲击现象，因此，也就伴随有弹性波脉冲的辐射。

如果具有多余原子平面"在上方"的位错，在运动过程中正好遇到符号相反的，也就是多余原子平面"在下方"的位错，这两个半平面将结合到一起，成为一个完整的平面，位错相互抵消，同时晶格的歪曲也就消失。根据能量守恒定律，位错抵消过程中要释放出造成原有晶格缺陷的能量，要以弹性振动的形式释放出来，即晶格缺陷的机械位能要转变为固体质点振动的机械能。也就是说，根据金属物理学和声学原理，金属材料内部由于晶格错位、晶界滑移及内部裂纹的萌生与扩展，均会释放出应变能量和短暂的弹性应力波，即声发射现象。

综上所述，位错运动即是由于金属内部原子的正常排列受到了破坏，产生了"前拥后挤"的滑移现象，这种现象引起原子间互相碰撞，从而产生弹性波。一个稳定的位错处于低位能状态，在外部应力作用下，位错在滑移面内沿着滑移方向运动，在达到下一个稳定态之前需要克服高能的位垒。当位错运动达到高位能时，晶体点阵的应变能增加。反过来说，假如位错从高位能状态运动至低位能状态时，会释放出多余的弹性应变能，其中一部分也会以弹性应力波的形式释放出来。

当罐底金属发生腐蚀时，表面的高能状态位错原子将最先成为吸附原子发生腐蚀，释放所积聚的弹性应变能，产生声发射现象。另外，储罐底板承受液压载荷，并且在进出油作业时，油体发生震荡，浮船支柱对内底板形成振动和冲击载荷，材料内部易存在应力集中，同时促使缝隙腐蚀、点蚀、振动损伤等形成。腐蚀坑的形核与长大（腐蚀裂纹的形成和扩展）与材料塑性变形有关，腐蚀坑一旦形成材料内部局部区域的应力集中将得到卸载，罐底金属晶体中位错发生滑移，释放弹性应力波；腐蚀坑形成后将会随着尖端区域进一步扩展，扩展过程会将积蓄的能量释放出来，产生声发射。因此，就整个腐蚀过程而言，腐蚀坑形核、汇聚、扩展都始终伴随着声发射现象。罐底金属在腐蚀过程中，除了承受液压载荷、振动和冲击载荷，还有电化学反应的驱动力，促进腐蚀损伤的进行。

3）驱动力

金属试件在被拉伸过程中，在拉力的驱动下中会有声发射现象产生。那么同理在腐蚀过程中，金属原子之所以会离开晶格以及声发射现象的产生，也是由于驱动力的作用，该驱动力的情况，在这里进行探讨。金属腐蚀过程的驱动力即电化学反应的驱动力，是金属点缺陷、线缺陷以及理想晶格原子腐蚀产生声发射现象的驱动力。电化学驱动力来自原电池中发生的氧化—还原反应的化学亲和势（正负两电极的电位电势差），其大小由腐蚀速率决定。

电极过程的速度是由带电荷的粒子（荷电粒子）穿越双电层而实现电荷转移这一步骤所控制的情况。实现电荷转移步骤是电极反应过程的主要步骤，因为电极反应就是伴随着电极材料相与溶液相这两相之间的电荷转移过程而发生的。许多情况下，尤其是在溶液同电极之间的相对运动速度比较大、从而传质过程比较容易进行的情况下，这个电极反应过程的速度往往由荷电粒子穿越双电层的步骤所控制。也就是说有多少荷电粒子穿越双电层就相应要有多少金属原子离开晶格转为表面吸附原子，进而表面吸附原子进入相界区，变为活化粒子，发生腐蚀溶解。

在化学动力学中,一个单分子的反应:

$$A \underset{\overleftarrow{v}}{\overset{\overrightarrow{v}}{\rightleftharpoons}} B \tag{2-5}$$

自反应式左方向两反应式右方进行的速度也即顺反应的速度是:

$$\overrightarrow{v} = \overrightarrow{k}_c c_A \tag{2-6}$$

逆反应速度,也即从反应式右方向反应式左方进行的速度是:

$$\overleftarrow{v} = \overleftarrow{k}_c c_B \tag{2-7}$$

式中　$\overrightarrow{v}$——顺反应速度,mol/(cm³·s);

　　　$\overleftarrow{v}$——逆反应速度,mol/(cm³·s);

　　　c_A——A 的浓度,mol/cm³;

　　　c_B——B 的浓度,mol/cm³;

　　　$\overrightarrow{k}_c$——顺反应的化学反应速率常数,s⁻¹;

　　　$\overleftarrow{k}_c$——逆反应的化学反应速率常数,s⁻¹。

$\overrightarrow{k}_c$ 和 $\overleftarrow{k}_c$ 的下角用"c"表示它们是化学反应的速率常数。可分别用式(2-8)和式(2-9)表示:

$$\overrightarrow{k}_c = \frac{kT}{h}\exp\left(-\frac{\Delta G^*_{A\rightarrow B}}{RT}\right) \tag{2-8}$$

$$\overleftarrow{k}_c = \frac{kT}{h}\exp\left(-\frac{\Delta G^*_{B\rightarrow A}}{RT}\right) \tag{2-9}$$

式中　k——玻尔兹曼常数,$k=R/N=1.381\times 10^{-23}$ J/K;

　　　h——普朗克常数,每个量子的能量,$h=6.26\times 10^{-24}$ J·s;

　　　$\Delta G^*_{A\rightarrow B}$ 和 $\Delta G^*_{B\rightarrow A}$ 分别是从 A 变为 B 的活化能。假设 A 处于相 I,B 处于相 II,并把处于相 I 的 A 越过相界区变为处于相 II 的 B 时或其相反过程的自由焓变化如图 2.2 所示。当 A 越过相界区变为 B 时,先要激发成为处于两相之间某一位置上的活化分子 X。若活化分子的位置在相界区中离相 I 为 x_1,离相 II 为 x_2 处。I = x_1+x_2,I 为相界区的宽度。X 同 A 的自由焓的差值就是 $\Delta G^*_{A\rightarrow B}$。同样,当 B 越过相界区变为 A 时,也要先激发成为处于两相之间的活化分子 X。这个过程的活化能 $\Delta G^*_{B\rightarrow A}$ 就是 X 同 B 的自由焓的差值。

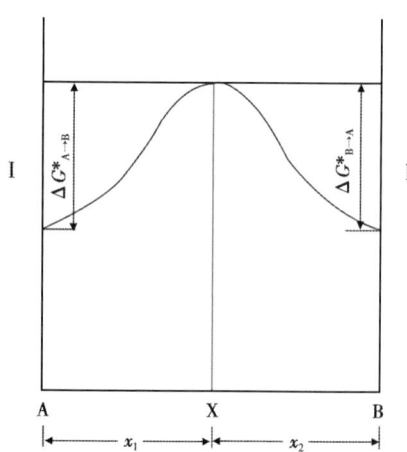

图 2.2　A(相 I)与 B(相 II)互相转化时的自由焓变化曲线

假设 B 是处于溶液中的带有 n 个正电荷的金属离子,A 是单位面积的电极表面上的金属原子,相界区是双电层。如果双电层中的电场强度是均匀的,则有:

$$\varepsilon_{M/sol} = \frac{\Phi}{l} \tag{2-10}$$

那么如图 2.3 所示,当带有电量为 nF 的 1molB(带有 n 个正电荷的金属离子)变为活化粒子 X 时,除了需要活化能 $\Delta G_{B \to A}^*$ 外,还须克服电场的作用而消耗功 $nF\varepsilon x_2$,所以此时从 B 变为 X 的自由焓变化为:

$$\Delta \vec{G}_{B \to A}^* = \Delta G_{B \to A}^* + nF\varepsilon x_2 \tag{2-11}$$

重要的是同理,由于双电层中电场的影响,从 A 变为活化粒子 X 的自由焓变化为:

$$\Delta \vec{G}_{A \to B}^* = \Delta G_{A \to B}^* + nF\varepsilon x_1 \tag{2-12}$$

根据式(2-10),有:

$$\varepsilon x_1 = \frac{x_1}{l}\Phi, \quad \varepsilon x_2 = \frac{x_2}{l}\Phi$$

令

$$\alpha = \frac{x_1}{l} = \frac{x_1}{x_1 + x_2}, \quad 1 - \alpha = \frac{x_2}{l} = \frac{x_2}{x_1 + x_2}$$

则有:

$$\varepsilon x_1 = \alpha \Phi \tag{2-13}$$

$$\varepsilon x_2 = (1 - \alpha)\Phi \tag{2-14}$$

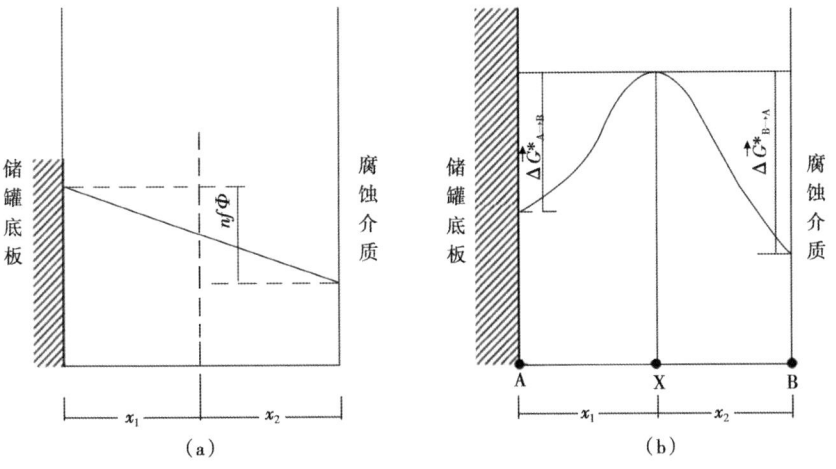

图 2.3 当相界区存在均匀电场时 A(铁原子)与 B(铁离子)互相转化时的自由焓变化曲线

将式(2-13)和式(2-14)分别代入式(2-12)和式(2-11),得到电极反应的速率常数:

$$\vec{k}_a = \frac{kT}{h}\exp\left(-\frac{\Delta G_{A \to B}^* - \alpha nF\Phi}{RT}\right) = \vec{k}_c \exp\left(\frac{\alpha nF\Phi}{RT}\right) \tag{2-15}$$

$$\vec{k}_a = \frac{kT}{h}\exp\left[-\frac{\Delta G^*_{A\to B}+(1-\alpha)nF\Phi}{RT}\right] = \vec{k}_c\exp\left(-\frac{(1-\alpha)nF\Phi}{RT}\right) \tag{2-16}$$

为了表示与简单的化学反应的速率常数的不同，这里的速率常数角标 a，电极反应的速度为：

$$\vec{v} = \vec{k}_a c_A \tag{2-17}$$

$$\overleftarrow{v} = \overleftarrow{k}_a c_B \tag{2-18}$$

在 A 是金属电极的金属原子的情况下，c_A 取单位值。如果 $\vec{v}$ 和 $\overleftarrow{v}$ 是指单位电极表面上的反应速率，以 $\vec{I}$ 表示阳极反应的电流密度值，以 $\overleftarrow{I}$ 表示其逆过程，即阴极反应的电流密度的绝对值，二者之间的关系是：

$$\vec{I} = nF\vec{v} \tag{2-19}$$

$$\overleftarrow{I} = nF\overleftarrow{v} \tag{2-20}$$

以 c_R 代替 c_A 表示电极反应中还原体的浓度，以 c_O 代替 c_B 表示电极反应中氧化体的浓度，则一个电极反应的阳极电流密度值和阴极电流密度的绝对值可以分别表示为：

$$\vec{I} = nF\vec{k}_c c_R \exp\left(\frac{\alpha nF\Phi}{RT}\right) \tag{2-21}$$

$$\overleftarrow{I} = nF\overleftarrow{k}_c c_O \exp\left\{-\frac{(1-\alpha)nF\Phi}{RT}\right] \tag{2-22}$$

电极的外测电流密度是阳极电流密度值与阴极电流密度绝对值的差值。

$$I = \vec{I} - \overleftarrow{I}$$

当电极反应处于平衡时，电极反应的两个方向进行的速度相等，此时的反应速率为交换反应速率，按两个反应方向进行的阳极反应和阴极反应的电流密度绝对值为交换电流密度，以 I_0 表示，在电极反应处于平衡时，即当 $\Phi = \Phi_e$ 时：

$$\vec{I} - \overleftarrow{I} = I_0$$

因此：

$$I_0 = nF\vec{k}_c c_R \exp\left(\frac{\alpha nF\Phi}{RT}\right) = nF\overleftarrow{k}_c c_O \exp\left(-\frac{(1-\alpha)nF\Phi}{RT}\right) \tag{2-23}$$

将式（2-23）代入式（2-21）和式（2-22），即得：

$$\vec{I} = I_0 \exp\left[\frac{\alpha nF(\Phi-\Phi_e)}{RT}\right] = I_0 \exp\left(\frac{\alpha nF\eta}{RT}\right) \tag{2-24}$$

$$\overleftarrow{I} = I_0 \exp\left[-\frac{(1-\alpha)nF(\Phi-\Phi_e)}{RT}\right) = I_0 \exp\left[-\frac{(1-\alpha)nF\eta}{RT}\right] \tag{2-25}$$

$$\eta = \Phi - \Phi_e = E - E_e \tag{2-26}$$

式中　η——电极反应的过电位。

因此，由式（2-21）~式（2-26），可以将以绝对电位 Φ 表示的式（2-21）和式（2-22）改写成由电极电位 E 表示的电极反应动力学关系式：

$$\vec{I} = nF\vec{k}c_R \exp\left(\frac{\alpha nFE}{RT}\right) \tag{2-27}$$

$$\overleftarrow{I} = nF\overleftarrow{k}c_O \exp\left[-\frac{(1-\alpha)nFE}{RT}\right] \tag{2-28}$$

式中反应速率常数 $\vec{k}$ 和 $\overleftarrow{k}$ 与 $\vec{k}_e$ 和 $\overleftarrow{k}_e$ 的关系为：

$$\vec{k} = \vec{k}_e \exp\left[\frac{\alpha nF(\Phi - E_e)}{RT}\right] \tag{2-29}$$

$$\overleftarrow{k} = \overleftarrow{k}_e \exp\left[\frac{(1-\alpha)nF(\Phi - E_e)}{RT}\right] \tag{2-30}$$

式（2-24）和式（2-25）或式（2-27）和式（2-28）即为电化学电极反应的荷电粒子穿越双电层的动力学关系式。表明有多大的腐蚀速率就要有相应多少带电量为 nF 的金属离子变为活化粒子，即相应有多少金属原子要变为活化粒子，并且这个过程相界区的双电层存在电场力的作用。验证腐蚀的驱动力来自两电极的电位电势差，大小由腐蚀速率（腐蚀电流密度）决定的说法。当腐蚀速率小时，腐蚀电流密度小，金属原子变为活化粒子的数量少，金属原子离开晶格转为表面吸附原子的数目也少，声发射信号少；当腐蚀速率大时，腐蚀电流密度大，金属原子变为活化粒子的数量多，金属原子离开晶格转为表面吸附原子的数目也多，声发射信号多。说明声发射可以描述罐底金属阳极溶解腐蚀过程，表征腐蚀活性及严重程度。

2.2.2 能量转变

声发射是指由于材料局部能量快速释放而发出瞬态弹性波的现象，因此这里从能量角度分析阳极溶解腐蚀过程中的声发射产生机理。储罐底板的运行环境特殊，腐蚀条件复杂，腐蚀类型析氢腐蚀和吸氧腐蚀兼有。对于析氢腐蚀的阴极反应占主导地位，氢离子得电子形成氢原子。氢原子进入罐底金属中，导致金属原子化学键键合力下降，材料性能劣化，从而发生损伤开裂，发出弹性应力波，产生声发射现象。然而无论是析氢腐蚀还是吸氧腐蚀，阳极反应均为阳极金属溶解，尤其是吸氧腐蚀中阳极溶解占主导地位，阳极金属原子不断溶解形成金属离子。如果罐底金属表面的某处防腐层脱落、钝化膜破裂或存在杂质的阳极相，这些区域就会作为阳极被腐蚀溶解。从前述分析中可知，腐蚀损伤发展的快慢与腐蚀速率有关，呈正相关。在下面能量角度分析中，再次验证了阳极溶解电化学过程为腐蚀坑的形成，损伤的发展提供了驱动力，驱动力的大小由腐蚀的速度决定。作为阳极溶解腐蚀损伤结果的腐蚀坑的形核和长大，涉及原子层面的微观电化学过程，而损伤力学研究的起点即是微观尺度上的损伤缺陷，因此本文应用其热力学框架，对阳极溶解腐蚀过程的能量转化问题进行分析。在损伤力学中，热力学基础包括热力学第一定律和第二定律。

1）热力学第一定律

热力学第一定律，即为能量守恒定律，当只考虑机械能和热能存在的时候，可以将该热力学过程表达为：

$$\frac{\mathrm{d}}{\mathrm{d}t}(K+U)=\dot{W}+\dot{Q} \tag{2-31}$$

式中 K——系统动能，J；

U——系统内能，J；

$\dot{W}$——外力对系统做功的功率；

$\dot{Q}$——环境对系统的热量传递速度。

在罐底腐蚀损伤的热力学过程中，除了上述的机械能和热能，还有电化学能的存在，根据电化学过程中内能的变化：

$$\mathrm{d}U=\mathrm{d}Q+\mathrm{d}E \tag{2-32}$$

式中 $\mathrm{d}E$——电化学功率；

E——电化学功。

则腐蚀过程中的热力学第一定律可以转化为：

$$\frac{\mathrm{d}}{\mathrm{d}t}(K+U)=\dot{W}+\dot{Q}+\dot{E} \tag{2-33}$$

由力学中的功能原理，外力做功为系统内能和应变能的改变之和，则在单位时间内，系统内能变化可作如下表示：

$$\frac{\mathrm{d}}{\mathrm{d}t}(\int_{V}\rho e \mathrm{d}V)=\int_{V}\sigma:\dot{\varepsilon}\mathrm{d}V+\dot{Q}+\dot{E} \tag{2-34}$$

式中 ρ——物质密度；

e——内能密度；

σ——Cauchy 应力张量；

ε——Cauchy 应变张量。

$$\dot{Q}=\int_{V}\rho\dot{r}\mathrm{d}V-\oint_{\partial V}\boldsymbol{q}\cdot\boldsymbol{n}\mathrm{d}A \tag{2-35}$$

$$\dot{E}=\int_{V}\eta\dot{z}\mathrm{d}V \tag{2-36}$$

式中 r——热源强度；

$\boldsymbol{q}$——热通量向量；

$\mathrm{d}V$——空间区域表面；

$\boldsymbol{n}$——外法线单位向量；

η——阳极超电位；

$\dot{z}$——单位体积金属在单位时间内电荷的减少量。

$$z=nF\rho/M \tag{2-37}$$

式中 M——金属的原子量；

n——金属离子的电荷（即腐蚀作用中的金属的原子价，在这里 $n=3$）；

F——法拉第常数，$F=96500\mathrm{C}$。

设 ρ 不随时间变化，由式（2-34）至式（2-36）及高斯散度定理：

$$\int_V (\rho\dot{e} - \rho\dot{r} + \mathrm{div}\boldsymbol{q} - \eta\dot{z} - \boldsymbol{\sigma}:\dot{\boldsymbol{\varepsilon}})\mathrm{d}V = 0 \tag{2-38}$$

由于微团 V 的位置和大小的任意性，物质内部有：

$$\rho\dot{e} - \rho\dot{r} + \mathrm{div}\boldsymbol{q} - \eta\dot{z} - \boldsymbol{\sigma}:\dot{\boldsymbol{\varepsilon}} = 0 \tag{2-39}$$

2）热力学第二定律

热力学第二定律表明不可逆过程是熵增过程，其中 Clausius-Duhem 不等式为：

$$\int_V \rho\dot{s}\mathrm{d}V \geqslant \int_V \frac{\rho\dot{r}}{T}\mathrm{d}V - \oint_{\partial V} \frac{\boldsymbol{q}}{T}\cdot\boldsymbol{n}\mathrm{d}A \tag{2-40}$$

式中 s——单位质量的熵；
　　　T——绝对温度，K。

根据物质微团位置和大小的任意性，应用高斯散度定理，式（2-40）可表示为：

$$\rho T\dot{s} - \rho\dot{r} + \mathrm{div}\boldsymbol{q} - \frac{\boldsymbol{q}}{T}\cdot\mathrm{grad}\,T \geqslant 0 \tag{2-41}$$

将式（2-39）代入式（2-41），对于满足热力学两大定律的局部物质有

$$\boldsymbol{\sigma}:\dot{\boldsymbol{\varepsilon}} + \eta\dot{z} - \rho(\dot{e} - T\dot{s}) - \frac{\boldsymbol{q}}{T}\cdot\mathrm{grad}\,T \geqslant 0 \tag{2-42}$$

3）热力学状态变量

热力学状态变量包括外变量和内变量。外变量是可以直接从外部进行测量的变量，如弹性应变、温度等；而内变量用于描述不可逆的能量耗散过程。内部状态变化包括各种原因引起的各种物理的或化学的变化。用 v_k（$k=1, 2, \cdots, n$）表示内部状态变量（广延量），A_k 表示与之对应的广义力，即 v_k 变化单位量所消耗的能量。单位质量的物质元上，Helmholtz 自由能可表示为：

$$H = H(\varepsilon, \varepsilon^\mathrm{p}, z, v_k, T) = H(\varepsilon^\mathrm{e}, z, v_k, T) \tag{2-43}$$

其中
$$\varepsilon = \varepsilon^\mathrm{e} + \varepsilon^\mathrm{p}$$

式中 ε^e——可逆应变张量；
　　　ε^p——不可逆应变张量。

由式（2-43）有：

$$\dot{H} = \frac{\partial H}{\partial \varepsilon^\mathrm{e}}:\dot{\varepsilon}^\mathrm{e} + \frac{\partial H}{\partial z}\dot{z} + \frac{\partial H}{\partial v_k}\dot{v}_k + \frac{\partial H}{\partial T}\dot{T} \tag{2-44}$$

Helmholtz 自由能的另一种表达形式为：

$$H = e - Ts \tag{2-45}$$

且

$$\dot{H} = \dot{e} - \dot{T}s - T\dot{s} \tag{2-46}$$

将式（2-46）代入式（2-42）有：

$$\left[\sigma - \rho \frac{\partial H}{\partial \varepsilon^e}\right] : \dot{\varepsilon}^e + \sigma : \dot{\varepsilon}^p + \left[\eta - \rho \frac{\partial H}{\partial z}\right]\dot{z} - \rho \frac{\partial H}{\partial v_k} v_k - \rho \left[s + \frac{\partial H}{\partial T}\right]\dot{T} - \frac{\boldsymbol{q}}{T} \cdot \operatorname{grad} T \geqslant 0$$

(2-47)

由 $\dot{\varepsilon}^e$、$\dot{z}$、$\dot{T}$ 的任意性可得：

$$\sigma = \rho \frac{\partial H}{\partial \varepsilon^e} \tag{2-48}$$

$$\eta = \rho \frac{\partial H}{\partial z} \tag{2-49}$$

$$s = -\frac{\partial H}{\partial T} \tag{2-50}$$

定义热力学广义力（热力学强度量）：

$$A_k = \rho \frac{\partial H}{\partial v_k} \tag{2-51}$$

式（2-47）可表示为：

$$\sigma : \dot{\varepsilon}^p - A_k v_k - \frac{\boldsymbol{q}}{T} \cdot \operatorname{grad} T \geqslant 0 \tag{2-52}$$

在损伤过程中热力学第二定律表示的总耗散功 φ 为：

$$\varphi = \sigma : \dot{\varepsilon}^p - A_k v_k - \frac{\boldsymbol{q}}{T} \cdot \operatorname{grad} T \geqslant 0 \tag{2-53}$$

由以上公式及分析可知，在罐底金属材料的腐蚀损伤过程中，释放的能量由材料破裂时释放的应变能和阳极溶解时释放的电化学能共同提供。其中应变能有一部分会以应力波的形式释放，而声发射的定义即为材料局部能量快速释放而发出瞬态弹性应力波的现象，即有应变能转化为声能；在 2.2.1 中分析得知，电化学驱动力对原子做功，使金属原子变成金属离子发生阳极溶解腐蚀，且有声发射现象的产生，即有部分电化学能转化为声能。因此，从能量转化角度分析说明，罐底金属腐蚀过程的阳极溶解会有声发射现象产生。换而言之，通过对储罐底板进行声发射检测，获得声发射信号，即可评估出罐底的腐蚀情况。

2.3 罐底金属钝化膜破裂和阴极析氢声发射源

2.3.1 钝化膜破裂

接下来我们必须先看一下钝化膜在破裂时所生成的声发射。首先假定：腐蚀液所具有表面张力系数为 α，钝化膜（气泡）的半径 R，仅以半球上的作用力为据算对象，则钝化膜（气泡）的附加压强值可根据式（2-54）进行计算：

$$P = \frac{2\alpha}{R} \tag{2-54}$$

设 $\alpha = 7 \times 10^{-2}$ N/m，$R = 5 \times 10^{-3}$ mm，计算可得：$P = 2.8 \times 10^5$ N/m²，气泡的表面张力为：$F = 2\pi R^2 P$，

计算可得：
$$F = 2.2 \times 10^{-6} \text{N} \tag{2-55}$$

钝化膜（气泡）破裂过程中，在板平面都相当于有一个具有如此量级的阶跃脉冲力在作用。一般情况下，实际中膜的半径都要比5μm大。在膜破裂过程中，如果半径变大，所产生的阶跃脉冲力幅值也自然也会随之加大。

当力源$F_0H(t)$作用在板面上时，自然就会有相当复杂的板面运动随之产生。根据Knopoff等人的研究理论，在面的垂直方向上可按式（2-56）对力作用点质点位移记性计算：

$$U_z = (b, 0) = \frac{F}{2\pi\mu b}\left[\frac{\omega^2(2\omega^2 - 2 + a^{-2})H(t - b/\alpha)}{(2\omega^2 - 2 + a^{-2})^2 - 4(\omega^2 - 1)\omega(\omega^2 - 1 + a^{-2})^{1/2}} - \frac{2y(y^2 - 1)(y^2 - 1 + a^2)H(t - b/\beta)}{(2y^2 - 1)^2 - 4(y^2 - 1)y(y^2 - 1 + a^2)^{1/2}}\right] \tag{2-56}$$

上述式中，$\omega = \alpha t/b$，$y = \beta t/b$，$a = \alpha/\beta$，其中β属于切变波速度值，α属于纵波速度值，μ表示剪切模量，板厚则为b。在上面式中，括号中整体加减前一项是纵波贡献的分量，而后项是横波贡献的分量。可作按式（2-57）进行一阶近似计算：

$$U_z = \frac{F}{2\pi\mu b}\left(\frac{\beta}{\alpha}\right)^2 \tag{2-57}$$

优先考虑纵波的贡献（$w = 1$）。代入数据F以及μ值（$8.0 \times 10^{10} \text{N/m}^2$）、$\beta = 3251\text{m/s}$、$\alpha = 5941\text{m/s}$和$b = 4\text{mm}$，计算垂直位移约为：

$$U = \frac{2.2 \times 10^{-6}}{2 \times \pi \times 7.94 \times 10^{10} \times 4 \times 10^{-3}} - \left(\frac{3251}{5941}\right)^2 = 3.3 \times 10^{-16}\text{m} \tag{2-58}$$

考虑试验中所使用宽带传感器的灵敏度为$s = +60\text{dB}$ [$0\text{dB} = 1\text{V}/(\text{m/s})$]，等于1000V/(m/s)，然后计算，对应所产生电压值（在300kHz处）应为17μV。所使用前置放大器具有的输入噪声水平远远小于该值。因此，理论上可以说即使传播过程中有衰减，都是可以检测到膜破裂以及气泡破裂所产生的声信号的。

2.3.2 罐底腐蚀气泡破裂

罐底腐蚀过程中，若阴极保护的电位过负，或某腐蚀坑内局部pH值降低，都有可能发生析氢腐蚀。低碳钢中含碳，碳作为阴极，腐蚀速率有所增加。析氢腐蚀属于阴极控制的腐蚀体系，一般认为氢去极化的过程包括以下几个连续步骤。

（1）水化氢离子的迁移、对流、扩散到阴极表面：

$$H_3O^+ \longrightarrow 阴极表面$$

（2）水化氢离子脱水后，放电成为氢原子，被吸附在金属上：

$$H_3O^+ \longrightarrow H^+ + H_2O$$
$$H^+ + e \longrightarrow M\text{-}H_{吸附}$$

（3）复合脱附后氢原子结合成氢分子：

$$(M-H_{吸附}) + (M-H_{吸附}) \xrightarrow{复合脱附} H_2$$

或

$$(M-H_{吸附}) + (H_3O^+ + e) \xrightarrow{电化学脱附} H_2$$

(4) 电极表面的氢分子通过扩散、聚集成氢气泡逸出。

接下来，针对于气泡破裂过程所产生声发射信号，对其频率范围进行下一步的研究。从理论上说，假定气泡破裂的一个先决条件是声波必须通过气泡的整个边界。设声速值是340m/s，气泡半截面的周边长是 s＝+60dB。代入数据计算可得气泡破裂时间约为0.1μs。因此，通过计算，由气泡破裂时所产生声波频率理论值，可计算到10MHz的数量级上（即使半径为50μm时，频率计算后也会达到1MHz）。在金属腐蚀过程中，通过大量实验数据也可得出这一结论，声发射信号具有的高频成分是很多的。

前面已经提出，在膜破裂时板平面上就相当于作用一个这样阶跃脉冲力 F，该力可被分解为延板平面方向以及垂直板平面方向上的（IP）和（OOP）两个分量。

由于 AE 信号的频率和声波波长特点，可认为此问题是是薄板问题，对 OOP 力源，可按式（2-59）对板中的质点运动进行计算：

$$\rho h \frac{\partial^2 \zeta}{\partial t^2} + D\Delta^2 \zeta = F\delta(x)e^{jwt} \tag{2-59}$$

$$D = (Eh^3) / [12(1-\sigma^2)]$$

式中　Δ——拉普拉斯算子，$\Delta = d^2/dx^2$（此处为一维问题）；
　　　E——杨氏模量；
　　　ρ——密度值；
　　　D——板的抗弯强度；
　　　σ——泊松比；
　　　h——板厚。

取右边等于0，先解出齐次方程：

$$\rho h \frac{\partial^2 \zeta}{\partial t^2} + \frac{Eh^3}{12(1-\sigma^2)} \Delta^2 \zeta = 0 \tag{2-60}$$

或

$$\rho \frac{\partial^2 \zeta}{\partial t^2} + \frac{Eh^2}{12(1-\sigma^2)} \Delta^2 \zeta = 0 \tag{2-61}$$

可设 $\xi = \xi_0 \exp[j(kx-\omega t)]$，$\zeta_0$ 为常数。$\Delta = d^2/dx^2$（此处为一维问题），代入式（2-61）可得 $\rho(-\omega^2) + AK^4 = 0$，$A = D/h$，解得：

$$\omega^2 = \frac{h^2 E k^4}{12\rho(1-\sigma^2)} \tag{2-62}$$

相速度 $c = \omega/k$，代入可得：

$$c = \left[\frac{h^2 E}{12v(1-\sigma^2)}\right]^{\frac{1}{4}} \sqrt{\omega} = \left[\frac{E}{12\rho(1-\sigma^2)}\right]^{\frac{1}{4}} \sqrt{\omega h} \tag{2-63}$$

弯曲波存在的显著特点是声波速度与声波频率具有相关性，而上面的计算也表明在腐蚀进行中，声波模式主要是以弯曲波为主，设 A_0 为最低阶反对称波。

需要考虑外作用力时，一般可依靠积分法来解方程，即是利用位移 4 阶导数的积分等于点作用力来解非齐次方程（2-59）的解。

$$D \int \frac{d^4}{dx^4} dx = F$$

可得

$$\zeta_0 = \frac{F}{\sqrt[4]{D}} \cdot \frac{1}{(\rho \omega^2 h)^{\frac{3}{4}}} = F \cdot \left[\frac{12(1-\sigma^2)}{E}\right]^{\frac{1}{4}} \cdot \frac{1}{\omega h \sqrt{\omega h}} \tag{2-64}$$

式（2-64）表明，被接收信号所具有的幅值与板厚和频率的 3/2 次方依次成反比。当利用 AE 技术对腐蚀进行监测研究以及对 AE 信号与腐蚀深度之间关联研究时，这一结论具有重要的指导意义。

当存在 IP 力源时，此类问题可划分成下面两种声波问题，第一种是质点位移与声波传播方向一致，第二种是 y 方向上的质点位移而 x 方向上传播方向。通常，它们相互耦合，运动方向一次如式（2-65）、式（2-66）所示：

$$\frac{\rho}{E} \frac{\partial^2 u_x}{\partial t^2} = \frac{1}{1-\sigma^2} \frac{\partial^2 u_x}{\partial x^2} + \frac{1}{2(1+\sigma)} \frac{\partial^2 u_x}{\partial y^2} + \frac{1}{2(1-\sigma)} \frac{\partial^2 u_y}{\partial x \partial y} \tag{2-65}$$

$$\frac{p}{E} \frac{\partial^2 u_y}{\partial t^2} = \frac{1}{1-\sigma^2} \frac{\partial^2 u_y}{\partial y^2} + \frac{1}{2(1+\sigma)} \frac{\partial^2 u_y}{\partial x^2} + \frac{1}{2(1-\sigma)} \frac{\partial^2 u_x}{\partial x \partial y} \tag{2-66}$$

假如不考虑两者之间的耦合，则有：

$$\frac{\partial^2 u_x}{\partial t^2} = \frac{E}{\rho(1-\sigma^2)} \frac{\partial^2 u_x}{\partial x^2} \tag{2-67}$$

$$\frac{\partial^2 u_y}{\partial t^2} = \frac{E}{2\rho(1+\sigma)} \frac{\partial^2 u_y}{\partial x^2} \tag{2-68}$$

因此得出，沿 x 方向上传播的扩展波的速度为：

$$c_{\text{ext}} = \sqrt{\frac{E}{\rho(1-\sigma^2)}} \tag{2-69}$$

事实上它是板中的一个最低阶对称波（称为 S_0 波）。该波沿 x 方向传播，其横波（不是弯曲波）的速度是：

$$c_{\text{ext}} = \sqrt{\frac{E}{2\rho(1+\sigma)}} \tag{2-70}$$

C_t 与在无限大介质中进行传播的横波波速相一致，此横波又被称为 SH 波，当板厚一直增减，直至一定程度时 C_t 就会变得相当重要。在 Dunehgan 近期研究中也对此加以证明，此种波的频率大部分是分布在 100MHz 以上的高频率段上。在本文中，为了简单方便，特别是薄板问题可以暂时不考虑 SH 波。

综上所述，对薄板问题进行考虑时，在板中进行传播的波实际上存在的已经不再纵波和横波，可以说是指板波，尤其是仅可考虑为最低阶次的一种板波。也就是说，在板中产生的声发射信号主要是来自扩展波和弯曲波为主，相速度分别如下面式子所示：

$$C_e = [E/\rho(1-v^2)]^{1/2} \tag{2-71}$$

$$C_f = [E/3\rho(1-v^2)]^{1/4}(\omega d)^{1/2} \tag{2-72}$$

式中 E——杨氏模量；
v——泊松比；
ω——角频率；
ρ——密度；
d——一半的板厚。

结合上面可见，扩展波不具有频散效应。弯曲波则反之，弯曲波相速度与频率相关，并随之增大而加大。

金属腐蚀一般被认为都主要在垂直于板平面的方向上发生。下面结合边界条件考虑，普遍上认为金属腐蚀产生的声波都是以弯曲波的模式为主，要指出的是在板两侧同时产生全部相对称的腐蚀源问题的情况除外。因此，扩展波总是能先行到达传感器，因为它们具有传播速度快、幅度较低的特点。而弯曲波则是后来到达，原因是幅度较高而又具有频散效应。除此之外，扩展波与弯曲波相较它的高频成分要丰富得多。

2.3.3 金属腐蚀气泡破裂

人们对气泡的运动规律研究的越来越多，所以在该领域上许多关于追踪运动界面的数值模拟方法就应运而生，如 MAC 方法、边界积分法以及锋面跟踪法等。在大量的模拟气泡运动方法中，VOF 方法以其易于实现且小计算量以及具有模拟精度高等优点使其占据着不可替代的作用。本文将采用 VOF 模型，对单个气泡破裂过程进行了数值模拟研究。模拟过程中，体积分数、流动、压力等的计算均采用标准数值方法。首先，利用 GAMBIT2.2.30 建模（矩形区域为 10mm×5mm，气泡半径为 5μm），划分网格；而后，对导入 Fluent 中的模型设置求解器、VOF 模型、流体材料及属性、基本相和第二相、运算环境、边界条件；最后，进行求解以及结果的后处理。

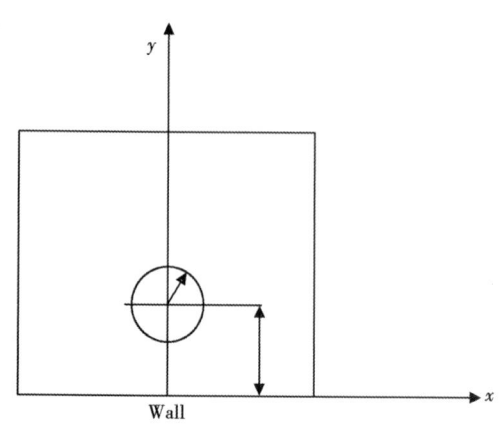

图 2.4 计算区域和坐标系

本书主要是分析气泡破裂对近壁面冲蚀影响，所以此处考虑在近壁面气泡破裂问题。其基本问题的物理描述如下：在一半无限大液相流体中，刚性壁面附近存在 1 个气泡。气泡初始形状为球形，与此同时设该液相流体是具有不可压缩性的牛顿流体。采用两相流的模式对气泡破裂过程进行求解，设无限远处的压力值是 1 标准大气压。在该无限流体中，液态水是第一相，气泡为第二相，气泡内气体为氢气。该模拟流场计算区域和坐标系如图 2.4 所示。计算区域为边长 10mm×5mm 的方形，区域中的圆形区域为气泡，气泡半径设为 r，H 为气泡中心到壁面的距离，h 为气泡的下边缘到近壁面的距离。在气泡破裂计算过程中，设定下列基本假设：（1）流场与气泡内混合物之间的物质交换可忽略；（2）重力作用的影响可忽略，即 Fluent 中"Operating condition"选项卡设置中不勾选重力选项；（3）表面张力产生的作用可忽略；（4）考虑该静场中的气泡破裂过程，就是指气泡内的压力和流场背景压力恒定不变，则气泡壁内外压力差 Δp 也恒定不变，通过"Region"选项设定指定的气泡区从而进行计算。

普遍说，可以把气泡破裂看成一个高速绝热过程，可按照 Rayleigh-Plesset 方程来计算求解泡壁运动。在该方程中，表面张力也会影响泡壁的形变过程，然而当考虑气泡近壁面破裂的问题时，泡壁运动相当剧烈，此时微射流形成的主要因素应该是气泡上、下壁面的流体本身的非对称且具有高速动量的变化。因此可认为，气泡表面张力在平衡状态下对该过程所造成的影响微乎其微。因此，为简化计算过程，假定表面张力不存在影响可忽略。图中所示的计算区域中，对 4 个边界进行条件的设定依次为：下边界为刚性壁面，$u=0$，$v=0$；左、右边界 B、C 以及流场上边界 A 分别为流体的无限远边界，$\partial_v/\partial_n=0$，$\partial_u/\partial_n=0$（n 表示边界法向方向），流场中气泡壁面为自由面边界，自由面的边界条件设为 $P_v=P_n$。由于流场计算区域与破裂气泡的尺寸比例相差很大，所以需要加密泡壁处的网格，取泡壁处所用的最小网格尺寸为 $0.5\mu m \times 0.5\mu m$，设定网格数目是 18600。采用 Fluent 软件对气泡破裂时所属的非稳态过程进行求解，时间格式采用隐式。空间格式使用迎风格式。采用 PRESTO 方法对压力求解。采用 PISO 方法求解速度压力耦合。时间步长设定为 $1\times10^{-8}s$，使用固定步长求解模式。基于 Fluent 环境，对近壁面处气泡破裂过程中的气泡形状变化、气泡破裂时射流速度以及由此而成的对壁面的高压值进行求解。

1）破裂过程

利用 VOF 方法计算直接得到的是（气泡形状的体积分率），可利用 α_q 重建出气—液界面模型。假设气相是体积分率 α_q 比 0.5 大的网格，气泡边界可近似认为是体积分率 $\alpha_q=0.5$ 的那些网格中心坐标。不同时间下气泡壁的形状变化图如图 2.5 所示。

气泡半径设定为 $5\mu m$，气泡的下边缘到近壁面的距离是 $100\mu m$。观察图 2.3 可见，离下壁面相对较远的泡壁在刚性壁面的垂直方向上，运动速度相对于离下壁面较近泡壁和气泡的侧面运动较快，所以破裂过程中，气泡形成向下凹陷的形状。在气泡破裂过程中流场中气泡壁的形状变化与图 2.3 近似，这与之前利用差分方法来求得的近壁面球形气泡破裂过程中的泡壁形状也相一致，而且所求得的破裂时间 t 数量级也相同。顶部继续凹陷直至贯穿底部时，此时气泡发生破裂，且在破裂处会形成高速射流，继而冲击到近壁面。气泡破裂时沿计算区域 Y 轴的射流速度分布图如图 2.4 所示。由图中可知，在破裂处的气

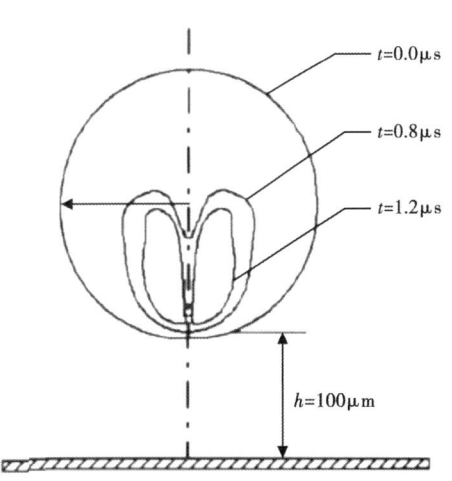

图 2.5 不同时间下气泡破裂的形状变化

泡射流速度已经达到近似为 200m/s 的最大值。射流强度随破裂处与壁面间距离的增加而急剧下降，射流到达壁面时的速度已降至 25m/s。这意味着射流对壁面冲击力也与气泡与壁面距离有一定关系。

2）射流速度

设定气泡半径为 5μm，分别计算该条件下气泡下壁面距壁面 0μm，10μm，50μm 和 100μm 远时的气泡破裂处射流速度值。气泡破裂时泡壁的速度是很大的，所以会高速水射流，速度矢量图如图 2.4 所示，射流速度方向如箭头方向，速度大小则用箭头长度与箭头颜色的深浅度表示。距壁面处 100μm 和 10μm 时气泡破裂时所产生射流速度如图 2.6 所示，而 4 种距离气泡发生破裂时的最大射流速度以及到达近壁面处的射流速度分别见表 2.1。

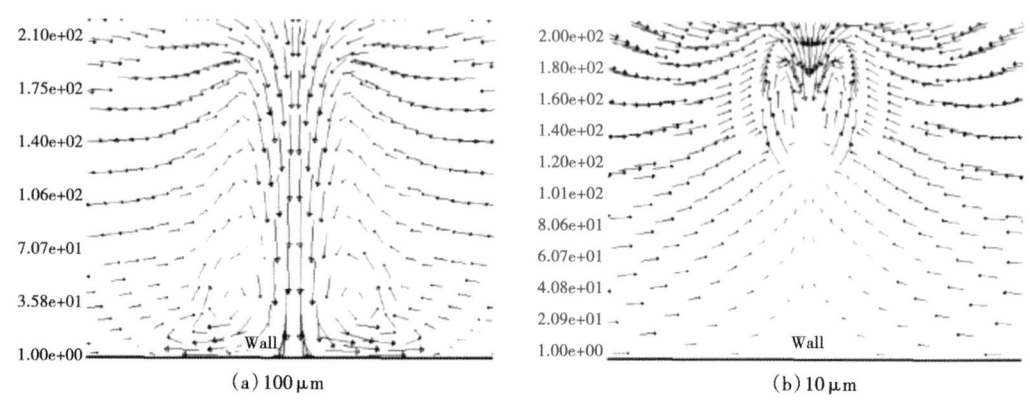

图 2.6　距近壁面不同距离时气泡破灭时的射流速度

表 2.1　不同距离下气泡发生破裂时的最大射流速度以及到达近壁面处的射流速度

h（μm）	$v_{\max}$（m/s）	v_{wall}（m/s）
100	190	20
50	196	31
10	204	189
0	200	201

从图中可见，距离虽然有所不同但最大射流速度却近似相同，但是到达近壁面的速度差别十分大。以距离为 100μm 时为例，它到达壁面时的射流速度只约占破裂处最大射流速度的 1%，而距离取 10μm 值时，该两种速度却几乎相同。因此，这也验证了前人的研究成果，只有气泡破裂发生在距壁面足够近处的位置时高速射流才能在近壁面形成，从而对近壁面造成较大的冲击。

3）射流产生的高压

当有高速水射流在射向固体壁面时，可通过下面水锤方程对其产生初始压力进行计算：

$$p_{\text{wh}} = \rho_{\text{L}} c_{\text{L}} v \left[\frac{\rho_s c_s}{\rho_{\text{L}} c_{\text{L}} + \rho_s c_s} \right] \tag{2-73}$$

式中，液、固两相分别用下标 L 和 s 表示，ρ 代表各相的密度，各相中的声速用 c 表示，流体指向壁面的速度用表示 v。又因为液相的参数数值很大程度上大于固相值，为简单方便起见，该方程可写为：

$$p_{\text{wh}} = \rho_{\text{L}} c_{\text{L}} v \tag{2-74}$$

取气泡距近壁面的距离 $h = 50\mu m$ 为例，当气泡破裂时，模拟计算所得到达近壁面的射

流速度为 $v=33\text{m/s}$，$c_\text{L}=1500\text{m/s}$，$\rho_\text{L}=0.0899\times10^3\text{kg/m}^3$。此时由水锤作用所产生的压力为 $p_\text{wh}=4.45\times10^6\text{Pa}$。在近壁面由于水射流的作用所形成的压力分布如图2.7所示，在图中用颜色的亮暗表示压力的大小。此外，考虑到该射流是在极短的时间内产生该压力的，气泡从初始形状到气泡破裂射流的形成时间仅占用了 $1.1\mu\text{s}$，且壁面处仅是在有射流产生的前后发生，所以说形成高压的时间更短。进一步计算可得，距离更近所得压力就更大。由此推断：近壁面处的气泡破裂与冲击力的形成密切相关。

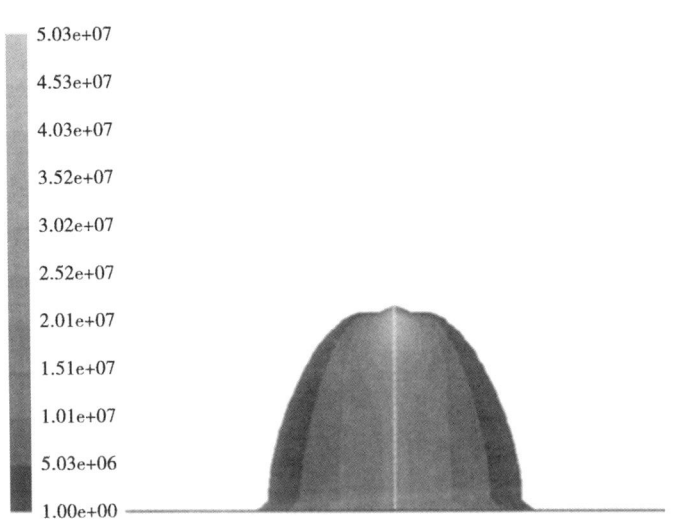

图2.7 近壁面由于水射流的作用所形成的压力分布图

4）对比分析

通过 Fluent 进行气泡破裂数值模拟，设定气泡直径为 $5\mu\text{m}$，气泡从初始形状到气泡破裂射流的形成时间仅占用了 $1.1\mu\text{s}$，前面也从理论上分析，利用公式代入数据计算可得气泡破裂时间约为 $t=0.1\mu\text{s}$，可见模拟值与理论值近似。

因此，通过计算，由气泡破裂时所产生的声波频率在理论值可计算到 10MHz 的数量级上（即使半径为 $50\mu\text{m}$ 时，频率计算后也会达到 1MHz）。通过大量实验数据也可得出这一结论，声发射信号具有的高频成分是很多的。

另外数值模拟中，取气泡半径为 $5\mu\text{m}$，气泡距离壁面 $h=50\mu\text{m}$ 的情况为例，当气泡发生破裂时，在近壁面处由于射流的作用将会有较高的初始压力产生，经计算此时由水锤作用所产生的压力为 $p_\text{wh}=4.45\times10^6\text{Pa}$，与理论值 $p=2.8\times10^5\text{N/m}^2$ 数量级也近似。进一步进行计算可得，距离更近所得压力就更大。

板波声发射理论中已经介绍，当气泡或膜破裂时，在板平面上相当于作用着一个相对数量级的 F（阶跃脉冲力），可以把该力沿板平面方向（IP）和垂直板平面方向（OOP）划分成两个分量。薄板坐标以及力划分示意图如图2.8所示。

结合理论可一起表明，即使考虑声波在板中的传播中有衰减的问题，但检测出气泡或者膜破裂所产生的声信号是必然的。且在腐蚀过程中，那些高频、幅值相对较大且能量大的 AE 信号特点应该与之密切相关。结合后面实验所得数据，这对在腐蚀过程中对每一个阶段所产生的声发射源的分析研究都具有一定程度上的指导意义。

由此可见，声发射信号是金属材料腐蚀损伤的载体，通过分析和处理采集到的材料腐蚀

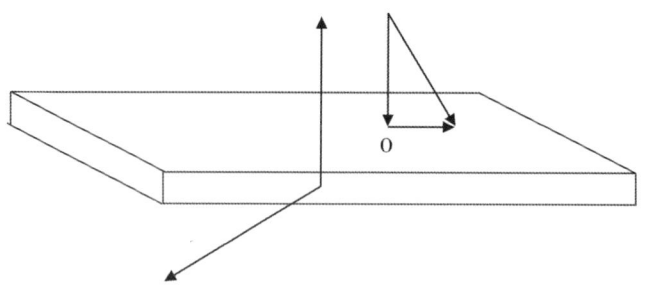

图 2.8 薄板坐标以及力划分示意图

损伤过程的声发射信号,就能反推出材料的损伤过程及损伤状态,对进一步评价储罐底板腐蚀严重程度有着十分重要的作用。

第 3 章 储罐常用材料腐蚀声发射信号处理技术

声发射信号处理技术，即如何从声发射信号中获取声发射源信息。一直以来都是声发射检测技术研究的重点和难点问题，这是因为声发射源的多样性。声发射信号处理技术面临的另外两大难题，是声发射信号的微弱性和干扰噪声的多样性。小波变换是近 20 年来发展起来的一种新兴的信号处理方法，它是一种信号的时间—频率的分析方法，具有多分辨率分析的特点，它在时域和频域都具有表征信号局部特征的能力，突破了传统信号处理方法的局限，成为现今应用研究较为广泛的信号处理方法。

3.1 储罐常用材料腐蚀过程声发射检测

储罐常用材料低碳钢 Q235 腐蚀过程中可能产生不同程度、不同类型的声发射源，通过选择或者改变腐蚀实验过程中的某些参量，得到对实验目的有意义的声发射信号。通过建立有效的实验平台，针对储运设备常用材料低碳钢为试件，获取低碳钢试件在 $10\%FeCl_3 \cdot 6H_2O$、$3.5\%NaCll$ 及 $10.8\%FeCl_3 \cdot 6H_2O+0.05\%NH_4Cl$ 溶液中点蚀过程产生的声发射信号样本，研究低碳钢点蚀过程中产生的声发射信号的变化规律，为低碳钢点蚀过程产生声发射信号的理论提供实验依据，验证低碳钢点蚀过程产生声发射信号及其理论的正确性，为后续的信号处理提供基础数据，并为应用声发射技术进行低碳钢腐蚀监测奠定实验基础。

3.1.1 声发射系统

采用美国 APC 公司的 PCI-2 声发射监测系统，该系统共有 2 个 WD 传感器和 2 个 1220 型前置放大器，前置放大器选择增益 40dB，并配有宽带滤波器。实验中有关数据采集的参数设定见表 3.1。

表 3.1 声发射参数设定值

门槛值 (dB)	采样点	采样率 (MHz)	增益 Gain (dB)	触发前时间 Pre-Trig (μs)	触发峰值定义时间 PDT (μs)	触发定义时间 HDT (μs)	触发闭锁时间 HLT (μs)
30	1024	4	40	20.0	1000	1000	5000

3.1.2 试件选用

试件采用储运设备中常用材料低碳钢 Q235，化学成分和机械性能见表 3.2、表 3.3。根据试验需要，试件分两种。平板试件尺寸为 100mm×70mm×4mm 的薄板，共 9 片，编号 1~9。圆板试件为 ⌀1000mm×4mm 圆板，上部固定有 ⌀1000mm×4mm 有机玻璃筒，1 件，编号 10~12（按不同腐蚀溶液编号）。采用有机玻璃的目的是防止非实验部分腐蚀而产生声发射信号。试件表面的光洁度和均一性以及洁净程度等也是影响腐蚀试验结果的重要因素。规范化的表面处理技术可提高腐蚀试验结果的可靠性，为此对试件表面进行相应的表面处理。

表 3.2　Q235 化学成分

元素成分	C	Mn	Si	P	S	Fe
含量（%）	0.1800	0.4900	0.0800	0.0141	0.0530	余量

表 3.3　Q235 机械性能

屈服点 f_y（MPa）	抗拉强度 f_u（MPa）	伸长率 δ（%）
31.5	12.5	3.2

为了防止非腐蚀实验部分试件腐蚀产生声发射信号，对非实验部分试件均作封样处理。密封所用涂料为 D-31 环氧/聚氨酯底漆。该材料能有效地阻止腐蚀介质侵入金属底材，满足绝缘及密封要求。平板试件将没有侵入腐蚀液部分封样。圆板试件表面腐蚀液接触面完全封样，仅在中心区留有中 ϕ30mm 圆形区域裸露金属。

3.1.3　腐蚀溶液配置

实验分别配制如表 3.4 所示的几种溶液。

表 3.4　实验过程中所用的腐蚀溶液

序号	腐蚀溶液	溶液量	试验温度
试件 1~3	10%$FeCl_3 \cdot 6H_2O$	1500mL	50℃±1℃
试件 4~6	3.5%NaCl，pH=2	1500mL	50℃±1℃
试件 7~9	10.8%$FeCl_3 \cdot 6H_2O$+0.05%NH_4Cl	1500mL	50℃±1℃
试件 10	3.5%NaCl，pH=2	液位高度 80mL	室温
试件 11	10.8%$FeCl_3 \cdot 6H_2O$	液位高度 80mL	室温
试件 12	5%$FeCl_3 \cdot 6H_2O$	液位高度 80mL	室温

3.1.4　声发射监测系统

将处理过的试件浸入腐蚀溶液中，为了防止腐蚀溶液的蒸发，将整个腐蚀容器密封。实验时将传感器固定在试件的上部（未接触溶液）。试验系统如图 3.1、图 3.2 所示。

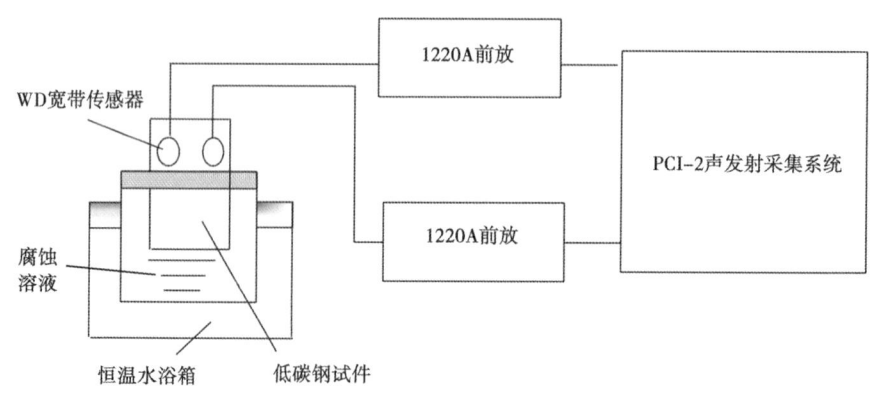

图 3.1　平板试件试验系统图

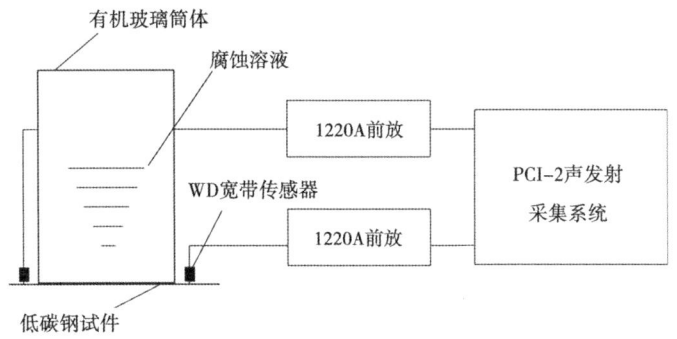

图 3.2 圆板试件试验系统图

传感器布置图如图 3.3 所示，用两块夹板将传感器固定在平板试件的上部，并在传感器与试件接触处涂上真空脂，以增加接触面间的耦合。

(1) 首先测试背景噪声，即试件未放入腐蚀液中时的环境噪声。
(2) 利用 0.5mmHB 铅芯折断作声源进行传感器标定。
(3) 当试验溶液达到规定温度后，平板试件放入不同腐蚀液中，进行实验。每组三个试件。采集低碳钢平板试件恒温腐蚀过程中的声发射信号。
(4) 将 3.5%NaCl，pH=2 腐蚀液倒入圆板试件实验系统中，液位高度为 80mm。采集低碳钢圆板试件腐蚀过程中产生的声发射信号。

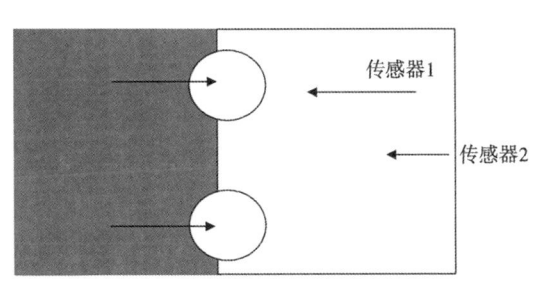

图 3.3 传感器布置示意图

图 3.4 10%$FeCl_3 \cdot 6H_2O$ 溶液中腐蚀后的试件 1

图 3.4、图 3.5、图 3.6 是将平板试件放置在不同的腐蚀液内，经过 50h 腐蚀之后的试件。

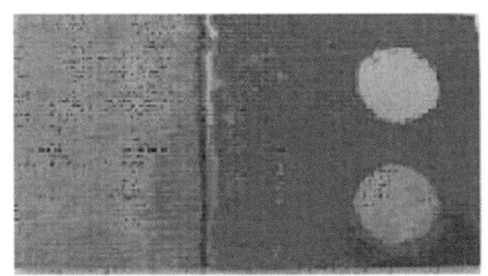

图 3.5 3.5%NaCl，pH=2 溶液中腐蚀后的试件 4

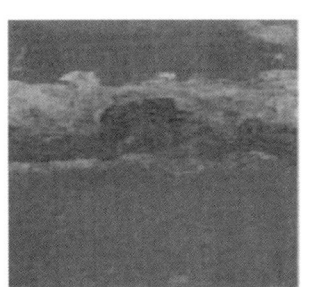

图 3.6 10.8%$FeCl_3 \cdot 6H_2O$+0.05%NH_4Cl 溶液中腐蚀后的试件 7

3.1.5 储罐常用材料腐蚀过程中的噪声信号

试件 10 在 3.5%NaCl，pH=2 溶液的腐蚀如图 3.7 所示。

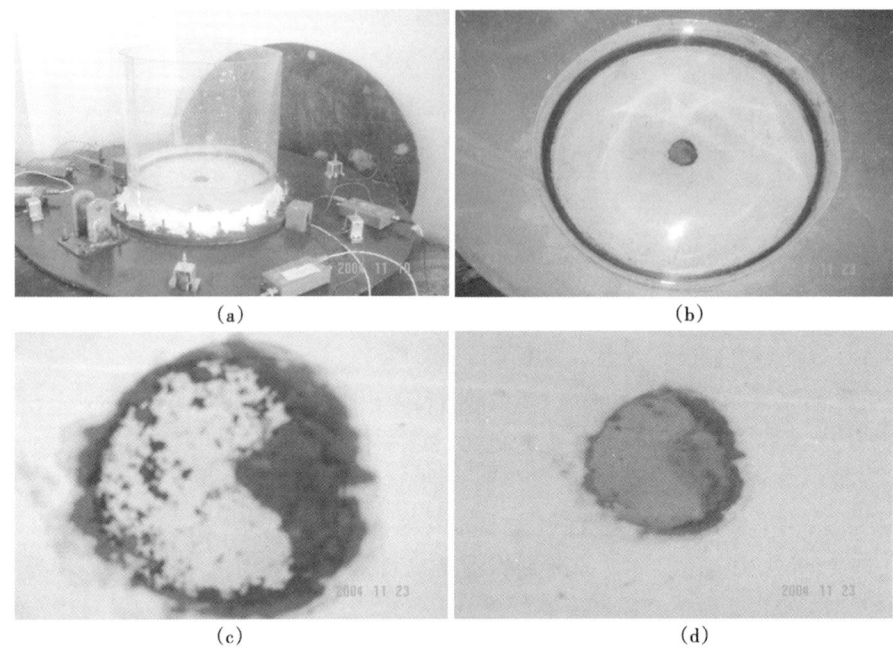

图 3.7 试件 10 在 3.5%NaCl，pH=2 溶液腐蚀图

低碳钢点蚀过程中产生的噪声信号，其振铃计数小、持续时间短、频率范围窄，并且幅值在 35dB 以下，如图 3.8、图 3.9 所示，在腐蚀试验过程中迅速增长期获得的典型点蚀声发射有明显的区别。

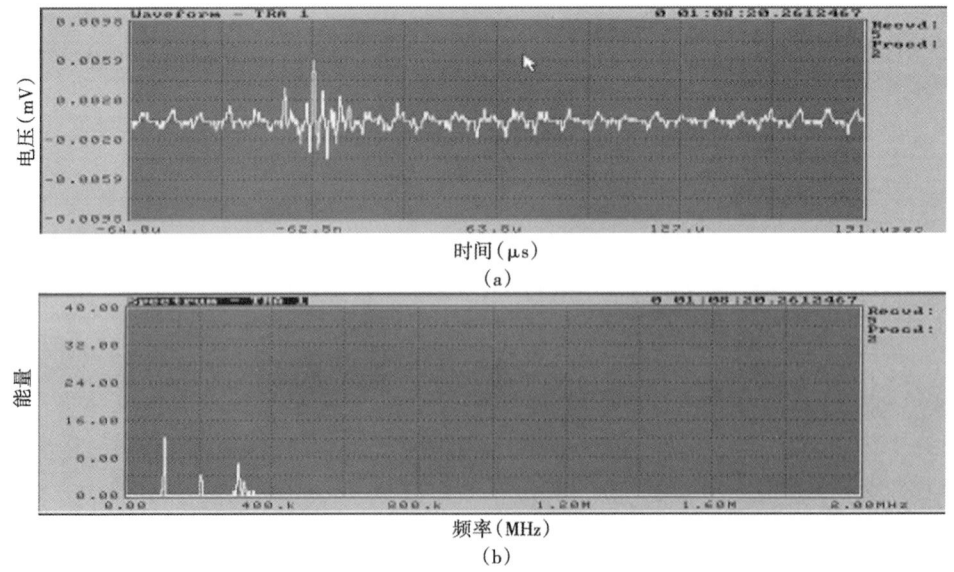

图 3.8 典型的噪声信号（持续时间短、频率范围窄）

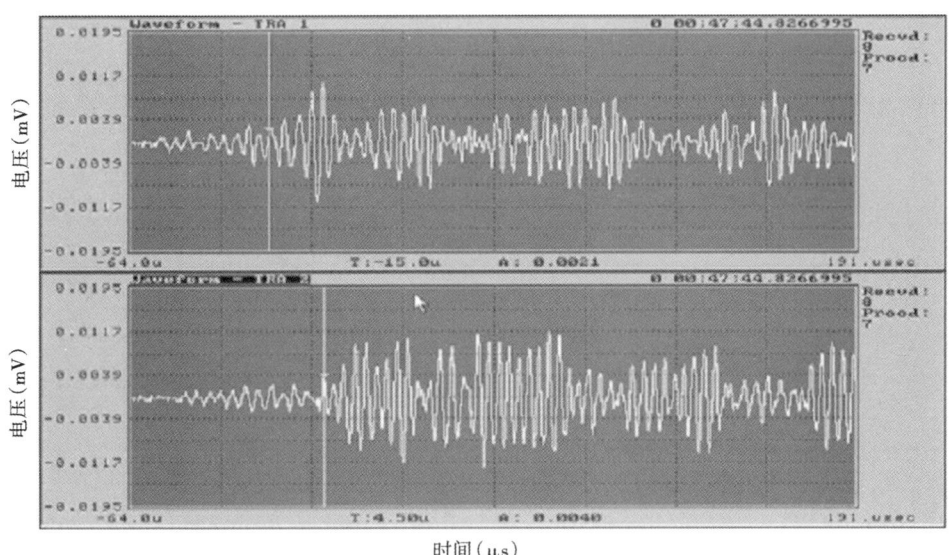

图 3.9 腐蚀试验过程中迅速增长期获得的声发射信号

3.1.6 储罐常用材料腐蚀声发射信号

腐蚀声发射事件是随机发生的,它具有一些确定的声发射信号的特征。图 3.10 腐蚀实验过程中的典型声发射信号（10%$FeCl_3 \cdot 6H_2O$ 溶液中进行腐蚀实验时,第 72h 后采集到的腐蚀声发射信号,图 3.10）,其幅度远小于断铅产生的模拟声发射信号（断铅声发射信号,

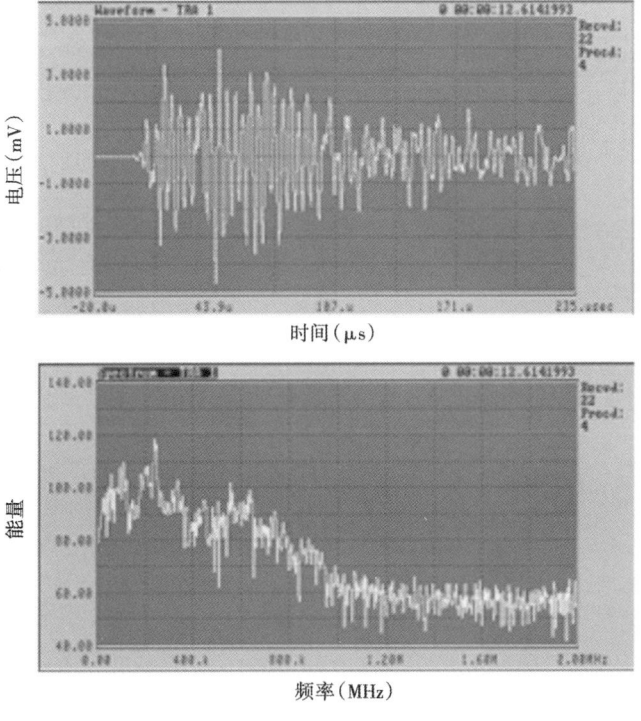

图 3.10 腐蚀第 72h 获得的声发射信号

如图 3.11 示），但其主要特征同断铅模拟声发射信号相似。

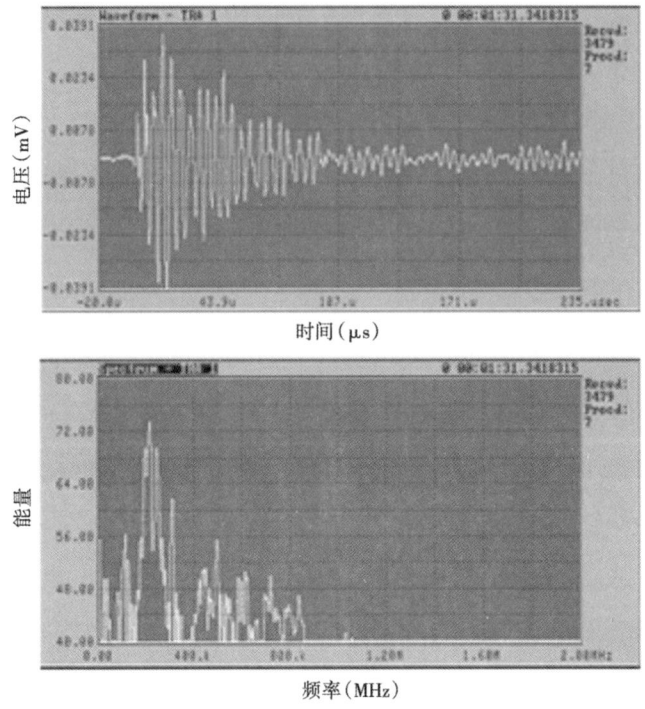

图 3.11 断铅声发射信号

通过对比分析可以得出低碳钢腐蚀声发射信号具有如下特点：

低碳钢腐蚀声发射信号有多种类型，既有突发型信号，也有连续型信号。信号幅度不高。低碳钢腐蚀声发射信号的频率范围较宽，在 50~500kHz 范围内有比较丰富的频率成分。

3.1.7 储罐常用材料点蚀过程声发射信号参量

1）平板试件点蚀声发射信号参量分析

点蚀声发射信号累加参量分析如图 3.12 所示，点蚀声发射信号参量随时间变化分析如图 3.13 所示。

从图 3.12（a）累加撞击计数图上可以看出，在相同时间内，低碳钢试件在不同的腐蚀溶液中，腐蚀声发射信号累加撞击计数随时间变化的趋势相同。但是在相同单位时间内，低碳钢试件在 10.8%$FeCl_3 \cdot 6H_2O$+0.05%NH_4Cl 腐蚀溶液中采集到的声发射信号撞击计数比低碳钢试件在 3.5%NaCl，pH=2 腐蚀溶液中所采集到的声发射信号撞击计数多。通过实验后的试件对比分析，发现 Q235 试件在 10.8%$FeCl_3 \cdot 6H_2O$+0.05%NH_4Cl 腐蚀溶液中腐蚀最剧烈，10%$FeCl_3 \cdot 6H_2O$ 腐蚀程度居中，在 3.5%NaCl，pH=2 腐蚀溶液中腐蚀最弱。这说明利用声发射信号累加撞击计数随时间变化关系图可以说明试件的腐蚀程度。试件腐蚀程度如图 3.4 至图 3.6 所示。

从图 3.13（a）声发射信号撞击计数随时间变化图可以看出，当低碳钢试件放入腐蚀液中，在初始的时候，点蚀声发射信号撞击计数较少。但随着时间的增加，点蚀声发射信号撞击计数也增加。当试验进行约 30h，点蚀声发射信号撞击计数数量达到最大值，随后点蚀声

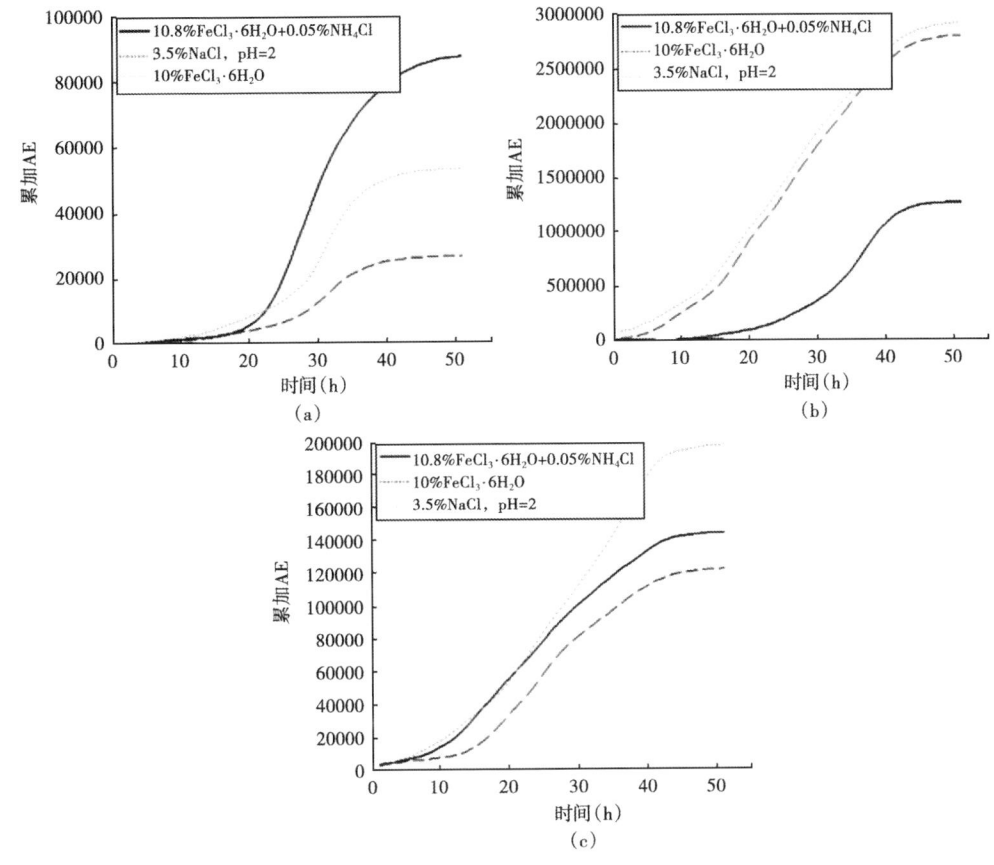

图 3.12 累加 AE 参数随实验时间变化图

发射信号撞击计数数量开始减少并趋于稳定。根据实验过程观察分析，可知在腐蚀发生初期，试件表面没有腐蚀产物生成，只生成了大量气泡，并不断剥离，此时产生的声发射信号撞击计数数量不多，幅度不高。随着实验的进行，点蚀在试件表面发生，试件表面产生腐蚀产物，声发射信号撞击计数数量明显增加，并有信号幅度增加的趋势。当实验进行 30h 后，腐蚀产物已经完全覆盖试件表面，腐蚀过程也趋于稳定，此时声发射信号撞击计数数量开始减少，但有幅度较高信号产生。这主要是由于腐蚀产物聚集在低碳钢试件表面，减弱了腐蚀液与试件的反应，腐蚀速度降低。图 3.13（b）、（c）中，点蚀过程声发射信号参量随时间的变化关系也说明这个问题。因此可以将低碳钢点蚀过程分为三个阶段：

（1）初始腐蚀期。此阶段信号较少，腐蚀损伤处于初期。
（2）快速腐蚀期。此阶段腐蚀声发射信号增加很快，腐蚀损伤发展迅速。
（3）稳定腐蚀期。此阶段腐蚀声发射速率增加变缓，但腐蚀仍在发展。

从图 3.12（a）中可以看出，在每一实验中，仅当试件浸在腐蚀液中一定时间后，才有明显的声发射信号产生。因此，可以利用每一实验中第一次的声发射起始点确定产生早期腐蚀（或腐蚀萌生）的时间。使用不同的试剂溶液，这一时间略有不同，但平均而言，约经过 1~2h 才会产生较明显的声发射信号。这说明仅当试件在腐蚀液中浸泡一定时间后，腐蚀才会发生。这一结果表明，声发射产生的过程与腐蚀的一个重要特征非常吻合。腐蚀仅在一定的条件下，即当阳极极化电位高于腐蚀成核临界电位时才会发生。这一结果还表明，声发

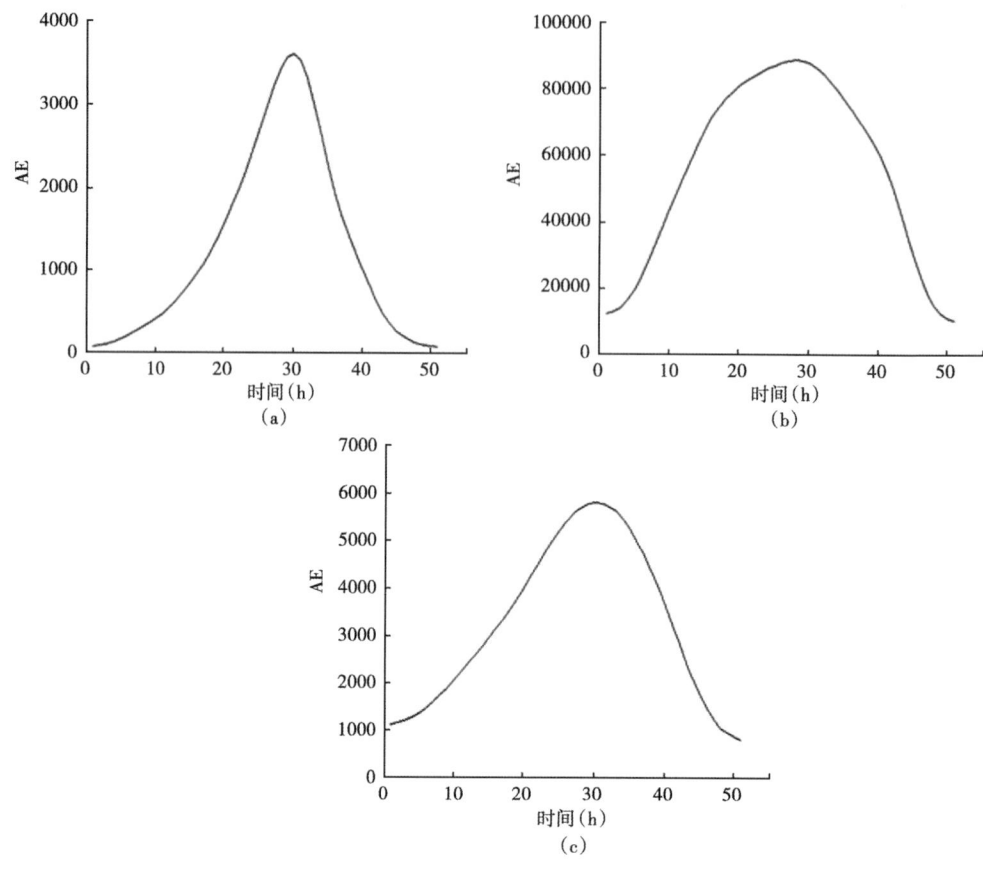

图 3.13 10%FeCl$_3$·6H$_2$O 溶液中，AE 参数随实验时间的变化

射技术能较早地发现腐蚀损伤。

从图 3.12（a）中可以看出，低碳钢试件在 10.8%FeCl$_3$·6H$_2$O+0.05%NH$_4$Cl 腐蚀溶液中比在 3.5%NaCl，pH=2 腐蚀溶液中所采集到腐蚀声发射信号撞击计数多，而金属腐蚀声发射信号累加振铃计数和累加能量计数图上，如图 3.12（b）、（c）所示。在 10.8%FeCl$_3$·6H$_2$O+0.05%NH$_4$Cl 腐蚀溶液中比在 3.5%NaCl，pH=2 腐蚀溶液少。通过实验现象观察与数据分析可知，这主要是由于不同的腐蚀溶液所产生的腐蚀声发射信号的不同类型所占的比例不同产生的。由于 3.5%NaCl，pH=2 溶液腐蚀不剧烈，在 3.5%NaCl，pH=2 溶液中，其信号类型 2 占主体，见图 3.14（b）。这种类型信号来自多个气泡同时破裂时产生的声发射信号，这种类型信号能量计数和振铃计数都比较大。在 10%FeCl$_3$·6H$_2$O 溶液中，信号类型 3 占主体，见图 3.14（c）。这种类型信号来自膜破裂时产生的声发射信号。在 10.8%FeCl$_3$·6H$_2$O+0.05%NH$_4$Cl 溶液中，在腐蚀初期信号类型 1 占主体，见图 3.14（a）。这种类型信号来自单个气泡破裂时产生的声发射信号。在腐蚀迅速发展期信号类型 2 占主体，见图 3.14（b）。在平稳期，信号类型 3 占主体，见图 3.14（c）。通过实验研究，将金属腐蚀声发射信号分为以下三种类型，三种波形见图 3.14（a）、（b）、（c），图 3.14（d）为噪声信号。

为进一步得出金属腐蚀声发射信号的参量特征，对平板试件腐蚀过程的腐蚀声发射信号数据进行了关联分析，得出金属腐蚀声发射信号的参量特征，如图 3.15 所示。

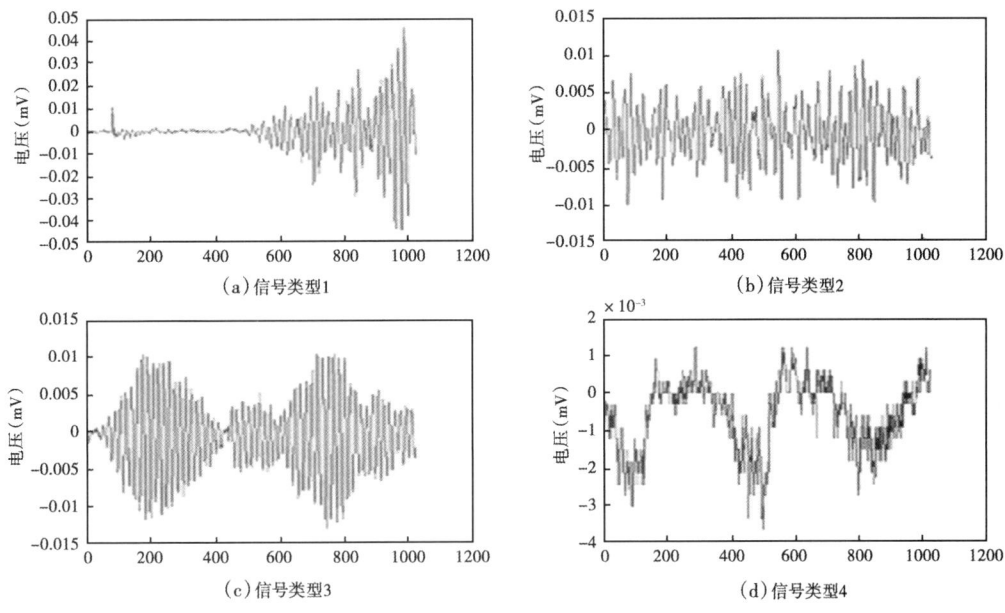

图 3.14 信号类型图

由声发射参量相关图 3.15 可知,金属腐蚀产生的声发射信号具有如下特征:幅度 35~70dB;能量小于 60,且大量信号能量小于 25;延迟时间 200~10000μs;脉冲计数 50~400;上升时间 20~1000μs。但是从图 3.15 中并不能得出低碳钢腐蚀过程各个阶段的点蚀声发射信号幅度的变化,进一步对低碳钢点蚀声发射信号参量统计,如图 3.16、图 3.17 所示。

在腐蚀过程中,声发射信号撞击数趋于稳定,随腐蚀时间的延长,幅度 50dB 以上事件明显增多,从声发射信号的幅度分布可以看出这一点。在 10h 时观察到的声发射参数图如图 3.16 所示,其幅度分布很少出现幅度 50dB 以上的信号,而在 30h 时,已出现明显幅度 50dB 以上声发射事件,如图 3.17 箭头所示。这一结果可从与腐蚀过程相联系的声发射源机制加以解释。腐蚀产生声发射信号的机制是多种多样的:腐蚀生成物的剥落、腐蚀生成物的摩擦、腐蚀产生的氢气泡的破裂、表面钝化膜的破裂等都可能是声发射源。它们都有可能产生能够探测到的声发射信号。但这些不同的源,它们产生的声发射信号强度(幅度)并不相同。在腐蚀的初期阶段,腐蚀轻微,没有大量腐蚀产物的形成,试件表面产生一定数量的氢气泡,由氢气泡破裂与剥离产生的声发射事件也较多。腐蚀生成物的产生与摩擦也比较容易发生,它也会产生很多幅度 30~40dB 之间的声发射事件。因此,此时幅度 30~40dB 之间声发射事件占主要成分。随着腐蚀时间的延长,腐蚀产物膜的形成,会将试件与腐蚀溶液阻隔,腐蚀速率变慢,产生氢气泡的数量减少,声发射事件可能主要由表面钝化膜的破裂和腐蚀生成物的剥落引起。虽然发生的频率变慢,但两者都会产生一些幅度 50dB 以上的声发射事件。如图 3.16 和图 3.17 所示。在一些离散时刻,声发射撞击数会突然增加,说明在这些时刻,腐蚀发生的较集中。

2)圆板试件点蚀声发射信号参量分析

试件 12,室温时,在 5%FeCl$_3$·6H$_2$O 腐蚀溶液中,点蚀声发射信号参量分析如图 3.18 所示,散点图代表低碳钢圆板试件在 5%FeCl$_3$·6H$_2$O 溶液中,在室温条件下,圆板试件腐

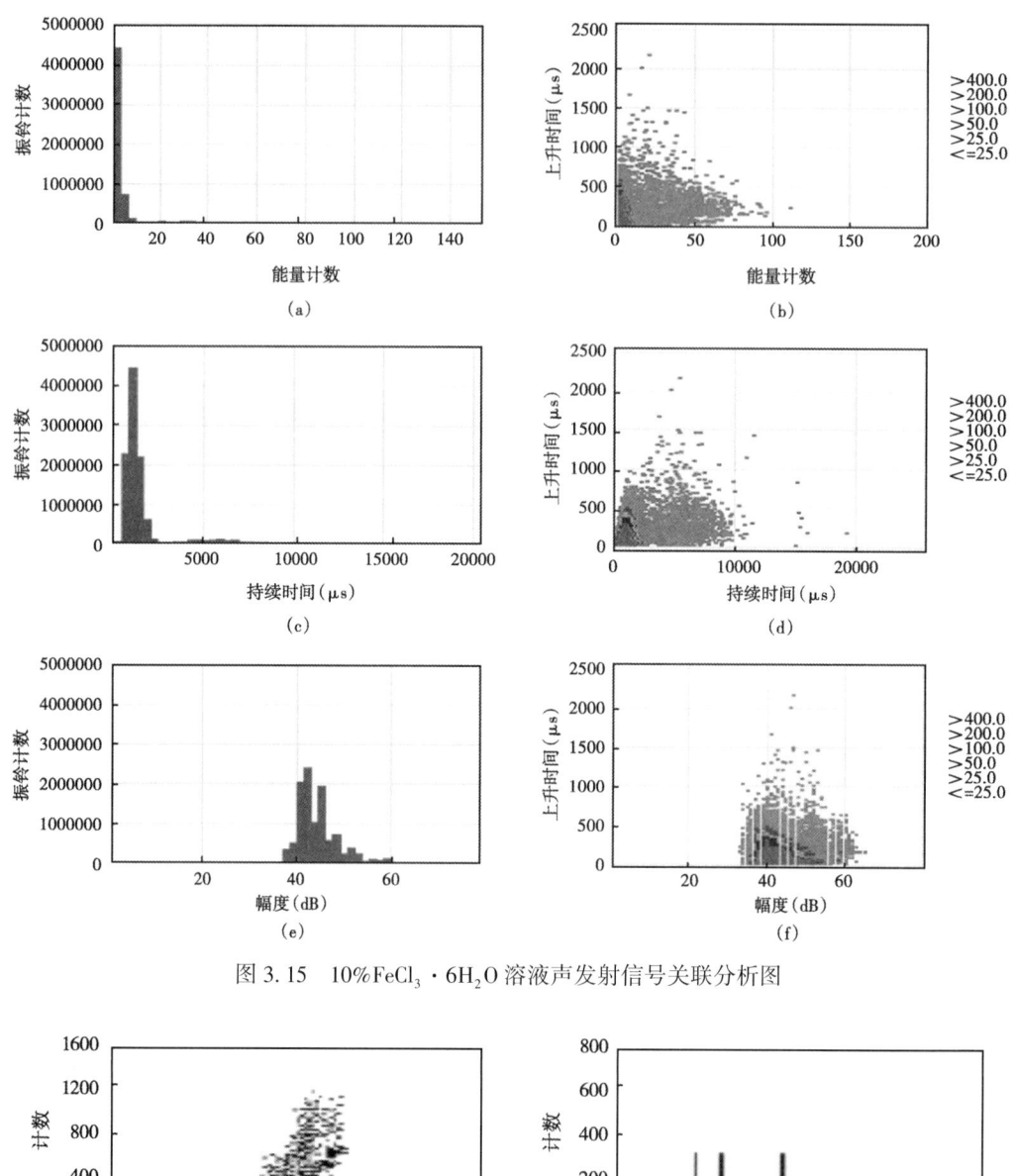

图 3.15　10%$FeCl_3 \cdot 6H_2O$ 溶液声发射信号关联分析图

图 3.16　10h 后的试验结果（小幅度的事件占主要比例）

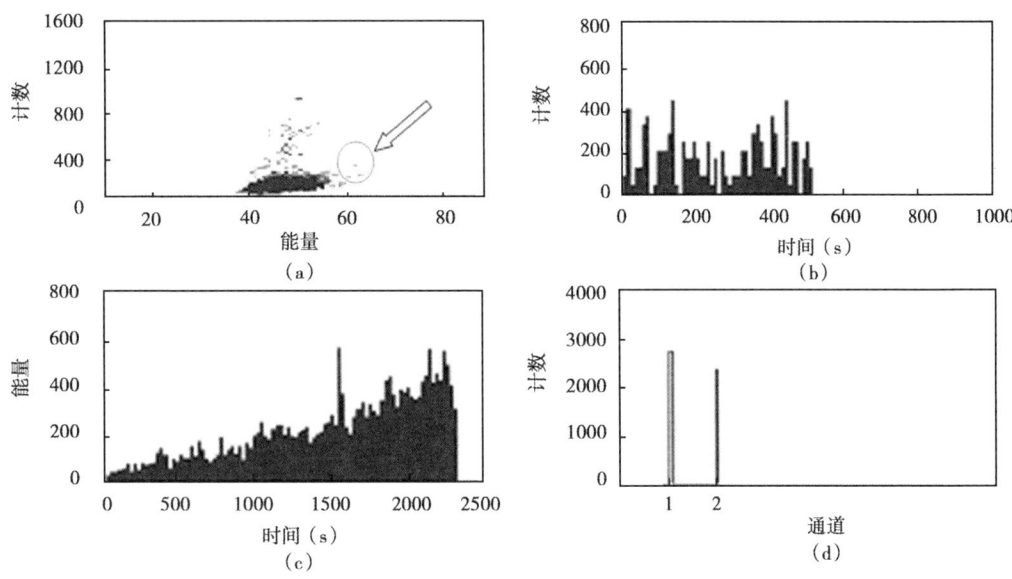

图 3.17 腐蚀进行 40h 后的试验结果

蚀声发射信号参量随时间变化的点图。线图代表低碳钢圆板试件在 5%$FeCl_3 \cdot 6H_2O$ 溶液中，在室温条件下，低碳钢腐蚀声发射信号累加参量随时间变化的线图。从图 3.18 可以看出，圆板试件点蚀和平板试件点蚀声发射源监测在累加撞击计数、累加振铃计数以及累加能量计数上趋势相同，可分为三个阶段：初始孕育期、迅速发展期和平稳期。对圆板试件点蚀声发

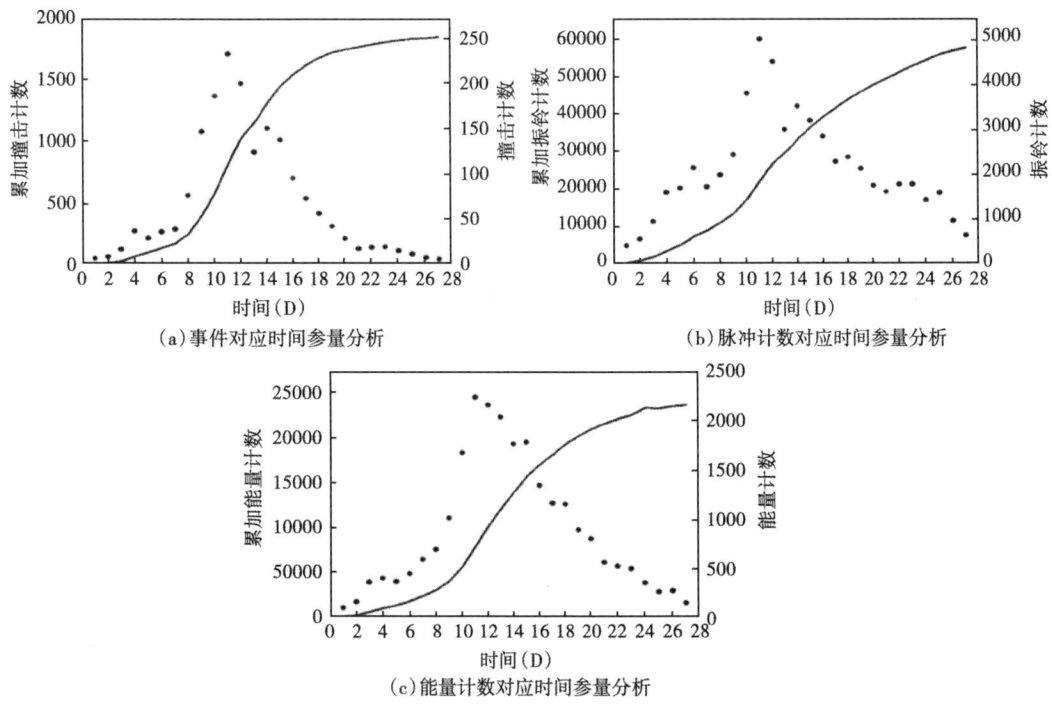

图 3.18 5%$FeCl_3 \cdot 6H_2O$ 溶液中，声发射信号关联分析图

射信号数据进行关联分析,如图 3.19 所示。从图 3.19(e)、(f)中可以看出,点蚀声发射信号幅度集中在 30~45dB 之间。从图 3.19(a)、(b)中可以看出,能量在 3~800 之间。从图 3.19(a)、(c)、(e)中可以看出,脉冲计数集中在 2~1000 之间。从图 3.19(c)、(d)中可以看出,持续时间集中在 0~25000μs 之间。接收到的声发射信号幅度低,其主要原因是由于传感器距离腐蚀源 500mm,腐蚀产生的声发射信号传到传感器的时候,有一个衰减过程,这就导致传感器接收到的声发射信号幅度较低。

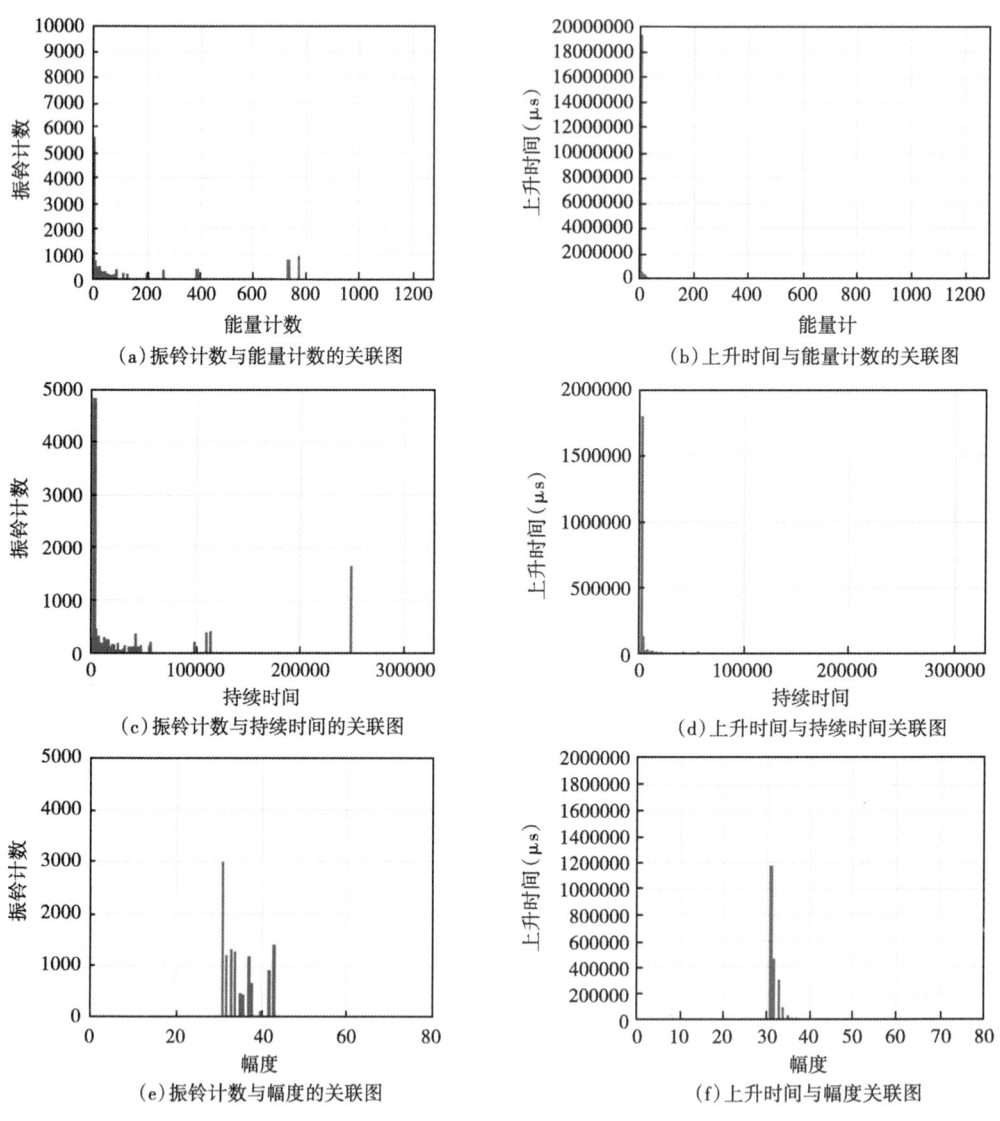

图 3.19 3.5% 5%FeCl$_3$·6H$_2$O 溶液中,声发射信号关联分析图

从图 3.18(a)可以看出,在实验进行 10d 时,点蚀声发射信号达到最多。通过实验观察分析可知:此时圆板试件的腐蚀程度达到高峰,试件腐蚀区域腐蚀产物大量产生,表面有气泡溢出,腐蚀溶液变色。与平板试件对比来看,圆板试件实验过程中腐蚀信号数量达到最高峰的时间比较晚,主要原因是平板试件的实验温度为 50℃,圆板试件实验温度为室温,约一为 20℃。在实验温度较低的情况下,圆板试件腐蚀速度较慢,腐蚀产物形成时间较长。

在圆板试件腐蚀 11 天时,一个腐蚀声发射信号的参量分析为:risetime:348(μs),counts:853,Energy:169,Duration:8421(μs),Amp:67(dB)。波形分析如图 3.20 所示。

对所采集到的低碳钢腐蚀声发射信号进行参量分析和关联分析可知:

从平板试件参量分析与圆板试件参量分析对比,可以看出平板试件和圆板试件的腐蚀趋势相同,都分为三个阶段:初始孕育期、迅速发展期、平稳期。

从平板试件关联分析与圆板试件关联分析对比,可以看出平板试件所采集到的低碳钢点蚀声发射信号参量相对比较大,并且点蚀声发射信号幅度较高。这主要是由于平板试件的声发射源与传感器距离较近,而圆板试件的声发射源距离传感器较远,致使信号衰减而导致信号的幅度降低。

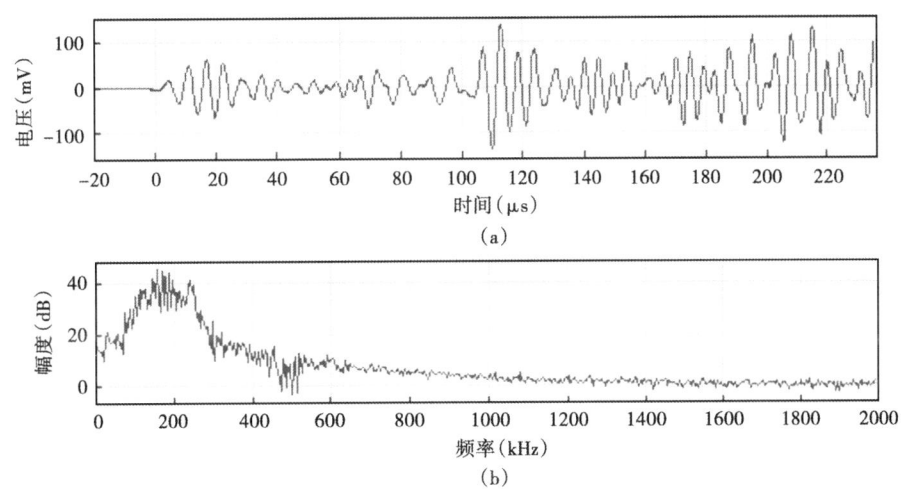

图 3.20 腐蚀第 11 天时获得的声发射信号

从平板试件参量分析图之间的对比可以看出,由于腐蚀溶液浓度的不同,在腐蚀能力较强的溶液中,在相同时间内所产生的声发射信号撞击计数也相对较多。试件 4~6 腐蚀溶液为 3.5%NaCl,pH = 2 溶液,该腐蚀能力相对最弱。试件 7~9 腐蚀溶液为 10.8% $FeCl_3 \cdot 6H_2O$ +0.05% NH_4Cl 溶液,该溶液腐蚀能力较强,传感器所接收到的腐蚀声发射信号的幅度比试件 1~3 所接收到声发射信号幅度高。

从平板试件和圆板试件的参量分析图之间的对比可以看出,由于实验温度不同,圆板试件腐蚀比平板试件腐蚀缓慢。

通过参量分析图和关联分析图之间的对比,提取了有效腐蚀声发射信号的各个参量的特点,从而可以对点蚀声发射信号进行模式识别。

3.1.8 腐蚀同声发射特征参数之间的关系

研究储罐常用材料低碳钢 Q235 腐蚀同声发射特征参数之间的关系,在实验室条件下进行了腐蚀环境模拟实验,并研究了在这一过程中的腐蚀声发射信号特征及其变化规律。

通过低碳钢腐蚀声发射试验,采集到了大量的数据,对其分析得出以下结论:

(1)选取 10% $FeCl_3 \cdot 6H_2O$、3.5%NaCl 和 10.8% $FeCl_3 \cdot 6H_2O$ +0.05% NH_4Cl 三种溶液,pH = 2 作为实验所用腐蚀溶液,在实验过程中采集到了与理论分析相一致的腐蚀声发射

信号，即由明显的扩展波和弯曲波组成，且频率范围较宽，证实了利用声发射技术可以监测到腐蚀过程中产生的声信号。

（2）腐蚀声发射信号有典型的"突发型"（burst-type）声发射信号特征。而噪声信号可以是"突发型"的，也可以是连续型的；典型的噪声信号，其振铃计数小、频率范围窄，并且其幅值极低，与典型腐蚀声发射信号有明显区别。

（3）与理论上计算所得结果相一致，实验获得的低碳钢点蚀声发射信号的频率范围较宽，在100~800kHz范围内有比较丰富的频率成分。实验结果同时表明，腐蚀声发射信号能远在肉眼发现腐蚀生成物之前就变得活跃，并可很方便地用声发射仪器检测到。因此，利用声发射技术能有效地监测早期腐蚀损伤。

（4）点蚀过程产生的声发射检测信号的多少与金属试件的腐蚀状态有密切关系。金属试件腐蚀过程越剧烈，声发射信号越多。在腐蚀初期，由于试件表面聚集大量的氢气泡，氢气泡的破裂会产生声发射信号，其信号幅度很小。当腐蚀比较剧烈的时候，试件表面膜的破裂和腐蚀生成物的剥落引起声发射事件，其声发射信号幅度较大。

（5）点蚀过程产生的声发射信号分为三个阶段：初始孕育期、迅速发展期、平稳期。与金属点蚀过程研究结果一致，表明利用 AE 技术可以监测腐蚀的状态。

3.2　声发射信号处理工具——小波分析

3.2.1　小波变换特点

有多分辨率（Multi-resolution），也叫多尺度（Multi-scale）的特点，可以由粗及细地逐步观察信号。

可以看成用基本频率特性为 $\psi(\omega)$ 的带通滤波器在不同尺度 a 下对信号做滤波。由傅里叶变换的尺度特性可知这组滤波器具有品质因数恒定，即相对带宽（带宽与中心频率之比）恒定的特点。注意，a 越大相当频率越低。

适当地选择基小波，使 $\psi(t)$ 在时域上为有限支撑，$\psi(\omega)$ 在频域上也比较集中，就可以使小波变换在时域、频域都具有表征信号局部特征的能力，因此有利于检测信号的瞬态或奇异点。

小波变换能够提取低碳钢点蚀声发射信号和系统噪声在多尺度分辨空间中的波形特征，根据表征该特征的小波系数模极大值在多尺度分辨空间传播特性的不同，实现对电化学噪声信号波形的检测。

基于上述特性，小波变换对于低碳钢点蚀声发射信号进行特征提取是相当有效的。

3.2.2　小波变换原理

1）小波变换计算式

对于任意平方可积的函数 $\psi(t)$，其傅里叶变换为 $\psi(w)$，若 $\psi(w)$ 满足：

$$\int_R \frac{|\psi(w)|^2}{|w|} \mathrm{d}w < \infty \tag{3-1}$$

则称 $\psi(t)$ 为小波基函数，将小波基函数进行伸缩和平移后得到

$$\psi_{a,b}(t) = a^{-\frac{1}{2}} \psi\left(\frac{t-b}{a}\right), \quad a, b \in R; a \neq 0$$ 称其为一个小波序列。其中 a 为尺度因子，b 为时间因子。

对于任意平方可积的函数 $f(t) \in L^2(R)$，其连续小波变换的定义为：

$$Wf(a, b) = (f, \psi_{a,b}) = |\alpha|^{-\frac{1}{2}} \int_R f(t) \psi \cdot \left(\frac{t-b}{a}\right) dt \tag{3-2}$$

若对式（3-2）中的尺度因子 a 和时间因子 b 进行离散化，即取 $a = a_0^m$（$a_0 > 1$），$b = n b_0 a_0^m$（$b_0 \in R; m, n \in Z$），则可定义函数 $f(t)$ 的离散小波变换，为了便于计算机运算尺度因子 a 通常取为 2。

2）离散小波变换与小波级数

上述小波定义，不利于数字化实现。对于确定积分小波变换和由此变换进行重构 f，为了建立有效算法，只考虑离散抽样。取 $a = 2^{-j}$，$b = k/2^j$。在很多应用中，使用这个均匀离散抽样，损失很少。相应小波称二进小波，相应小波变换称为二进小波变换。二进小波定义为：

$$h_{j,k}(x) = 2^{j/2} h(2^j x - k) \tag{3-3}$$

二进小波变换为：

$$Wf\left(\frac{1}{2^j}, \frac{k}{2^j}\right) = <h_{j,k}, f> = 2^{j/2} \int \overline{h(2^j x - k)} f(x) dx \tag{3-4}$$

如果存在与 w 无关的常数 A、B，使 $h_{j,k}$ 满足稳定性条件：

$$A \leq \sum_{j=-\infty}^{\infty} |\hat{h}(2^{-j}w)|^2 \leq B, \quad 0 < A \leq B < \infty \tag{3-5}$$

则有小波级数：

$$f(x) = \sum_{j,k=-\infty}^{\infty} <h_{j,k}, f> h^{j,k}(x) \tag{3-6}$$

$$= \sum_{j,k=-\infty}^{\infty} <h^{j,k}, f> h^{j,k}(x) \tag{3-7}$$

式（3-7）中 $h^{j,k}(x)$ 是小波函数 $h_{j,k}(x)$ 的对偶小波，也称为重构小波。$h^{j,k}(x)$ 和 $h_{j,k}(x)$ 相互对偶。可以互相重构。通常情况下，$h^{j,k}(x)$ 和 $h_{j,k}(x)$ 并不相等，只有小波是正交的，它们才会对偶，$h^{j,k}(x) = h_{j,k}(x)$。

在实际应用中，一般不直接使用上面的公式进行计算。而是采用其等价形式定义小波变换式（3-8）：

$$Wf(s, x) = Wf_s(x) = f \cdot \phi_s(x) = \frac{1}{s} \int_R f(t) \phi\left(\frac{x-t}{s}\right) dt \tag{3-8}$$

式（3-8）中，$\phi_s(x) = \frac{1}{s} \phi\left(\frac{x}{s}\right)$，若令 $\phi(t) = \overline{h(-t)}$，式（3-8）便等价于式（3-2）。式（3-8）说明积分小波变换定义为被称作"基小波"的函数反射膨胀的卷积。这样

定义的目的，可以把小波变换看作输入信号 f 时系统 $\phi_s(x)$ 的响应，而 $\phi_s(x)$ 为系统的冲击响应函数。相应的二进小波变换为

$$Wf_{2^j}^j(x) = f \cdot \phi_{2^j}^j(x) \tag{3-9}$$

如果函数 $\psi(t)$ 为基本小波，则任意函数 $f(t) \in L^2(R)$ 的连续小波变为：

$$Wf(a, b) = |a|^{-\frac{1}{2}} \int_R f(t) \overline{\psi\left(\frac{t-b}{a}\right)} dt \tag{3-10}$$

连续小波逆变换（重构）为：

$$f(t) = \frac{1}{c_\psi} \int_{R^+} \int_R \frac{1}{a^2} Wf(a, b) \psi\left(\frac{t-b}{a}\right) dadb \tag{3-11}$$

在实际应用中，尤其在计算机上实现时，连续小波必须加以离散化。同时，连续小波变换也要离散化（参数离散化而非时间离散化）。取 $a = a_0^m$，$b = na_0^m b_0$，这里 $m \in z$，扩展步长 $a_0 \neq 1$ 是固定值，所以离散参数小波变换为：

$$DWPT(m, n) = a_0^{-\frac{m}{2}} \int f(t) \psi(a_0^m t - nb_0) dt \tag{3-12}$$

对应于式（3-11）的重构公式即逆离散小波变换为：

$$f(t) = \sum_m \sum_n DWPT(m, n) \psi_{m,n}(t) \tag{3-13}$$

以上公式可以看出，小波变换的时频窗口特性与短时傅里叶的时频窗口不一样。其窗口形状为两个矩形 $[b - a\Delta\psi, b + a\Delta\psi] \times [(\pm\omega_0 - \Delta\hat{\psi})/a, (\pm\omega_0 + \Delta\hat{\psi})/a]$，窗口中心为 $(b, \pm\omega_0/a)$，时窗和频窗宽分别为 $a\Delta\psi$ 和 $\Delta\hat{\psi}/a$。其中 b 仅仅影响窗口在相平面时间轴上的位置，而 a 不仅影响窗口在频率轴上的位置，也影响窗口的形状。小波变换对不同的频率，在时域上的取样步长具有调节性，即在低频时小波变换的时间分辨率较差，频率分辨率较高；在高频时小波变换的时间分辨率较高，频率分辨率较低，这正符合低频信号变化缓慢而高频信号变化迅速的特点。这便是小波变换优于经典的傅里叶变换与短时傅里叶变换的地方。从总体上来说，小波变换比短时傅里叶变换具有更好的时频窗口特性，更能有效地提取储罐常用材料低碳钢点蚀声发射信号特征。

3.2.3 点蚀声发射信号小波的多分辨分析

1）点蚀声发射信号的分解

设信号为函数 $f(t) \in V_0$，W_0 是 $L^2(R)$ 的一个子空间，对 V_0 进行小波正交分解，得 $\bigoplus_m V_0 = W_m$，其中 $W_{m_1} = W_{m_2}$，$m_1 \neq m_2$ 设 $\{\psi_{m,n}(t) | n \in z\}$ 是 W_m 的小波正交基，则 $\{\psi_{m,n}(t) | m, n \in z\}$ 是 V_0 的小波正交基。所谓信号的分解过程实际上就是将信号 $f(t)$ 按小波正交基 $\{\psi_{m,n}(t) | m, n \in z\}$ 展开的过程，即

$$f(t) = \sum_j f_j(t), \quad f_j(t) \in W_j \tag{3-14}$$

$$f_j(t) = \sum_i C_{ij} \psi_{ji}(t) \tag{3-15}$$

或

$$f(t) = \sum_j \sum_i C_{ij} \psi_{ji}(t) \tag{3-16}$$

不同的 m，W_m 代表着不同的频带空间，式（3-14）表示对信号 $f(t)$ 按不同的频带进行分解；式（3-15）表示将 $f(t)$ 的某一频带中的信号成分按不同时刻继续细分；式（3-16）表示将 $f(t)$ 按不同频带、不同时刻进行分解。

在上述分解过程中，关键是求取其中的系数 C_{ij}，这个过程可简化为如下的两个滤波过程。设信号 $f(t)$ 的采样值为 $\{f_n^0\}$，重复使用 h 和 g 做如下 2 次滤波，则有：

$$\begin{cases} f_j^i = \sum_k f_k^{i-1} h_{k-2j} \\ C_{ij} = \sum_k f_k^{i-1} g_{k-2j} \end{cases} \quad (i = 1, 2, \cdots, J) \tag{3-17}$$

便实现了对 $f(t)$ 的分解。

记 $f^i = \{f_j^i\}$，$C^i = \{C_{ij}\}$，并定义滤波算子 H 和 G：

$$\begin{aligned} H(f_j^i) &= \sum_k f_k^j h_{k=2j} \\ G(f_j^i) &= \sum_k f_k^j g_{k=2j} \end{aligned} \tag{3-18}$$

则式（3-18）即为：

$$\begin{cases} f^{i+1} = H(f^i) \\ C^{i+1} = G(f^i) \end{cases} \quad (i = 1, 2, \cdots, J-1) \tag{3-19}$$

从物理上来分析上述分解过程，可以把小波函数 $\psi(t)$ 看作是一种简单标准振动（不过它没有简单到谐和振动的水平），$\psi_{ij}(t)$ 是由 $\psi(t)$ 经适当伸缩和平移而得到的，所以 $\psi_{ij}(t)$ 同样也是一些简单标准振动，只是振动频率不同，在振动时间上有一定延迟。因此，上述分解过程实际上就是将一个时频信号表示为一系列不同频率、不同延迟的简单标准信号的叠加。这就意味着在信号分析过程中，可以按不同频带对低碳钢点蚀声发射信号进行分解，进而可按实际问题的要求，对这些分解出来的信号成分，分别进行处理，以达到解决实际问题的目的。

2）点蚀声发射信号的重构

把一个点蚀声发射信号按小波基展开后，便得到点蚀声发射信号在不同的频带中的一系列信息，根据这些信息重新得到源信号的过程称为信号的重构。

类似于式（3-18），定义 H、G 的共轭滤波算子 H^* 和 G^*，则有

$$\begin{aligned} H^*(f_j^i) &= \sum_k f_k^i h_{j-2k} \\ G^*(f_j^i) &= \sum_k f_k^i g_{j-2k} \end{aligned} \tag{3-20}$$

具有正交关系，可得

$$HG^* = GH^* = 0, \quad H^*H + G^*G = 1 \tag{3-21}$$

式（3-21）中 I 为恒等算子。

根据以上定义,不难得到如下重构

$$f^i = H^*(f^{i+1}) + G^*(C^{i+1}), \quad i = J-1, \cdots, 1, 0 \tag{3-22}$$

3.3 储罐常用材料腐蚀声发射信号的小波分析

3.3.1 低碳钢点蚀声发射信号的特点

根据理论分析与实验研究,低碳钢点蚀声发射信号具有如下基本特征:

(1) 低碳钢点蚀声发射信号具有瞬态性。低碳钢点蚀声发射信号在监测中具有随机性,只有当能量积累到一定的程度,才会出现一个瞬态释放的过程,然后迅速衰减。这个过程类似于一个瞬态的冲击信号,由于能量释放的瞬态性,使信号具有时变性,声发射信号属于非平稳随机信号。

(2) 低碳钢点蚀声发射信号具有多态性。机械波在固体介质中传播是一个复杂的过程,在这个过程中包括多种模式的波,如纵波、横波、表面波等,在传播过程中还会发生模式的转换。对于薄板,按板波理论可以简化为扩展波(E波)和柔性波(F波)。此外,声发射信号在传播介质内还会发生波的反射、折射等影响,这种影响结果随着传感器与声发射源的位置不同而不同。腐蚀过程中不同的物理化学过程产生的声发射信号也具有不同的形态,实际的声发射信号包含有多种模式的波形。

(3) 低碳钢点蚀声发射信号易受噪声干扰。在声发射检测阶段,长期困扰着声发射应用的一个难题是噪声的干扰问题。声发射检测具有极高的灵敏度,但易于受到各种因素的干扰而无法得到真正有意义的声发射源信息。这说明声发射信号分析和识别的必要性。在实际工程应用中,声发射信号大多伴随着多种干扰噪声:环境机械噪声、电子仪器带来的噪声等。这些噪声的主要时域特征是随机地分布在整个采样时间范围内。

对于低碳钢点蚀声发射信号的特征分析,就是要知道这类信号的特点,以及其适宜于用什么样的分析手段去处理。通过上面的分析以及采集到的波形都说明低碳钢点蚀声发射信号是一类瞬态的非平稳信号,小波分析正是目前处理这一类信号最有效的方法。低碳钢点蚀声发射信号识别中,以下的几个方面仍需要深入系统地研究:

小波变换中小波基的选择问题。如何选取小波基对低碳钢点蚀声发射信号进行分析才能取得较好的分析效果。

小波分解的尺度如何确定。在实际应用中应该遵循什么样的原则跟具体点蚀声发射信号采集参数的设置有很大的关系。

如何利用小波变换获取不同点蚀声发射源的特征。所谓获取特征就是对声发射源模式的某种物理性质进行数学描述,具体讲就是对信号进行小波变换,得到最能反映模式分类的本质特征。这也是小波分析的最终目的。

利用小波变换,通过对信号的分解,利用小波降噪,剔除噪声干扰,对分解信号进行小波重构,这样重构出来的信号与原始信号有所差异,这种差异就是实验需要得到的结论。

利用小波变换对点蚀声发射信号进行能量系数和FFT特征提取之后,从而进一步确认低碳钢点蚀声发射信号的失效模式。

3.3.2 低碳钢点

小波分析流程图如图 3.21 所示。

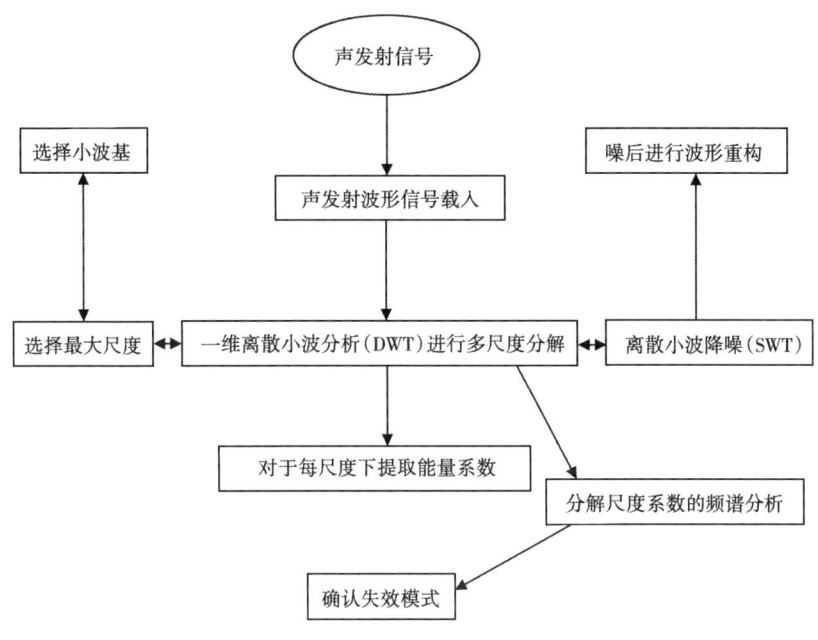

图 3.21 小波分析流程图

蚀声发射信号小波基的选取。

一般根据以下几个性质对小波基进行分析：

紧支性：小波基 $\Psi(t)$ 在一有界区域外恒等于零，则称小波基具有紧支性，即具有良好的时域局部特性。紧支宽度越窄，时域局部特性越好。

正交性：小波基序列 $\Psi_{a,b}(t)$ 满足公式

$\Psi_{a,b}(t) \Psi_{m,n}(t) = \delta_{am}\delta_{bn}$，则称小波基具有正交性。具有正交性的小波基的小波变换可以采用 Mallat 快速算法。

对称性：对称的小波基可以避免信号小波变换的分解和重构过程对信号产生畸变。

消失矩：小波基 $\Psi(t)$ 的 k 阶矩是指，如果对于所有 $0 \leqslant m \leqslant k$，式 $\int_R t_m \Psi(t) dt = 0$ 成立，具有消失矩的小波基对信号的作用主要是将信号能量相对集中在几个小波系数里，它对检测信号的奇异性以及信号与噪声的分离都有作用。

本文在分析低碳钢点蚀声发射信号特点的基础上，结合各种小波基的特点，对低碳钢点蚀声发射信号分析的所选用的小波基有如下要求：

（1）满足大量信号的快速处理要求。与离散小波变换相比，连续小波变换可以自由选择尺度因子，对信号的时频空间划分比二进离散小波要细，计算量比离散小波变换大，并且由连续小波变换恢复原信号的重构公式不唯一。声发射信号的特点之一是突发性，而且是多通道的过程监测，在实际应用中为了捕捉到缺陷发出的声发射信号，往往需要采样时间比较长，信号数据量较大。从对处理速度这个角度考虑，声发射信号采用离散小波变换比较合适。对低碳钢点蚀声发射信号的分析目的是能获取对声发射源的相关信息，通过对低碳钢点

蚀声发射信号的小波分析能够对声发射源特征信号进行重构是实现这一目的有效途径之一。以上的分析结果是：离散小波变换比连续小波变换更适合于低碳钢点蚀声发射信号的处理，应该选取可进行离散小波变换的小波基。

（2）良好的时频分析性能。具有良好的时频分析性能的小波基是分析每一类信号所希望的。对于具有瞬态性和多样性特点的声发射信号，良好的时域局部特性的小波基能够准确拾取每一次突发的声发射信号。同样，良好的时域局部特性的小波基能够把声发射信号中的多个模式在不同的频域范围内进行分析，通过分析最终提取与声发射源相关的信息。在实际应用中要根据实际信号处理的要求对小波基的时域和频域局部特性进行折中考虑。要求小波基在时域和频域均具有一定的局部分析能力。低碳钢点蚀声发射信号具有突发瞬态性，能够准确拾取突发的声发射信号是获取正确的声发射源信息的前提保障，所以考虑选择在时域具有紧支性的小波基，同时紧支性的小波基能避免计算误差，为了保证小波基在频域的局部分析能力，要求小波基在频带具有快速衰减性。故此，小波基在时域具有紧支性，在时域具有快速衰减性是低碳钢点蚀声发射信号小波基选择应遵循的规则。

（3）符合低碳钢点蚀声发射信号的特点。小波基 $\Psi_{a,b(t)}$ 如果与信号 $f(t)$ 的相关性越好，小波变换 $W_f(a,b)$ 对信号的特征提取量就越高，用小波基分析信号的特征就越准确。低碳钢点蚀声发射信号在时域通常表现为冲击振荡衰减性，具有一定持续时间。因此选择的小波基具有类似的性质，能对低碳钢点蚀声发射信号的特征提取提供最佳的分析效果。

（4）较强的降噪能力。声发射监测过程中的噪声问题，一直是困扰着声发射技术工程应用的主要障碍。各种噪声的存在严重影响着对真正有意义的声发射源的判断，全波形的采集和分析提供了解决这个难题的可能性。小波分析一直是减少噪声影响的有效手段。从小波理论中可以知道，具有一定阶次消失矩的小波基能有效地突出信号的各种奇异特性，因为低碳钢点蚀声发射信号具有类似冲击信号的特性，所以选择具有一定阶次消失矩的小波基，能突出低碳钢点蚀声发射信号的特征。

（5）尽量少的信号失真。如果滤波器具有线性相位或至少具有广义线性相位，则相位失真能够避免或减少。选用具有线性相位的小波基对信号进行分解和重构能避免或减少信号的失真。对于本书研究低碳钢点蚀声发射信号特征分析而言，都是极其重要的。从相关理论可知对称或反对称的小波基函数具有线性相位，因此，对低碳钢点蚀声发射信号的小波变换分析，应尽量选择对称的小波基。在对称小波基获取困难的情况下，应尽量选择近似对称的小波基，以降低信号的失真。

上面提出对小波基的要求，为选择合适的小波函数，下面，将常见小波函数的特点作一个归纳。

Haar 小波：该小波具有正交性和对称性。时域中有紧支性，频域中没有紧支性，所以，在时域中，衰减太慢，局部性变差。只具有 0 消失矩，一阶导数不连续。

Mexican hat 小波：这是著名的墨西哥帽子小波。它没有正交性，但有对称性。具有 1 阶消失矩，任意阶导数连续。

Meyer 小波：该小波规则正交，对称。在频域紧支。有任意阶消失矩，任意阶导数连续。

Daubechies 小波：该小波具有正交性。在时域和频域都是有限紧支。没有解析式。有限紧支正交小波在信号的小波分解和数据压缩中有着重要作用，在实施中不需要对小波进行人为的切断，具有计算快、精度高等特点。

Coifman 小波：该小波具有正交性和对称性。在时域和频域都是有限紧支。有高阶消失矩（对于 CoifN 来说，其时域消失矩为，$2n$ 频域消失矩为 $2N-1$）。

经过以上几个小波函数的特点分析，对于低碳钢点蚀声发射信号的小波函数选择，Daubechies 小波和 Coifman 小波是最合适的，但考虑到运算的简单程度后，本书选择 dbN 列函数。

dbN 小波函数 $\psi(t)$ 及其相应的尺度函数 $\phi(t)$ 构成不同的小波基。小波函数 $\psi(t)$ 和尺度函数 $\varphi(t)$ 相当于滤波器。从理论分析可知，N 越大，其性能越好，因此，本书选择 Daubechies16（简称 db16），Daubechies18（简称 db18）为适合低碳钢点蚀声发射信号分析的小波函数。图 3.22 是 db16 和 db18 小波图的表示形式。

Daubechies 构造了一个簇紧支撑正交小波，称为 dbN，N 为阶数，对于每个 N，$\{h(k)\}$ 有 $2N$ 个非零项。小波没有显示表达式，可由以下三个条件确定：

（1）$P(y) = \sum_{k=0}^{N-1} C_k^{N-1+k} y^k$，$C_k^{n-1+k}$ 为二项式系数 （3-23）

（2）$|m_0(\omega)|^2 = \left(\cos^2 \frac{\omega}{2}\right)^N P\left(\sin^2 \frac{\omega}{2}\right)$，此处，$m_0(\omega) = \frac{1}{\sqrt{2}} \sum_{K=0}^{2N-1} h_k e^{ik\omega}$ （3-24）

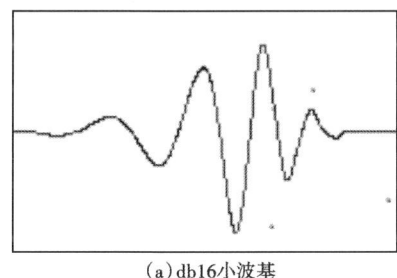
（a）db16 小波基

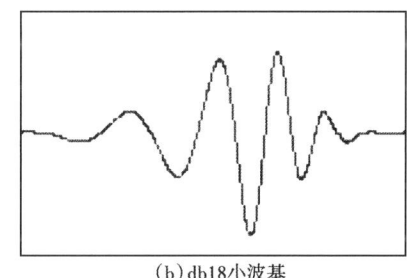
（b）db18 小波基

图 3.22　db16 和 db18 的小波函数图

（3）小波函数 $\psi(t)$ 和尺度函数 $\varphi(t)$ 的支集为 $2N$。

3.3.3　低碳钢点蚀声发射信号最大分解尺度选择

材料的声发射信号的频率范围一般为 10kHz 至 1.5MHz，且 90% 以上声发射活动的频率集中在 10~550kHz 范围内，能量也主要集中于这个频段内。低碳钢点蚀声发射信号的小波分解最大尺度下的细节信号的频率在 10kHz 附近就能满足低碳钢点蚀声发射信号的分析要求。即对于采样频率为 f_s kHz，其最大分解尺度 J 可以按下式计算

$$\frac{f_s}{2^{J+1}} \geq 10 \tag{3-25}$$

则可得到：

$$J \leq \log_2 \frac{f_s}{20}$$

对于低碳钢点蚀过程的监测过程，一般使用的探头（或放大器的带通）频率为 30~

60kHz，其采样频率一般为 1~1.5MHz，过高的采样率会导致系统的信号阻塞或丢失。从式（3-25）可得出 J 取 7 即满足要求。对于低碳钢点蚀声发射信号的研究，最低频率可以升高至 50kHz 以上，那么 J 的取值为 5 即可。

在信号处理中，取尺度 $s=2^j$，$j \in Z$ 的二进小波变换。设信号 $f(t)$ 的离散采样序列 $\{f(n), n=1, 2, \cdots, N\}$。若以 $\{f(n), n=1, 2, \cdots, N\}$ 表示信号 $f(t)$ 在尺度 $j=0$ 时的近似值，记 $C_0 = f(n)$，则 $f(t)$ 的离散二进小波变换确定式为：

$$C_{j+1}(n) = \sum_{k \in Z} h(k-2n) C_j(n) \tag{3-26}$$

$$D_{j+1}(n) = \sum_{k \in Z} g(k-2n) C_j(n) \tag{3-27}$$

式中 $h(n)$ 和 $g(n)$ 为由小波函数 $\psi(t)$ 确定的一对互补的共轭滤波器，$h(n)$ 为低通滤波器，$g(n)$ 为一高通滤波器。

因而 C_j、D_j 分别称为信号在尺度 j 上的逼近部分（低频）和细节部分（高频）。离散信号 C_0 经过尺度 $1, \cdots, J$ 的分解，最终分解为 $D_1, D_2, \cdots, D_j, A_j$，它们分别包含了信号从高频到低频的不同频带信号。信号的离散二进小波的分解，相当于信号不断经过两个低通和高通滤波器，对其近似部分进行滤波的结果。

对于一步分解，原始信号 $S=A+D$。

对于三尺度分解，原始信号可分解为：

$$S = A_1 + D_1 = A_2 + D_2 + D_1 = A_3 + D_3 + D_2 + D_1$$

其三层分解图如图 3.23 所示。如果信号 S 的带宽为 $[0, f]$，则经尺度 $j=3$ 的小波分解后，A_3 的带宽为 $[0, f/2^3]$，D_3 的带宽为 $[f/2^3, f/2^2]$，D_2 的为 $[f/2^2, f/2]$，D_1 的为 $[f/2, f]$。

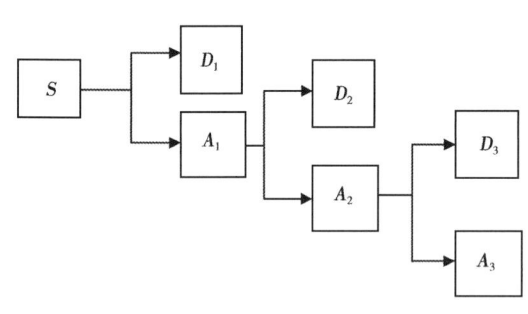

图 3.23 多尺度小波分解图

对于低碳钢点蚀声发射监测过程，当确定了有效点蚀声发射信号，选择适当的尺度为 5，对低碳钢点蚀声发射信号进行小波最大尺度分解，提取分解后相应频带的小波系数，经重构即可得出理想的信号波形。低碳钢点蚀声发射监测过程中，采集了多种低碳钢点蚀声发射信号类型，现对三种类型的声发射信号和噪声信号进行小波分解如图 3.24 所示。

类型 1 和噪声信号是试件 7 腐蚀 12h 时所采集到的声发射信号，对其进行小波分析，如图 3.24（a）、(d)。信号类型 2 和信号类型 3 是试件 2 腐蚀 4h 时所采集到的声发射信号，对其进行小波分析，如图 2.24（b）、(c)。图 2.24（a）、(b)、(c) 中可以看出尺度 5（细节 D4）波形与原始信号波形相似，并且尺度 5（细节 D4）波形特征与点蚀声发射信号波形特征相似，因此，可以利用尺度 5（细节 D4）作为低碳钢点蚀声发射信号主体，然后剔除其他尺度（细节）信号，其他尺度（细节）信号可能来自外界噪声或者系统电噪声，剔除这部分信号有利于对低碳钢点蚀声发射信号的有效还原。

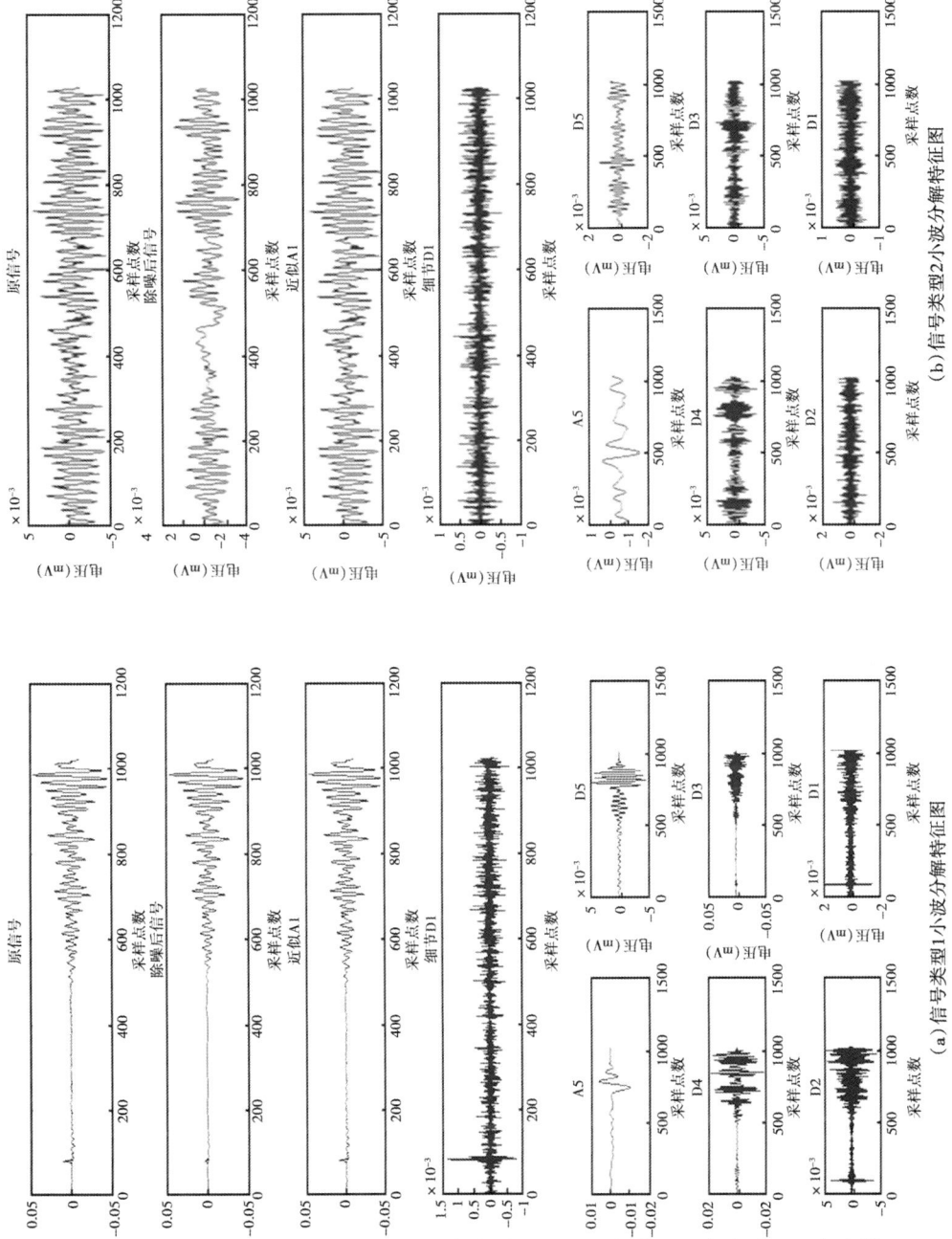

图 3.24 小波分解特征图

图 3.24 小波分解特征图（续）

3.3.4 低碳钢点蚀声发射信号的小波去噪

1) 含白噪声信号去噪

一个受噪声污染的信号可用如下的模型来表示：

$$y(t_i) = f(t_i) + n(t_i), \quad i = 1, \cdots, N \tag{3-28}$$

式（3-28）中 $f(t_i)$ 为真实信号，$n(t_i)$ 是期望为 0，方差为 σ^2 的独立同分布的高斯白噪声。

小波去噪就是要剔除 $n(t_i)$ 恢复 $f(t_i)$。正交小波变换有个基本统计结果，即其变换将一个域中的白噪声转换为另一个域中的白噪声。因此，由式（3-28）可得到

$$y_{j,k} = f_{j,k} + \sigma z_{j,k}, \quad j = 1, \cdots, 2^j - 1 \tag{3-29}$$

式（3-29）中 $y_{j,k}$ 是观察数据（受噪声污染信号）的小波变换系数；$f_{j,k}$ 是真实信号的小波变换系数；$z_{j,k}$ 是噪声的小波变换系数，是一个独立同分布的白噪声；J 是总的分解尺度数。

$n(t)$ 的自相关函数为：

$$Rn(u, v) = E[n(u)n(v)] = \sigma^2 \delta(u - v) \tag{3-30}$$

而

$$|Wn(s, x)|^2 = \iint_z n(u)n(v)\psi_s(x - v)\mathrm{d}u\mathrm{d}v \tag{3-31}$$

则

$$E(|Wn(s, x)|^2) = \iint_z \sigma^2 \delta(u - v)\psi_s(x - u)\psi_s(x - v)\mathrm{d}u\mathrm{d}v = \frac{\sigma^2 \|\psi\|}{s} \tag{3-32}$$

可以看出，随着尺度 s 的增加，$|Wn(s, x)|^2$ 及 $|Wn(s, x)|^2$ 的均值在减小。而原始信号的小波变换的模极大值随着尺度 s 的增加在增加，或至少保持不变，因此，可根据两者的区别进行去噪。

去噪的一个普遍技术就是采用阈值方法，Donoho 和 Johnstone 提出的软阈值和硬阈值规则如下：

$$T_{\text{soft}}(y_{j,k}, \lambda) = \mathrm{sgn}(y_{j,k})\max(0, |y_{j,k}| - \lambda) \tag{3-33}$$

$$T_{\text{hard}}(y_{j,k}, \lambda) = y_{j,k}I(|y_{j,k}| > \lambda) \tag{3-34}$$

实现上述规则的关键是选取合适的阈值 λ。Donoho 和 Johnstone 提出了 VisulShrink 方法定义的小波阈值如下：

$$\lambda = \sigma\sqrt{2\lg(n)} \tag{3-35}$$

式（3-35）中 σ 可通过观察数据 $y(t_i)$，或观察数据的小波系数 $y_{j,k}$ 来估计。可以使用如下公式来计算：

$$\hat{\sigma} = MAD\{y_{j,k}, k = 0, \cdots, 2^j - 1\}/0.6754 \tag{3-36}$$

式（3-36）中 $\hat{\sigma}$ 是对 σ 的估计，MAD 表示中值绝对偏差。

按式（3-34）去阈值时，显然可以剔除一部分噪声产生的小波变换系数，但也存在着把有效信号的小波变换系数中幅值较小者去掉的风险。用硬阈值方法通常重现峰值高度，不连续性更好，但丢失了一些光滑性。用它进行估计的偏差有时可能小于软阈值估计。

在实际应用中不必对所有的小波变换系数进行阈值处理，只需对几个相邻小尺度上的系数进行阈值处理即可，这是因为噪声影响主要是在小尺度上。此时选取一个合适的尺度 j_m，然后对尺度 1-j_m 上的系数进行阈值处理。

按照上面分析，可以总结小波阈值去噪方法的步骤如下：

选择小波和小波分解的层次 N，然后对观察信号进行小波分解，得到小波变换系数 $y_{j,k}$。

求出阈值 λ，其中噪声均方差 σ 按式（3-36）计算。

依据所选方法和所确定的 j_m 值，按式（3-33）和式（3-34）求出尺度 1-j_m 上的 $\hat{f}_{j,k}$。根据第 N 层的低频系数和从第一层到第 N 层的经过修改的高频系数，重构出原信号，即得到了去除噪声后的信号。图 3.25 是用这一算法来检测小波对一个仿真信号的消噪效果。原始信号见图 3.25（a）。图 3.25（b）是一个叠加了随机白性噪声的突变信号，对此信号用前面提到的 Daubechies 小波基（Db16）进行 5 尺度下变换后再用上述消噪算法剔除噪声后重建，如图 3.25（c）所示。可见降噪效果是比较明显的，噪声得到了很大的抑制，而信号本身的突处并没有被平滑掉，大大提高了信号的信噪比。而传统的利用傅里叶变换进行消噪的效果远没有小波消噪的效果好，如图 3.25（d）所示。图 3.25（c）和（d）的比较中，可以看出，用小波进行信号的消噪可以很好地保存有用信号的尖峰和突变部分。而用傅里叶分析进行滤波时，由于信号集中在低频部分，噪声分布在高频部分，所以，可用低通滤波器进行滤波。但是，不能将有用信号的高频部分和由噪声引起的高频干扰加以有效的区分。若低通滤波器太窄，则在滤波后，信号中仍存在大量的噪声；若低通滤波器太宽，则将一部分

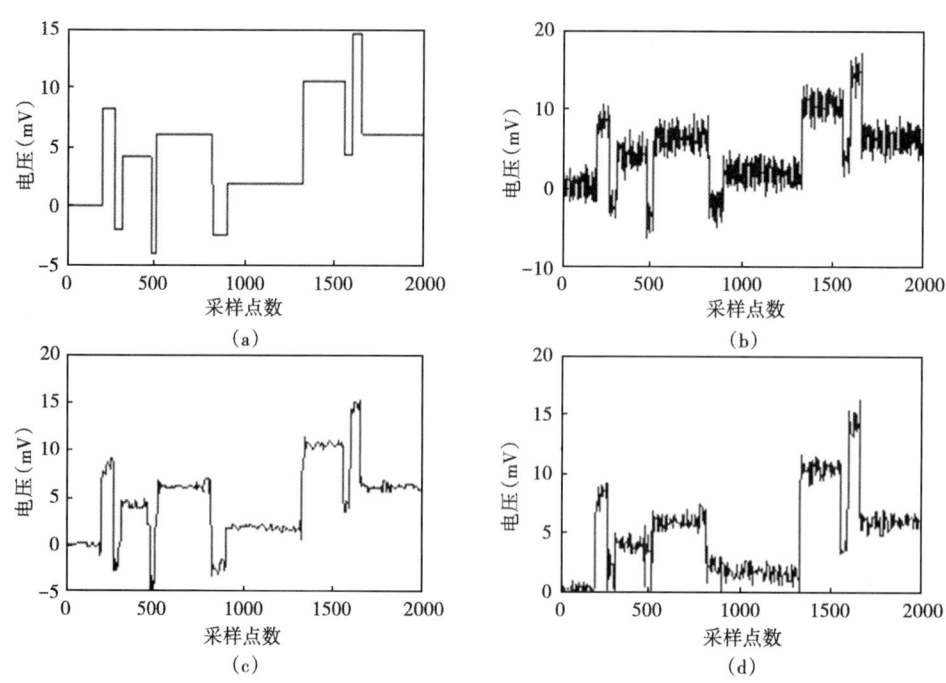

图 3.25 小波消噪与傅里叶消噪结果比较

有用信号当作噪声滤掉了。因此，小波分析对信号消噪有着傅里叶分析不可比拟的优点。

图 3.26 给出了一个点蚀声发射信号的处理结果。图 3.26（a）是在 10% $FeCl_3 \cdot 6H_2O$ 腐蚀溶液中进行试验时探测到的典型低碳钢点蚀声发射信号，为了验证上述消噪方法的正确性，将图 3.26（a）中的点蚀声发射信号叠加了随机白噪声，其叠加后的波形如图 3.26（b）所示，此时的波形已看不出具有明显的腐蚀声发射信号特征，如果在实验中采集到这样的信号，很有可能将其误认为是噪声信号，而将其忽略，从而给数据分析带来误差，为此要对这样的信号进行消噪。利用上述的消噪方法，按前文的研究结果选择 Db16 小波基对图 3.26（b）中的信号进行消噪，其小波降噪算法后的重建波形如图 3.26（c）所示。从处理结果来看，经小波分解后再用降噪算法处理，信号的噪声大大地降低，降噪后的波形又突显了点蚀声发射信号的典型特征，具有明显的弯曲波和扩展波成分，并具有一定的衰减性。

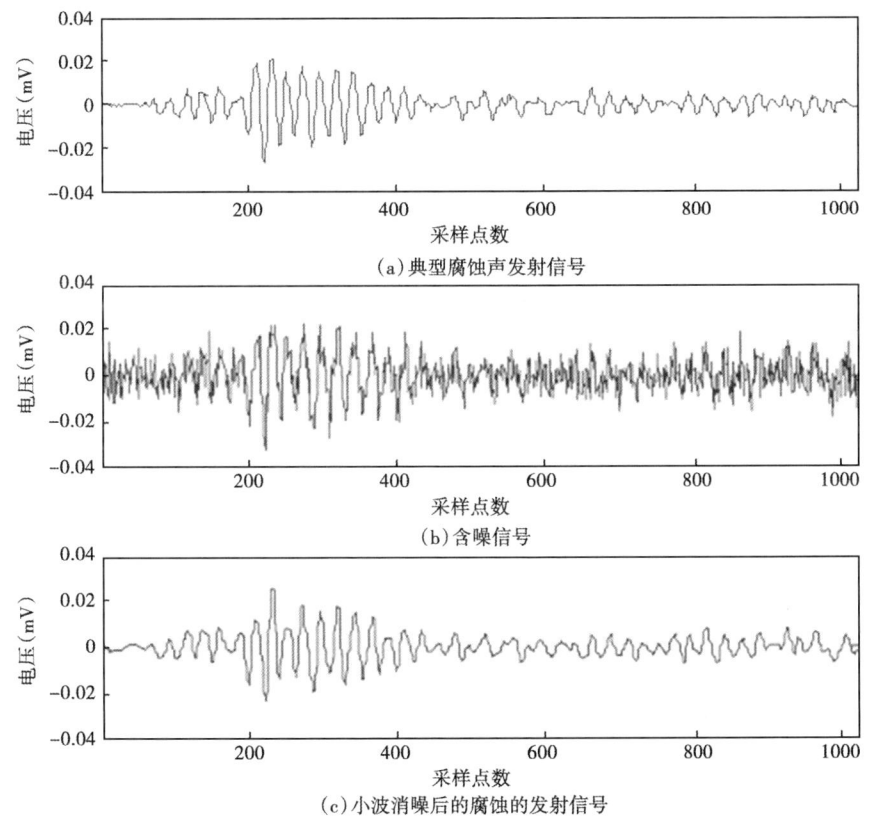

图 3.26 小波消噪（白噪声）实验分析结果

2）含非白噪声信号去噪

对于实际检测到的声发射信号，一般都含有各种噪声，这些噪声并不都满足假设。处理这类噪声，首先要采集噪声，分析其特点。分析的手段同样采用小波多尺度分解，并辅以傅里叶变换的谱分析，找出有效信号的主频带和噪声信号的主频带，这样可以对小波分解后噪声所在频带的系数置零，然后重构信号就可以去除干扰。

例如，在测试过程中，由于电源电压的波动、静电干扰等的影响，有时会对测试信号造成干扰，这些干扰常常是低频干扰，如图 3.27（a）所示，该信号是在 3.5% NaCl，pH = 2

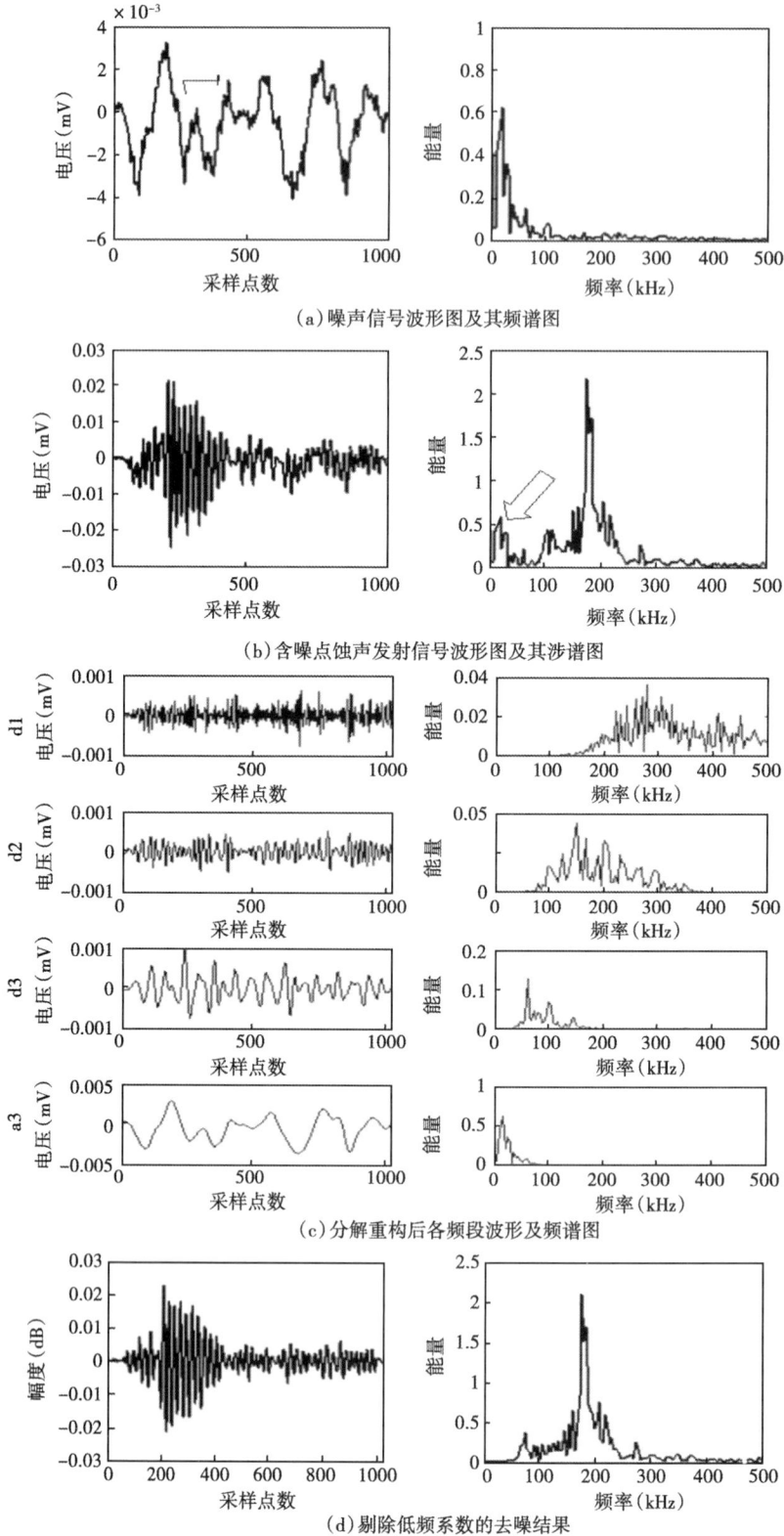

图 3.27 低碳钢点蚀缺陷声发射信号+低频干扰的实验分析

溶液中进行试验时,当试件4刚放入溶液中时采集到的,这时腐蚀还没有开始,此时采集到的信号是系统噪声。图 3.27(b)为腐蚀进行到第二天时采集到的信号。从其频谱图中可以看出,图 3.27(b)的信号中掺杂了低频干扰,干扰噪声的频率主要集中在 100kHz 以下(箭头所示),而该信号的主频带为 125~250kHz,为此,首先对其进行三层小波分解,分解重构后的各频段波形及频谱图如图 3.27(c)所示,从图中可以看出,第三层的低频信号 a3 为明显的噪声信号,故对其所在的频道(即低频)系数置零,从而达到消噪的目的。图 3.27(c)是剔除低频系数的小波去噪结果,可以看出,通过上述方法可以有效地剔除低频干扰,使得重构后的信号能更好地反映腐蚀声发射信号的实际情况。当然,也有少部分宽谱噪声,所以应分析各种噪声的频谱特性,了解其分布规律就可以有针对性地消除。由于声发射信号的能量主要集中在某些频带,其频带在 40~500kHz 之间。所以主要着重于特定频带的信号分析,这同时也是一种过滤噪声的有效手段。在多尺度分析中,每个尺度的信号都表示一定频率范围内的信号,对特定频带外所有尺度的信号全部置零,然后对信号进行重构。重构的信号又过滤了大部分非白性噪声。

从实验结果可以看出,用上述方法对点蚀声发射信号进行去噪,这里的噪声不仅可以是白噪声,而且还可以是非白性噪声,只是对它们采取不同的消噪方法,最后取得的效果都很好,能够有效地抑制噪声,达到了消噪的目的,而且保证了绝大部分的金属点蚀声发射信号没有丢失,凸显了信噪比。

3.3.5 低碳钢点蚀声发射信号的小波特征提取

1) 能量系数特征提取

对于采集到的低碳钢点蚀声发射信号,首先按照上述给出的降噪算法,对信号进行降噪处理,然后对特定频带范围内的信号进行重构。若降噪后离散的声发射信号 $f(n)$ 经过 J 个尺度的小波分解可分解为 $J+1$ 个频率范围的细节信号和近似信号,声发射信号与细节信号和近似信号的关系可以用式(3-37)来表达:

$$f(n) = A_J f(n) + D_J f(n) + D_{J-1} f(n) + \cdots D_1 f(n) \tag{3-37}$$

与传统的声发射能量参数的定义相类似,能量正比于声发射波形的面积,对于小波分解后各个尺度下重构的细节信号的近似信号,能量也可以用式(3-38)来表达:

$$E_J^A f(n) = \sum_{n=1}^{N} (A_J f(n))^2 \tag{3-38}$$

$$E_j^D f(n) = \sum_{n=1}^{N} (D_j f(n))^2, \quad j = 1, 2, \cdots, J \tag{3-39}$$

则信号的总能量是最大尺度下近似信号和所有尺度下细节信号的累加:

$$Ef(n) = E_J^A f(n) + \sum_{j=1}^{J} E_j^D f(n) \tag{3-40}$$

小波分解的每个尺度对应的是信号中不同频率范围内的分量,每个尺度的能量与信号的频谱分布有关系。本节把每个小波分解的能量与总能量的比值定义为信号的小波能量分布系数:

$$R_j(n) = E_j^D f(n)/Ef(n), \quad j = 1, 2, \cdots, J, \quad R_0(n) = E_J^A f(n)/Ef(n) \tag{3-41}$$

式（3-41）的物理意义是表征信号的能量特征在不同频带上的分布比例。信号在不同频带上的能量分布不同，必然是由于信号中包含有不同的信息造成的。对于低碳钢点蚀声发射信号而言，则是由声发射源的不同特征而造成的。可以选择小波能量分布系数来表征声发射源的特征。

声发射信号的特征提取是关系到整个模式识别最关键的环节，只有找到各种模式的不同特征才能达到良好的识别效果。声发射信号在小波分解各个尺度的信号能量分布系数就可以构成声发射源特征向量 $\vec{R} = \{R_0, R_j, \cdots, R_1\}$。按前面的最大尺度选用原则，一般构成这个特征向量 6 个元素左右。对某些识别模式总数较少而且各模式之间差别比较明显的检测对象，能够很好地满足应用要求。对低碳钢点蚀产生的声发射信号运用能量分布系数就能很好地将其特征表现出来。图 3-28 是对低碳钢点蚀实验过程产生的声发射信号进行能量系数分析的结果。试验的声发射检测系统采用 PCI-2 全波形检测系统，传感器及放大器都采用宽带，采集卡的采样率设为 2MHz，采样长度为 4k，根据有关文献，下限频率取 50kHz 能满足要求。按照前述最大尺度选用原则和计算公式，最大分解尺度 J 选 5，则对应特征向量 $\vec{R} = \{R_0, R_5, R_4, R_3, R_2, R_1\}$ 对应着尺度 5 分解得到的细节信号的频率范围分别为：[0, 31.25]，[31.25, 62.5]，[62.5, 125]，[125, 250]，[250, 500]，[500, 1000]。尺度 5 的近似信号频率范围为 [500, 1000]，高于讨论的上限频率，所以并未考虑。对于按上限频率计算最大分解尺度，小波能量分布系数构成的特征向量可以将 R_0 去除，使特征向量简化为 $\vec{R} = \{R_J, \cdots R_1\}$。对 3 小节中的四种信号类型进行能量系数特征提取如图 3.28 所示。

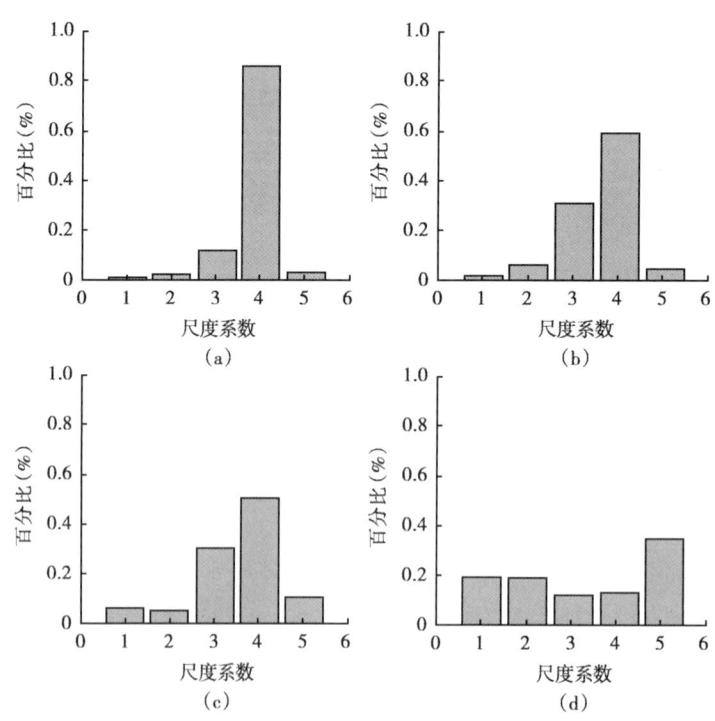

图 3.28　四种信号类型的能量分布系数

图 3.28 中可以看出，低碳钢点蚀产生的主要四种类型声发射信号的小波能量分布系数有明显的差异。信号类型 2 和信号类型 1 两种模式的声发射信号其能量分布的范围与腐蚀信

号类似，但是相对分散一些，主要集中在尺度3和尺度4频带范围内，在这个范围内连续型信号偏低频率信号的能量所占的比重相对大一些，而信号类型1的偏低频率的能量所占的比重要小一些，如图2.28（a）和（b）所示。而信号类型3则相反，以高频信号为主，80%以上的能量存在尺度3和尺度4的细节信号处，62.5~250kHz频率范围内的声发射信号占绝对的优势，这是此类模式典型的特征，如图2.28（c）所示。噪声信号的能量主要集中在细节1，2和3的低频信号段，125kHz以下的信号能量占整个信号能量的50%，但是在〔250kHz，500kHz〕之间的高频段仍然有大量的声发射信号，如图2.28（d）所示。

从上面的分析，可以看出通过能量系数提取声发射信号特征的方法很直观。为达到更好的识别效果，可以采用以下步骤获取更详细的特征。

对原始信号进行小波降噪处理。

对点蚀声发射信号按计算的最大尺度进行Db16小波分解并计算出各细节信号的能量分布系数。

对信号的关键频带内的信号进行重构，同时设置重构的门槛值，即能量分布系数小于5%所在尺度的信号将被略去。这主要目的还是为了降低噪声，这些低能量组分的信号很有可能是由各种噪声引起的。即使是有用信号，由于其含量较低，不会对整个特征域带来很大影响。

由这些保留了的各尺度上的信号重构原信号。

将这些信号进行频谱分析。对占90%以上能量的频带〔60，500〕kHz每隔5kHz进行分割，一共分成38块，并计算每一个小区域的能量分布系数。

利用能量系数特征提取，提取低碳钢点蚀声发射信号的能量系数特征，可以有效地对腐蚀声发射信号进行模式识别。

2）频谱分析特征提取

能量系数特征提取并不能完全对低碳钢点蚀声发射信号进行定性识别，不同的声发射信号具有不同的时频特性，时频特性是该声发射源本质的映射。需要对低碳钢点蚀声发射信号的能量系数所占比例最大的尺度进行频谱分析。

对于采集到的低碳钢点蚀声发射信号，首先按照上述给出的降噪算法，对信号进行降噪处理，然后对关键频带范围内的信号进行重构。降噪后得到的离散声发射信号，经过5个尺度的小波分解可分解为6个频率范围的细节信号和近似信号。

与传统的声发射频率参数的定义相类似，对于小波分解后各个尺度下重构的细节信号的近似信号，对一个N点序列$x(n)$，按定义，其离散傅里叶变换为其频率，也可以用式（3-42）来表达：

$$X(k) = DFT[x(n)] = \sum_{n=0}^{N-1} x(n) W_N^{nk} \tag{3-42}$$

一般来说$x(n)$和W_N^{nk}都是复数，$X(k)$也是复数。

快速FFT算法的基本原理是，把计算长度为N的序列的DFT逐次的分解为计算长度较短序列的变换，再利用系数W_N^{nk}的周期性和对称性，使DFT运算中的有些项加以合并，达到减少运算工作量的效果。

对低碳钢点蚀产生的声发射信号进行最大尺度分解，利用FFT分析对尺度4和尺度5波形系数进行FFT分析，如图2.29所示。

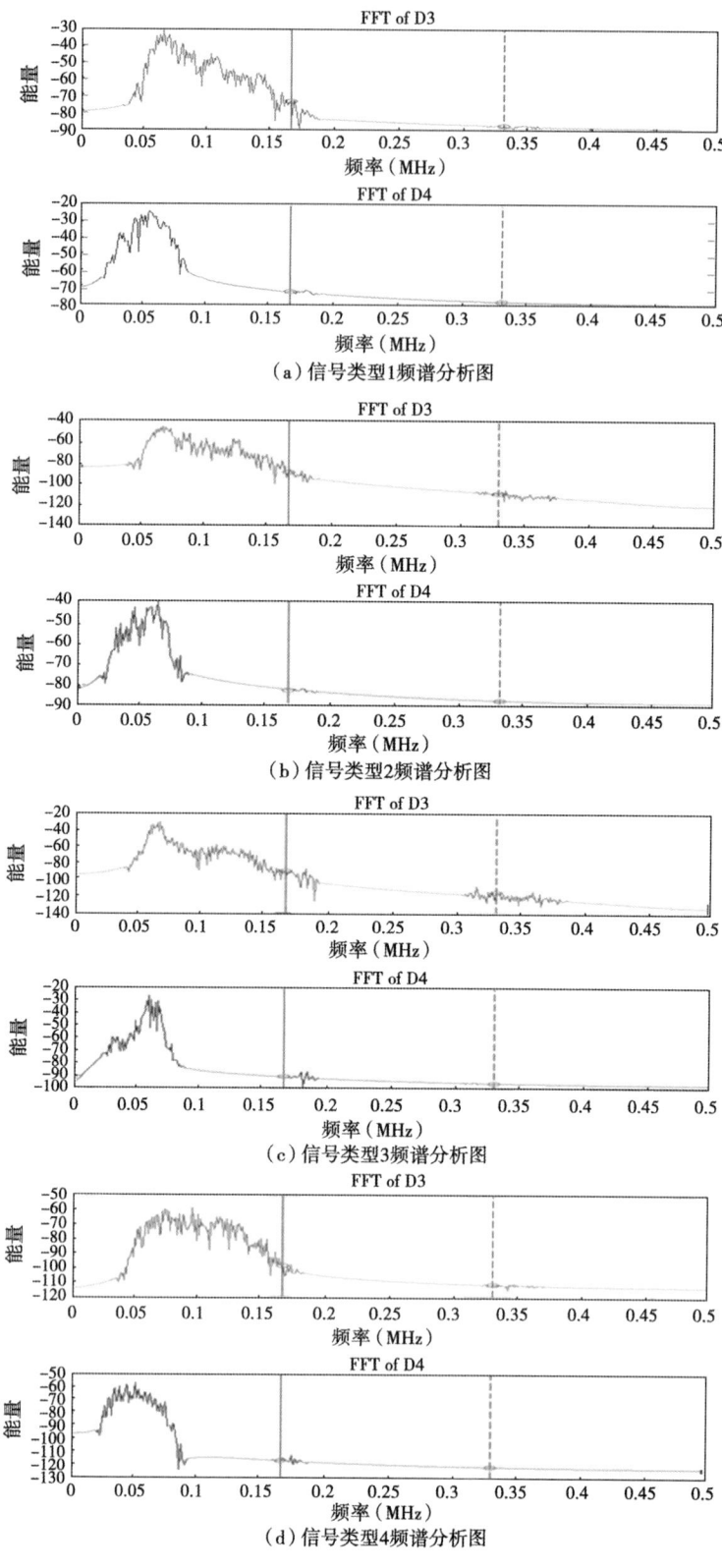

图 3.29 信号频谱分析图

小波分解的每个尺度对应的是信号中不同频率范围内的分量，每个尺度的能量与信号的频谱分布有关系。信号在不同分解尺度上对应的频带分布不同，必然是由于信号中包含有不同的信息造成的。对于低碳钢点蚀声发射信号而言，则是由点蚀声发射源的不同特征而造成的。可以选择频带分布系数来表征声发射源的特征，这些频带分布系数可以构成一个向量，输入训练好的神经网络可以进行声发射源的模式识别。

从以上几种类型的声发射信号的频谱图中可以看出，图 2.29 显示尺度 4（细节 D3）和尺度 5（细节 D4）对应的频率段。更重要的是分解的细节信号和近似信号对应着不同的频率段。近似信号 A5 对应着最低的频率段，从细节 D5 至 D1 对应的频率段逐渐增加到 1kHz。图 2.29（a）、（b）、（c）中，尺度 4 对应着频率段 80~200kHz，尺度 5 对应着频率段 30~80kHz。从图 2.27（a）、（b）、（c）中可以看出，尺度 4 和尺度 5 能量系数占整个信号总能量的 90% 以上。说明尺度 4 和尺度 5 的频带为低碳钢点蚀声发射信号的主要频带。可以确定低碳钢点蚀声发射信号的主频带为 30~200kHz，从而可以利用声发射系统的硬件设置，减少低碳钢点蚀声发射信号处理工作量。

通过分析低碳钢点蚀声发射信号特征及声发射信号中常见的噪声特征，在此基础上，分析目前小波分析中常用的小波基的特点，研究低碳钢点蚀声发射信号小波分析的小波基选取规则方法。从众多常用的小波基中选取适合于低碳钢点蚀声发射信号小波分析的小波基；对小波分析在实际的低碳钢点蚀声发射信号处理中的几个关键问题进行研究，重点研究利用小波分析对低碳钢点蚀声发射信号的特征进行分析和处理的问题。通过分析研究得出如下结论：

对目前工程上常用的小波基特点进行了全面的分析，并结合腐蚀声发射信号的特点及工程中对声发射源识别的需要，确定出 Daubechies 小波族的 Db16 和 Db18 小波是最适合于低碳钢点蚀声发射信号分析的小波基。

给出低碳钢点蚀声发射信号的小波降噪（白噪声）算法。通过对信号的小波分解，提取每层的分解系数。再对其进行阈值量化处理，最后重构出波形，从而达到消噪的目的；通过仿真实验验证了该算法的可靠性，实验结果证明它对声发射信号具有良好的去噪效果，小波分析有着传统傅里叶分析不可比拟的优点。

利用小波变换对信号中非白噪声进行抑制，通过小波的多分辨率分析将含噪腐蚀声发射信号展开在不同的尺度上，在确定出有效信号的主频带和噪声信号的主频带基础上，将小波分解后噪声所在频带的系数置零，然后重构信号，从而达到对非白噪声消噪的目的。

小波技术用于低碳钢点蚀声发射信号处理，结果可靠。可用来：

去除背景干扰，小波强大分解（细化）能力可用来从高噪音中找出有效记录，分解合成时可以去掉不理想的通道，使声发射数据达到"规则化"要求，实现自动判读。同时在减少实验对环境的依赖上将会发挥重要作用。

对相互叠加的事件进行有效分离，结合全波形记录，可使事件尽可能少的丢失，提高声发射数量统计及 b 值计算等的精度。

可把成分复杂的声发射波形数据分解成具有单一特征的波。

第4章 罐底金属腐蚀及常用腐蚀材料声发射特性

储罐底板环境复杂，腐蚀形态表现为多样化。通常金属在中性或碱性溶液中发生吸氧腐蚀，在酸性溶液中发生析氢腐蚀。因此，罐底总体表现为吸氧腐蚀，局部腐蚀坑内铁离子和氯离子聚集发生水解呈现酸性而发生析氢腐蚀。为了验证第2章中分析的腐蚀发声机理，同时获得不同腐蚀类型的声发射特性。本章对罐底金属的析氢腐蚀和吸氧腐蚀过程进行电化学和声发射的同时监测，基于声发射技术研究罐底金属腐蚀行为，对比电化学监测结果，获取腐蚀参数，建立声发射典型参量与罐底腐蚀严重程度的关系，为后续研究应用声发射方法对储罐的损伤级别进行评估奠定基础。

4.1 声发射特性研究

4.1.1 罐底金属腐蚀及声发射检测

实验材料为大庆油田建材制造安装有限责任公司金属结构厂提供的储罐常用材料 Q235 低碳钢经过线切割加工成的薄板，其主要化学成分和机械性能见表4.1。试件表面的光洁度、均一性以及洁净程度等也是影响腐蚀实验结果的重要因素，因此实验前对 Q235 钢板进行相应的表面处理，如图4.1所示，使其保持金属光泽，光洁度复合腐蚀要求。

表 4.1 Q235 化学成分与力学性能表

材料	元素成分						机械性能		
	C	Mn	Si	P	S	Fe	抗拉强 σ_b（MPa）	屈服强度 σ_s（MPa）	伸长率 δ（%）
Q235	18	49	80	1.4	5.3	余量	370~500	235	26

在试件的下部预留 $1cm^2$ 的腐蚀区域，上部留有传感器布置区域，其余部分试件均作封样处理。密封作用涂料为 D-31 环氧/聚氨酯底漆，其能够有效阻止腐蚀介质侵入金属底材，满足绝缘及密封要求。用无水乙醇脱脂处理试件金属表面，冷风干燥后进行试验，如图4.1所示。所用腐蚀溶液为浓度为 0.5mol/L、1.0mol/L、5.0mol/L 的 HCl 溶液，0.5mol/L、1.0mol/L、2.0mol/L 的 NaCl 溶液和蒸馏水，实验装置示意图如图4.2所示。

4.1.2 声发射原理及监测

实验采用美国物理声学公司（PAC）生产的 PCI-2 声发射系统，该系统可实现18位 A/D 转换，系统采样频率范围为 0.1~8MHz。使用 2/4/6 型前置放大器，其具有 20dB、40dB、60dB 三种前置放大模式，选择 40dB 增益，如图4.3所示。在试件上方布置一个 WD 型声发射宽带传感器，灵敏度为 55 [−62.5] dB ref.1V（m/s）[1V/μBar]，频率范围 100~

图 4.1 腐蚀试件

图 4.2 实验装置

1000kHz 是一种宽频传感,如图 4.4 所示。经多次实验验证,表 4.2 所示为声发射检测系统相关数据采集的参数设置。

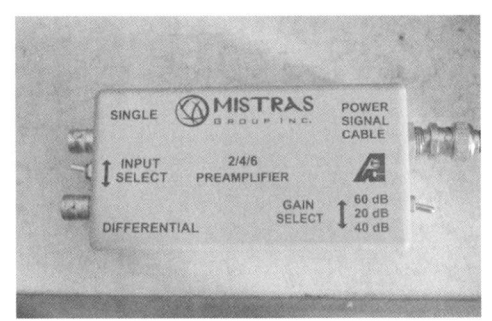

图 4.3 声发射 2/4/6 型前置放大器

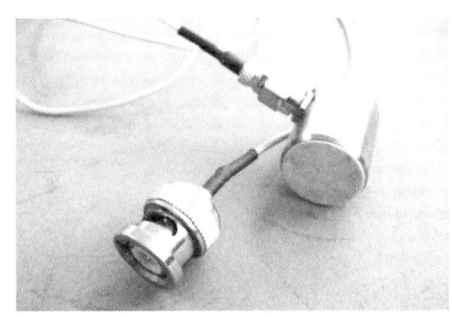

图 4.4 声发射 WD 型传感器

表 4.2 声发射参数设定值

门槛值 (dB)	采样点	采样率 MHz	增益 Gain (dB)	触发前预时间 Pre-Trig (μs)	触发峰值 定义时 PDT (μs)	触发定义 时间 HDT (μs)	触发闭锁 时间 HLT (μs)
30	2048	3	40	256.0	300	600	600

电化学测试在 CorrTest CS310 电化学工作站上进行,该系统可以完成包括电化学阻抗谱、电化学稳态极化等多种电化学测试实验。所有电化学测试在 1.5L 的标准三电极体系电解池中进行。辅助电极(Counter Electrode)采用铂电极,参比电极(Reference Electrode)为饱和甘汞电极(SCE),Q235 低碳钢试件为工作电极(Working Electrode)。应用声发射和电化学方法同时对罐底金属材料在 0.5mol/L、1.0mol/L、5.0mol/L 的 HCl 溶液,3%、5%、

10%NaCl 溶液和蒸馏水中的开路电位、极化曲线、阻抗谱测试过程进行同时监测。图 4.5 为实验用声发射检测系统与电化学检测系统。

1) 开路电位

在进行其他电化学测试之前，将工作电极在腐蚀介质中浸泡 0.5h，并同时测试材料的 Ecorr-t 曲线，待测试结束时，工作电极的开路电位基本达到稳定数值，得到罐底金属在给定腐蚀溶液浓度下的自腐蚀电位。

2) 极化曲线

极化曲线的类型分为两种，即活性溶解和钝化。对于罐底金属这种活性溶解的材料可以通过极化曲线的测试，Tafel 拟合出腐蚀电流，比较不同腐蚀速率下的声发射特性；本实验极化曲线的扫描速率为 0.5mV/s，扫描区间为相对开路电位 -500~+500mV。

3) 阻抗测试

由于阳极极化过程是金属腐蚀过程，因此从腐蚀电位开始以 40mV 的增幅进行电化学阻抗谱测试，每一极化电位稳定 3min 后开始测试，并记录极化电流值。设置测试频率为 100000~0.1Hz，由高频区开始检测。测试结果绘制成 Nyquist 和 Bode 图，比较 Nyquist 图的阻抗弧半径大小从而分析腐蚀电流大小对声发射计数率的影响。对数扫频，每倍频程扫点 10 个，共测试 70 点，交流幅值为 ±10mV，如图 4.5 所示为声发射—电化学检测系统。

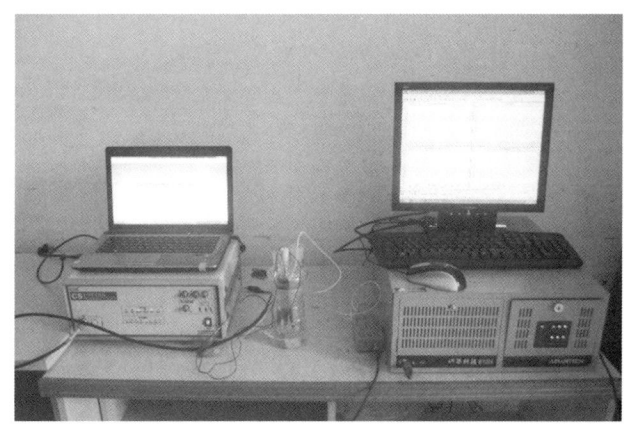

图 4.5　声发射—电化学检测系统

4.1.3　排除性实验

1) 断铅

断铅实验 3 次，信号幅值均在 97dB 以上，每次断铅信号幅值之间相差在 ±3dB 以内，确保声发射检测系统灵敏度满足要求。

2) 滤除背景噪声

确定背景噪声水平，将传感器布置在尚未浸入腐蚀液的金属试件上，空采背景噪声，并将系统阈值设置在背景噪声之上，因此门槛设置为 30dB。

3) 排除性实验

为了证明 Q235 低碳钢试件在不同浓度的 HCl 和 NaCl 溶液中，极化过程产生的声发射信号均来自析氢和腐蚀过程，而非外加扫描电位的干扰，进行了 Q235 低碳钢试件在蒸馏水中的极化过程声发射和电化学监测实验。实验结果表明，蒸馏水中的极化过程，声发射信号非常微少。阴极极化过程金属表面几乎没有气泡产生，声发射撞击计数为 4 个；自腐蚀电位 -510mV 附近，自腐蚀电流非常微小为 $2.86 \times 10^{-6} A/cm^2$，没有声发射信号的产生；阳极极化过程在外加电位作用下，也仅产生了 7 个声发射信号。如图 4.6 和图 4.7 所示，因此后续实验的声发射信号均为有效信号。

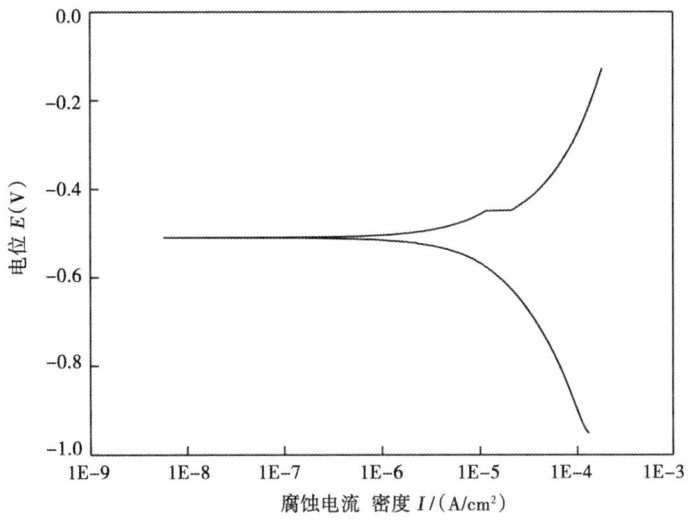

图 4.6　Q235 在蒸馏水溶液中的极化曲线

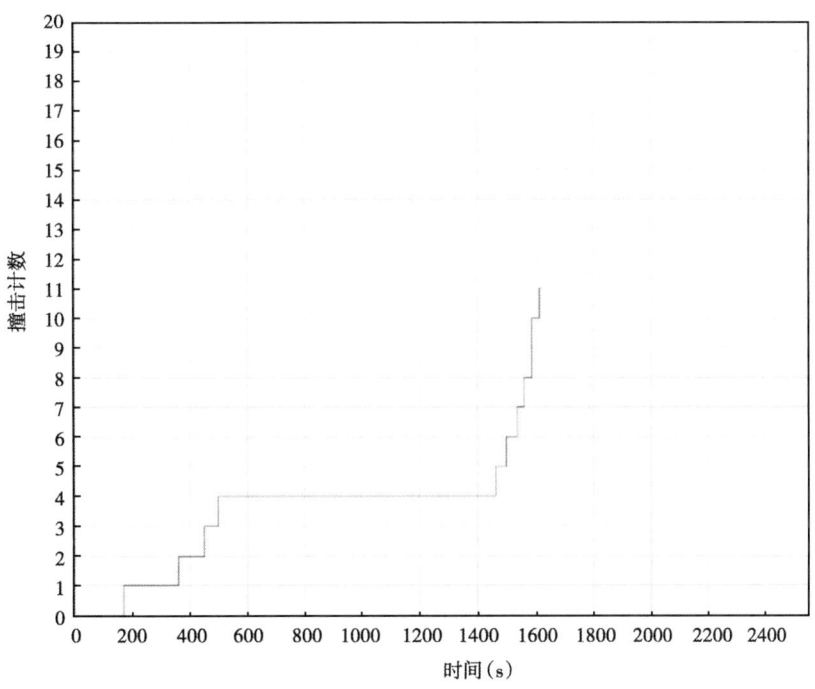

图 4.7　Q235 在蒸馏水溶液中极化过程的声发射信号计数曲线

69

4.2 罐底金属析氢腐蚀行为声发射

4.2.1 罐底金属自腐蚀过程声发射

为了验证声发射检测方法对罐底金属析氢腐蚀行为描述的有效性，以及得到自腐蚀电位，首先进行开路电位下的恒电位极化测试，如图4.8所示。初期由于Q235试件的腐蚀区域存在氧化层，在0~700s区间，Q235的腐蚀行为表现为，电位高但腐蚀电流密度小，声发射计数曲线表现为逐渐增加；当氧化层被破坏，电位下降但腐蚀电流密度增大，电位对时间的曲线表现为700s之后腐蚀电位和腐蚀电流密度趋于平稳，而声发射计数对时间的曲线也是自700s后相应增加并趋于稳定值，如图4.9所示。这一阶段声发射信号的幅值在30~51dB范围内，如图4.10所示，声源主要有氧化膜溶解、气泡破裂和金属腐蚀。

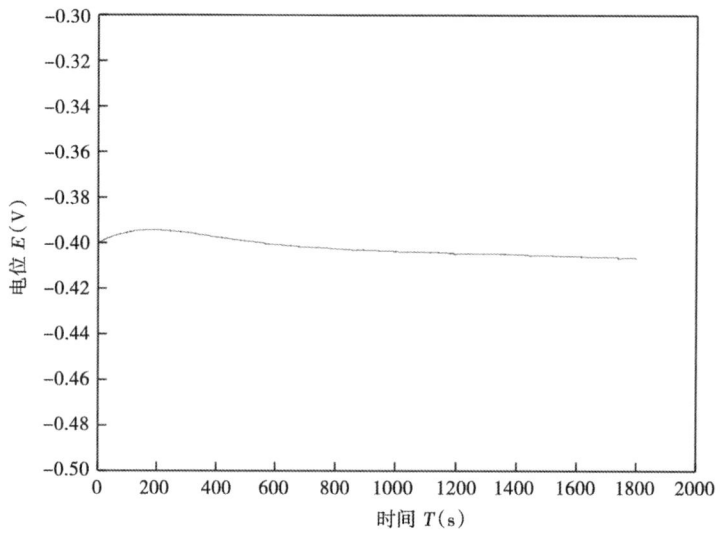

图4.8　5mol/L HCl溶液中Q235开路电位曲线

4.2.2 罐底金属极化过程声发射

对Q235在5mol/L HCl溶液中的极化过程进行声发射和电化学的同步监测，以获得自腐蚀电位下的腐蚀电流密度，以及相应的声发射信号计数。Q235在HCl溶液中的极化过程，属于活性溶解没有钝化区，采用强极化区Tafel拟合，$I_{corr}=1.267\times10^{-3}$ A/cm², $E_{corr}=-0.4084$V，$V_{corr}=14.90$mm/a。极化曲线如图4.11所示，对应过程的声发射计数累积曲线如图4.12所示，对应过程的声发射能量累积曲线如图4.13所示，幅值如图4.14所示。根据极化电流的变化情况，将电极的动力学过程划分为三个阶段、阴极析氢阶段、自腐蚀阶段、阳极溶解阶段。

阴极极化阶段（0~800s），在外电流的作用下，发生阴极反应为：$2H^++2e\longrightarrow H_2$，即产生大量的$H_2$，但金属几乎不发生腐蚀，实验现象如图4.15（a）所示。随着极化电位和电流的正移，声发射信号计数先迅速增加后减少，如图4.12所示；声发射信号能量也表现

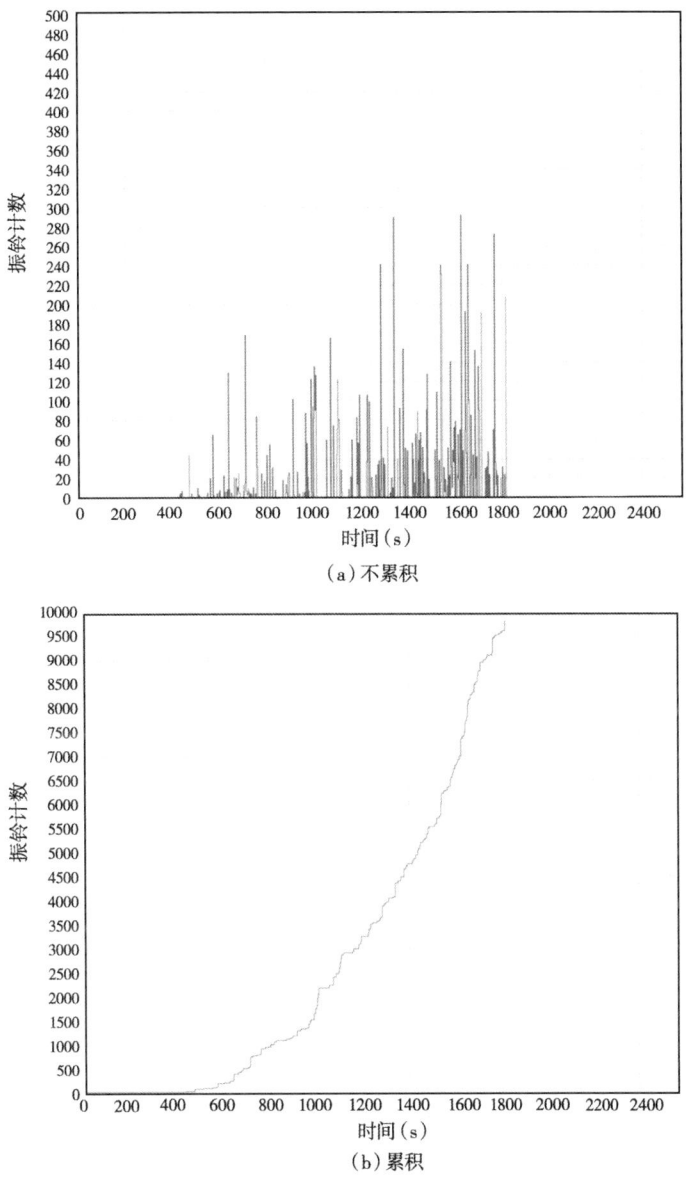

图 4.9　5mol/L HCl 溶液中 Q235 开路电位测试过程声发射计数

为先迅速增加后减少,如图 4.13 所示。气泡的脱离和破裂致使这一阶段的声发射信号产生,信号表现为突发型,幅值、计数和能量都相对较高,典型声发射信号特征和频谱特征如图 4.16 所示。

800~1000s 声发射信号计数累积增加缓慢,投影到极化曲线上,可以发现这一阶段对应的极化电位为-502~-402mV,处于自腐蚀电位-408mV 附近,属于稳定状态,声发射计数和能量的累积增加量最小。

1000s 之后阳极极化阶段声发射信号又有小幅度的累积增加,信号主要是来自金属溶解,金属表面变黑,产生腐蚀产物,实验现象如图 4.15(b)所示。由于腐蚀产物的生成,表面活度的较低,声发射计数累积曲线斜率减小,计数率降低。信号表现为混合型,幅值和

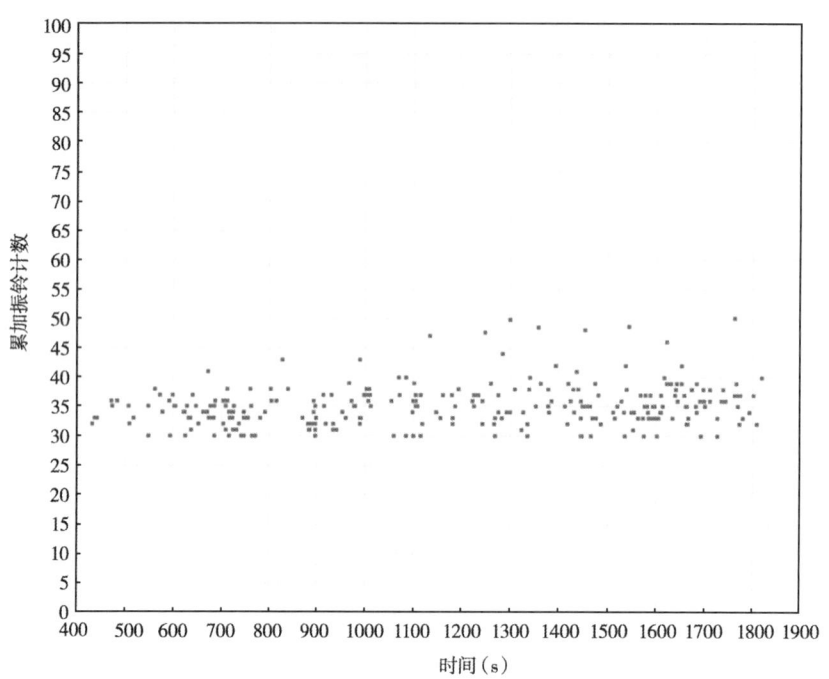

图 4.10　5mol/L HCl 溶液中 Q235 开路电位测试过程声发射信号幅值

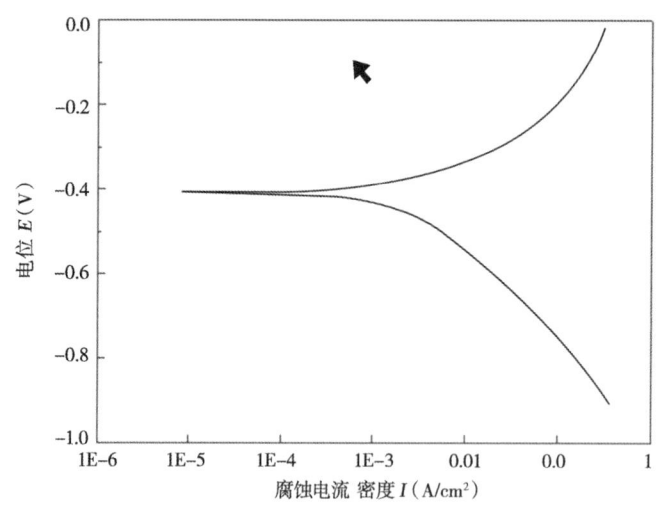

图 4.11　5mol/L HCl 溶液中 Q235 极化曲线

能量相对阴极析氢过程较低,计数较高,典型声发射信号特征和频谱特征如图 4.17 所示。该阶段伴随着氧化还原反应的进行,从动力学的角度分析,处于活化阶段,属于稳定状态,声发射计数和能量的累积增加量升高。物质从一种稳态过程发展成另一种稳态过程必然伴随着能量的流动和释放,而声发射现象就是由局部能量的快速释放而产生的弹性波现象,可知 Q235 低碳钢试样表面腐蚀现象的发生引起了声发射信号的波动,验证了上述的理论分析。

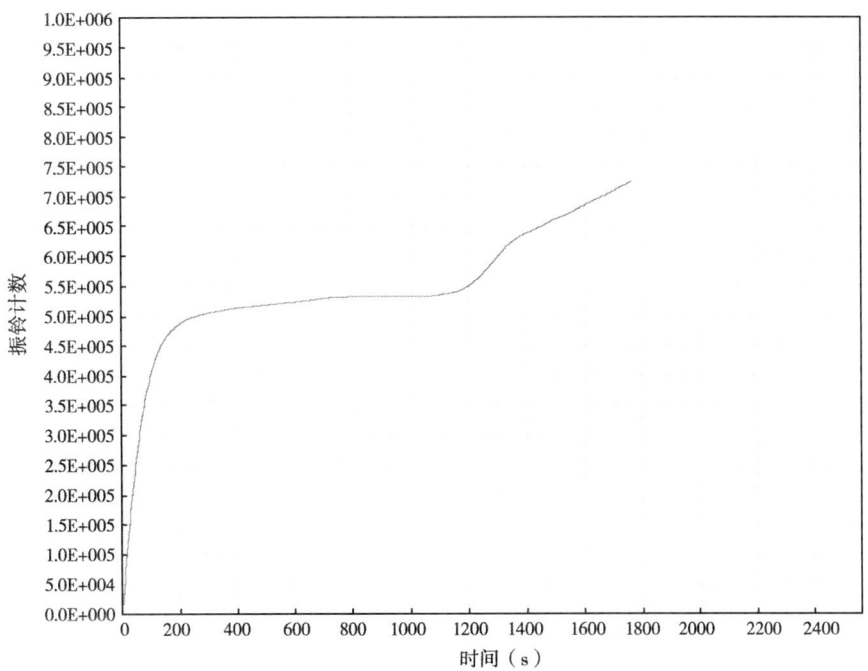

图 4.12 5mol/L HCl 溶液中 Q235 极化过程声发射计数累积线

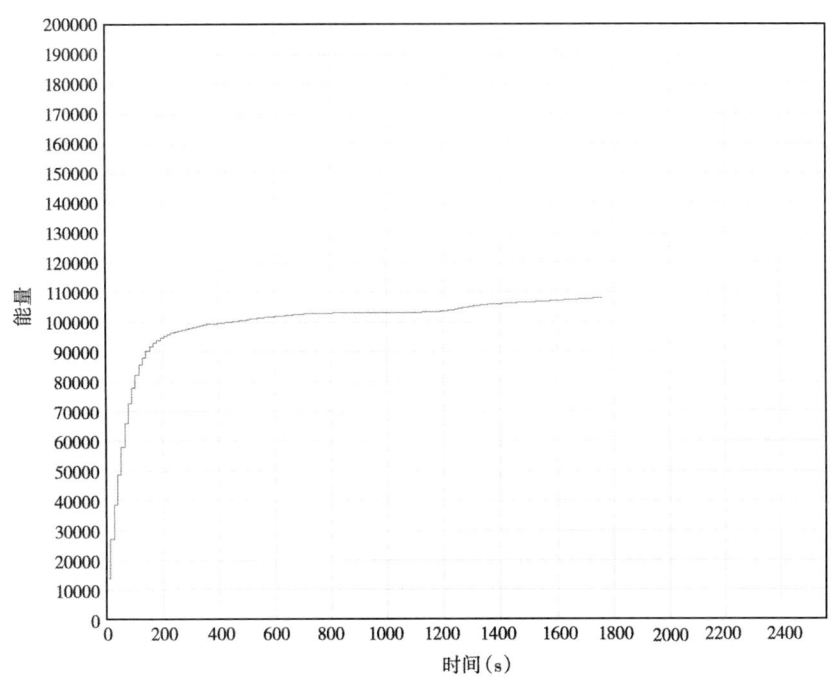

图 4.13 5mol/L HCl 溶液中 Q235 极化过程声发射能量累积线

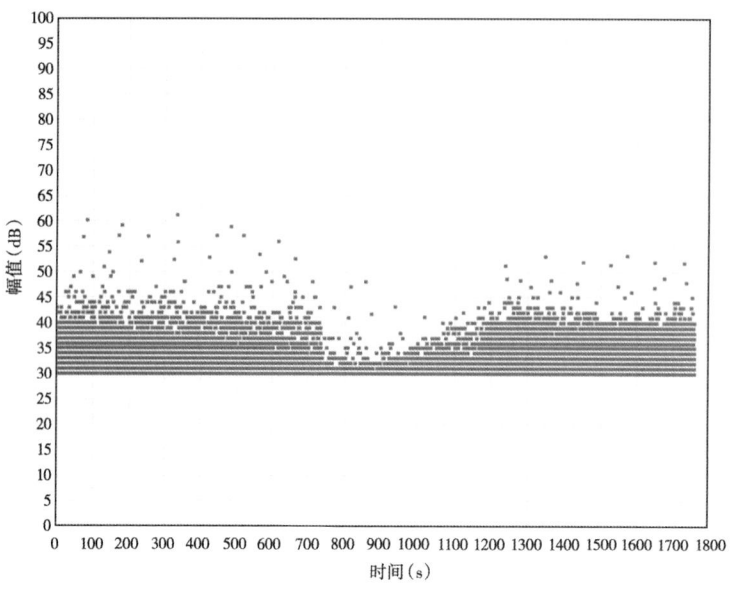

图4.14 5mol/L HCl 溶液中 Q235 极化过程声发射信号幅值

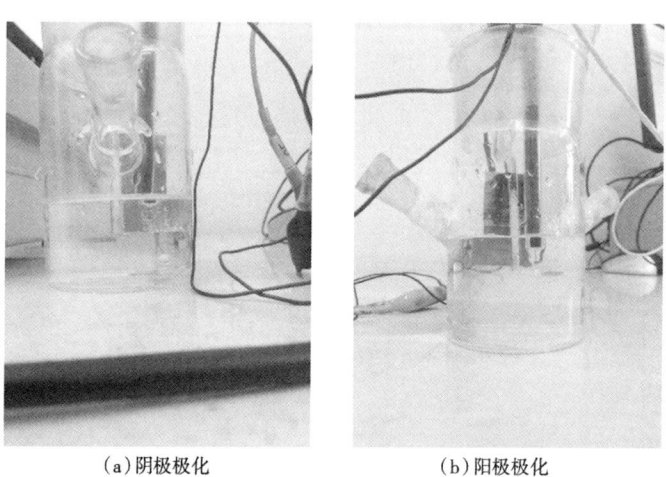

(a)阴极极化　　　　　　(b)阳极极化

图4.15 5mol/L HCl 溶液中 Q235 极化过程实验现象

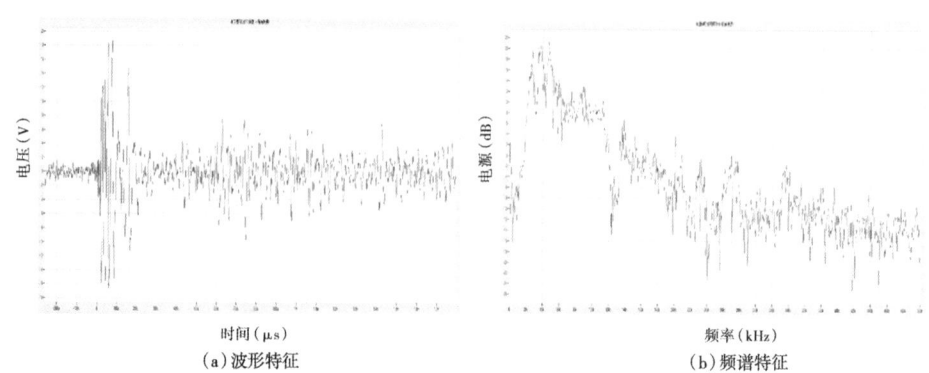

(a)波形特征　　　　　　(b)频谱特征

图4.16 5mol/L HCl 溶液中 Q235 阴极极化过程典型声发射信号特征

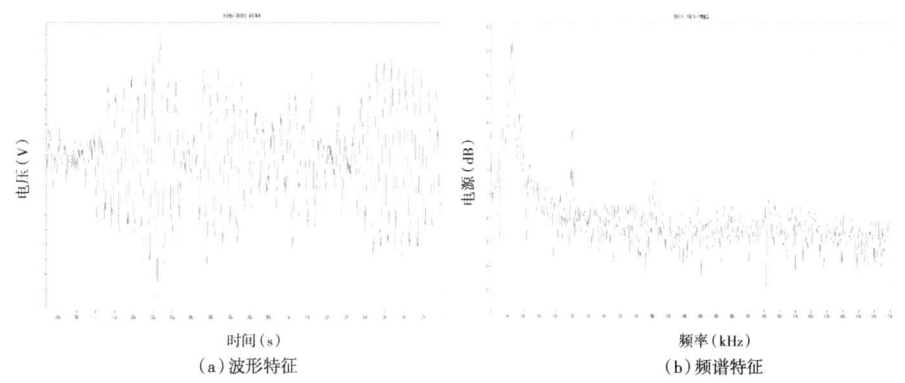

图 4-17　5mol/L HCl 溶液中 Q235 阳极极化过程典型声发射信号特征

4.2.3　罐底金属腐蚀过程的电化学阻抗

为了研究罐底金属腐蚀过程中声发射信号与腐蚀电流之间的关系，从腐蚀电位开始以 40mV 的增幅或减幅，进行了 −488～−248mV 区间的电化学阻抗谱测试，如图 4.18 所示。Nyquist 图表明，电位在 −488～−408mV 区间时，高频容抗弧基本保持稳定，表明 Q235 低碳钢试样表面没有腐蚀迹象，低频容抗弧半径逐渐减小，但腐蚀电流仍然非常微小，由此验证阴极极化过程的声发射信号主要来自氢气气泡的脱离与破裂。从 Bode 图中也可以看到，高频区的相位角互相重合，而低频区的相位角逐渐减小，也说明了金属表面腐蚀的情况。

电位在 −408～−248mV 区间时，在测试频率范围内的阻抗谱均表现为单一容抗弧，随着极化电位的正移，容抗弧半径逐渐减小，说明 Q235 表面的腐蚀反应阻力有所降低，腐蚀电流密度增加，验证了阳极极化过程声发射信号计数和能量的增加与腐蚀电流密度的增加有关，声发射典型参数可以表述腐蚀的活度。同时，bode 图也显示出在整个频率范围内，随着电位的正移，阻抗模 $|Z|$ 减小，相位角降低，腐蚀电流增大。

试件的腐蚀特性可以通过电容和电阻值来表征，这些电容和电阻元件通过串联和并联构成电路，来描述合金与腐蚀介质界面的电子和半导体特性。为进行阻抗谱数据的拟合，假设如图 4.19 的等效电路模型，其中 R_s 是溶液电阻，R_p 是极化电阻，C 为试件和溶液之间的间隙构成的双电层，同时给出了电子元件和腐蚀界面的对应关系。利用 ZView 软件对数据进行拟合，拟合结果同原始数据吻合良好，表明图 4.19 所假设的电路是正确的。拟合数据列于表 4.3，结果显示四组数据溶液电阻 R_s 值基本一致，平均值为 0.719978Ω。随着极化电位的正移，R_p 逐渐减小，腐蚀阻力减小，腐蚀电流密度增加。而表 4.3 中此过程对应的声发射信号参数特征也表现为，声发射计数增加即活度变大，能量增加即强度变大。

表 4.3　声发射和电化学阻抗谱拟合数据

电位（mV）	−408	−368	−328	−288	−248
R_s（Ω·cm²）	0.74753	0.70763	0.71109	0.69865	0.73499
R_p（Ω·cm²）	4.778	2.596	1.717	1.166	0.8193
C（F/cm²）	0.00090714	0.000676647	0.00084332	0.0013934	0.0023624
AE Counts	13483	54988	245058	437743	553789
AE Energy	1103	2621	8848	13363	16205
AE Hits	573	1615	5037	7044	8844

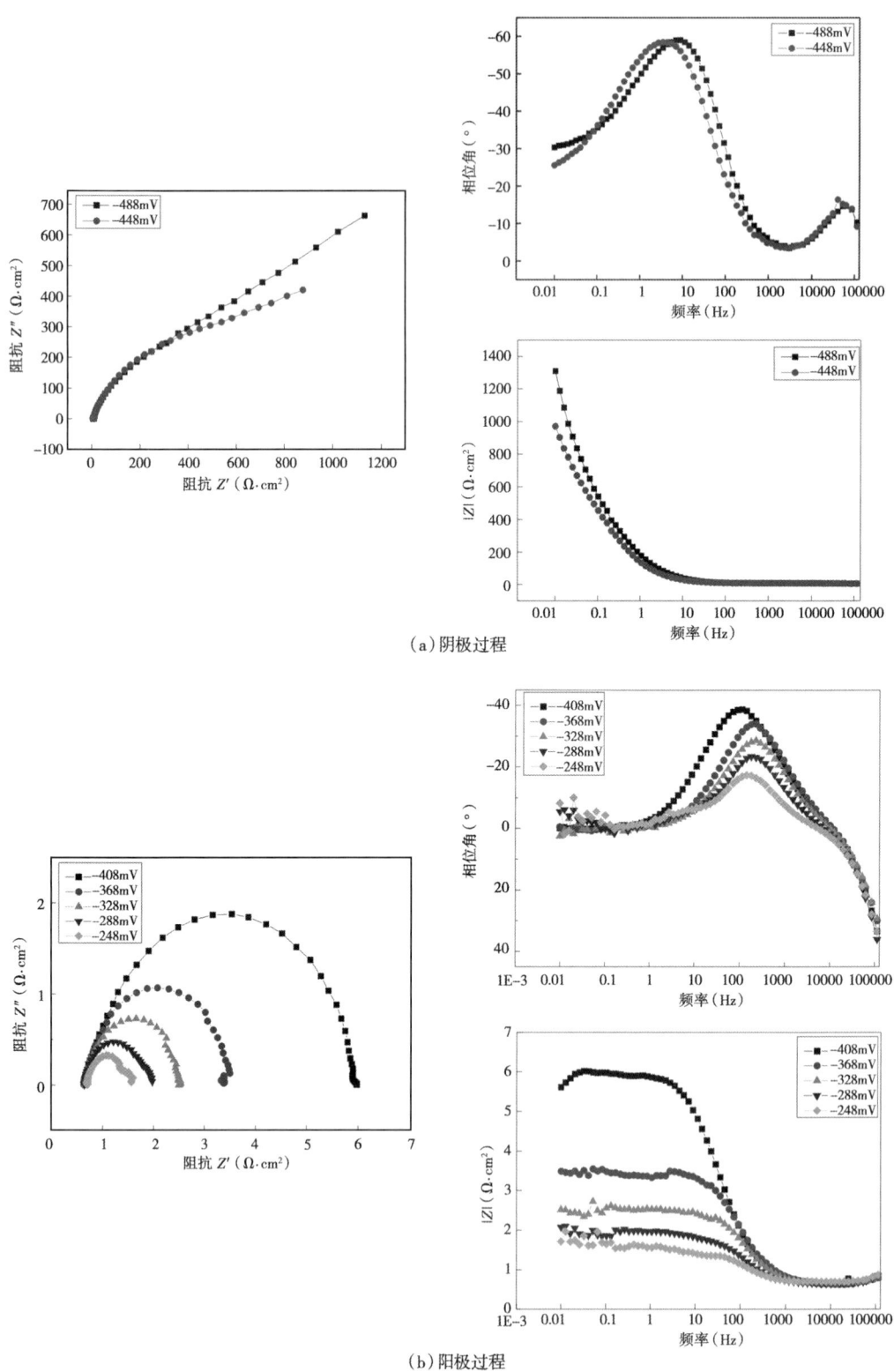

图 4.18　5mol/L HCl 溶液中 Q235 极化过程的阻抗谱特征

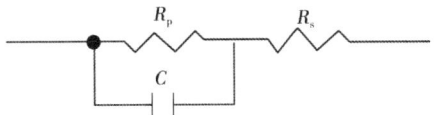

图 4.19　5mol/L HCl 溶液中 Q235 电化学阻抗谱拟合电路

4.2.4　罐底金属腐蚀过程的腐蚀产物和腐蚀形貌

应用体式显微镜对 Q235 低碳钢试样在 5mol/L HCl 溶液中极化过程不同阶段的腐蚀结果进行观测，如图 4.20 所示，放大倍数为 50 倍。可以看出试样在阴极极化阶段没有腐蚀发生［图 4.20（a）］；阳极极化阶段发生了剧烈的腐蚀，形成密集的腐蚀坑，并附着腐蚀产物［图 4.20（b）］。

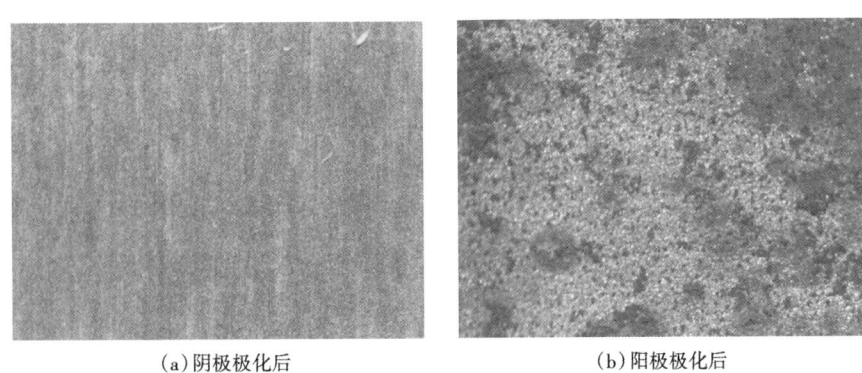

(a) 阴极极化后　　　　　　(b) 阳极极化后

图 4.20　5mol/L HCl 溶液中不同腐蚀阶段光镜照片

为了更直观地获得 Q235 低碳钢试样表面腐蚀产物在不同腐蚀阶段的变化情况，对其进行扫描电子显微镜（SEM）分析。放大倍数为 1000 倍，分析结果如图 4.21 所示。阴极极化后，试样表面加工刀痕纹理清晰，几乎未腐蚀发生［图 4.21（a）］；阳极极化后，试样表面出现明显的腐蚀坑和腐蚀产物［图 4.21（b）］。

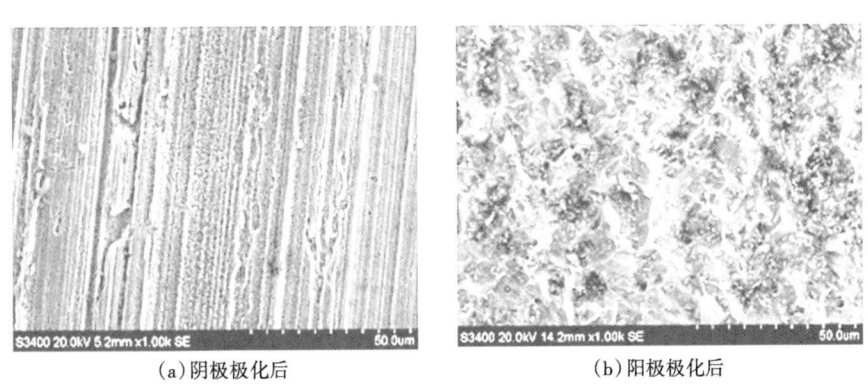

(a) 阴极极化后　　　　　　(b) 阳极极化后

图 4.21　5mol/L HCl 溶液中 Q235 不同腐蚀阶段 SEM 照片

为了获得 Q235 低碳钢腐蚀产物成分，分析其元素构成，对单个腐蚀坑的腐蚀产物进行 EDS 元素分析，如图 4.22 所示。结果表明元素有 Fe、O、C、Cl，说明腐蚀产物为 Fe 的氧化物，C 为低碳钢中元素，Cl 为表面附着的腐蚀溶液中的氯化物。而在体式显微镜下［图 4.20（b）］可以看出金属表面存在黑色和红褐色物质即为铁的氧化物。

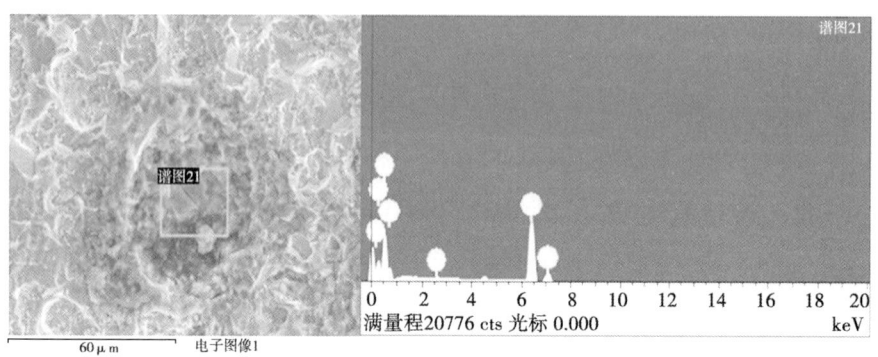

图 4.22　5mol/L HCl 溶液中 Q235 腐蚀产物 EDS 分析

以上分析表明，阴极极化过程的声发射信号均来自气泡的脱离与破裂；阳极极化过程的声发射信号来自金属腐蚀溶解。

4.3　罐底金属吸氧腐蚀行为声发射

4.3.1　罐底金属腐蚀过程的声发射

为了验证声发射检测方法对罐底金属吸氧腐蚀行为描述的有效性，以及得到自腐蚀电位，首先进行开路电位下的恒电位极化测试，如图 4.23 所示。由于吸氧腐蚀较析氢腐蚀缓慢，为了自腐蚀电位的准确测量，实验前对 Q235 试件进行了去除氧化层的操作。Q235 的腐蚀行为表现为，随着电位的下降，腐蚀电流密度下降，声发射计数曲线也相应下降；当电位

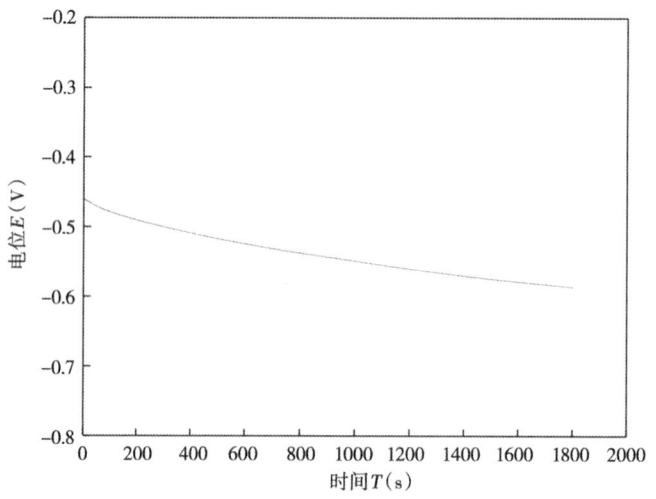

图 4.23　0.5mol/L NaCl 溶液中 Q235 开路电位曲线

达到自腐蚀电位附近,声发射计数对时间的曲线也趋于稳定值,如图4.24所示。这一阶段声发射信号的幅值在30~45dB范围内,如图4.25所示,对比析氢腐蚀过程,幅值较低,是由于吸氧腐蚀这一过程的声源主要为金属腐蚀,而析氢腐蚀中气泡破裂产生的声发射信号幅值较高。

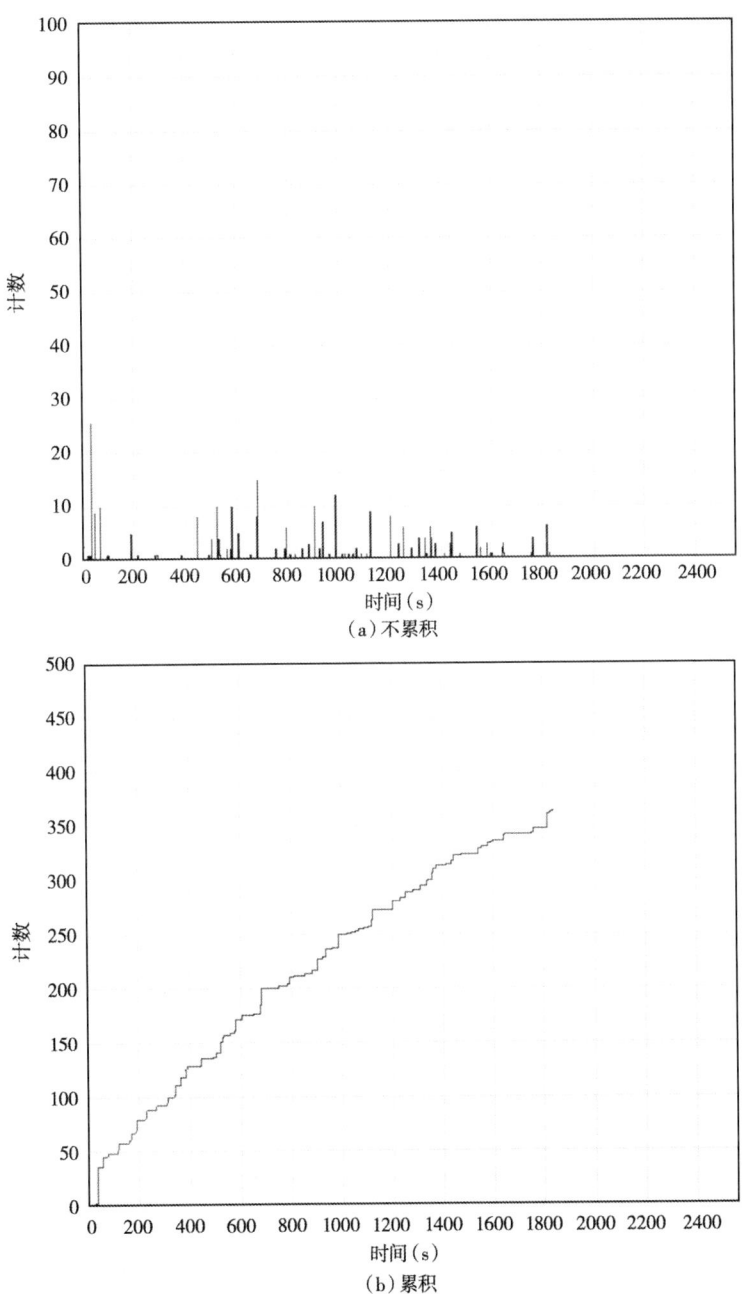

图4.24 0.5mol/L NaCl 溶液中 Q235 开路电位测试过程声发射计数

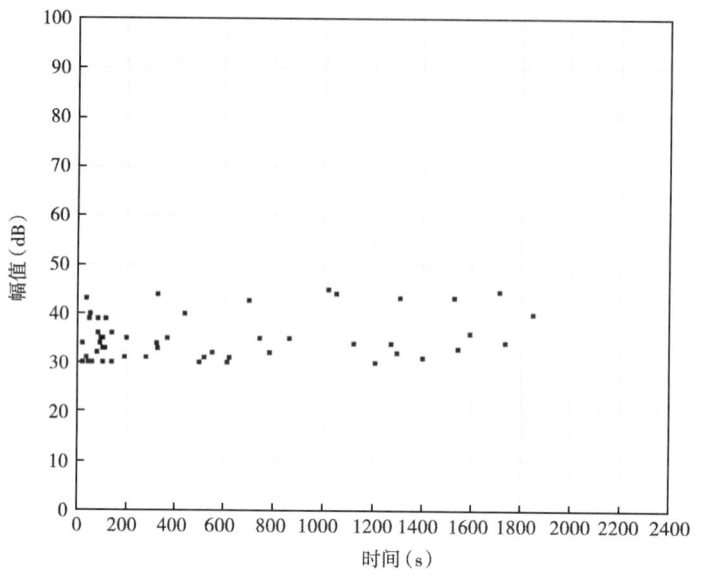

图4.25 0.5mol/L NaCl 溶液中 Q235 开路电位测试过程声发射信号幅值

4.3.2 罐底金属极化过程声发射特征

对 Q235 在 0.5mol/L NaCl 溶液中的极化过程进行声发射和电化学的同步监测,以获得自腐蚀电位下的腐蚀电流密度,以及相应的声发射信号计数。Q235 在 NaCl 溶液中的极化过程,属于活性溶解,仅在阳极极化曲线尾部出现钝化区,采用强极化区 Tafel 拟合,I_{corr} = 4.7423×10^{-5} A/cm², E_{corr} = -0.6827V,V_{corr} = 0.5578mm/a¹。极化曲线如图 4.26 所示,对应过程的声发射计数累积曲线如图 4.27 所示,对应过程的声发射能量累积曲线如图 4.28 所示,幅值如图 4.29 所示。根据极化电流的变化情况,将电极的动力学过程划分为三个阶段:阴极析氢阶段、自腐蚀阶段、阳极溶解阶段。

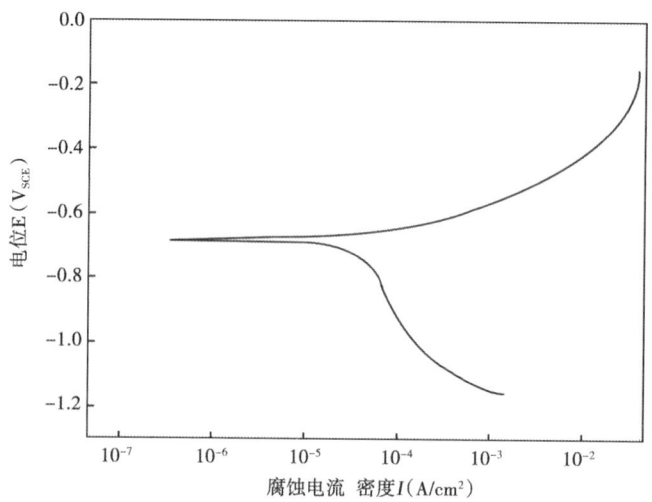

图4.26 0.5mol/L NaCl 溶液中 Q235 极化曲线

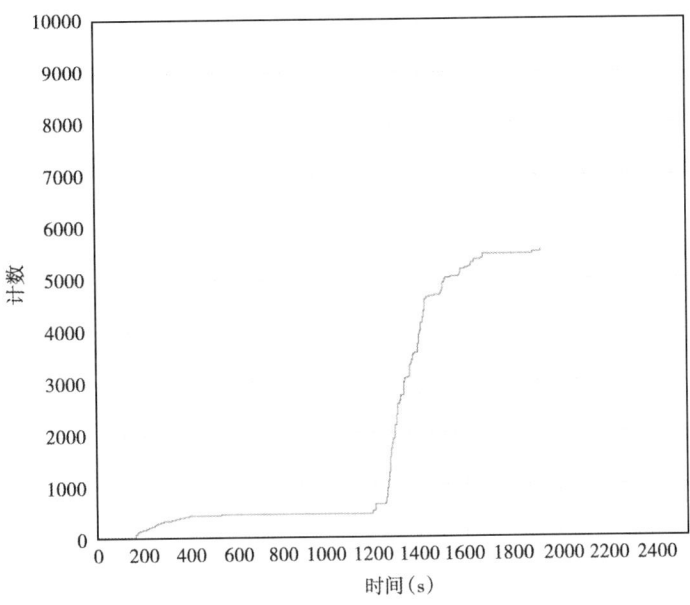

图4.27 0.5mol/L NaCl溶液中Q235极化过程声发射计数累积曲线

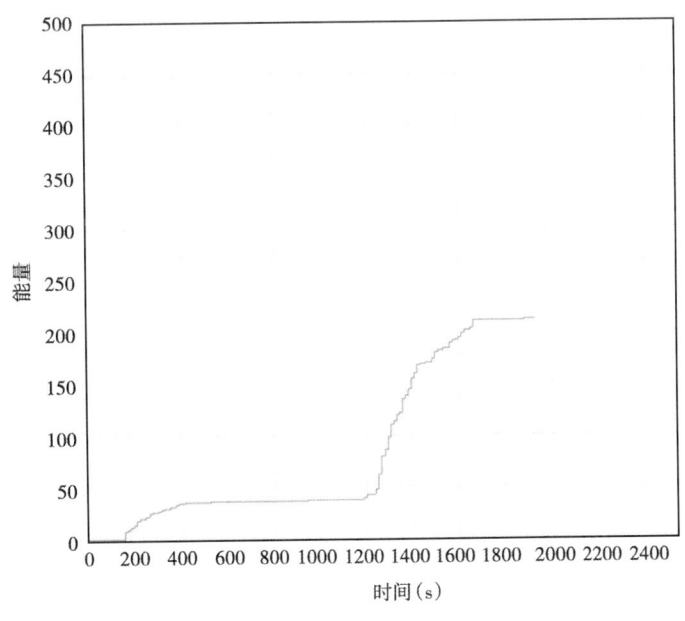

图4.28 0.5mol/L NaCl溶液中Q235极化过程声发射能量累积曲线

阴极极化阶段（0~1000s），在外电流的作用下，发生的阴极反应为$O_2+2H_2O+4e \longrightarrow 4OH^-$，吸附氧气原子，但金属几乎不发生腐蚀。由于溶解氧数量少，随着极化电位和电流的正移，声发射信号计数虽有一定程度的累加但累加量少，如图4.27所示；声发射信号能量也表现为有一定程度的累加但累加量少，如图4.28所示。O_2气泡的溃灭致使这一阶段的声发射信号产生，信号表现为突发型，幅值、计数和能量都相对较低，典型声发射信号特征和频谱特征如图4.30所示。

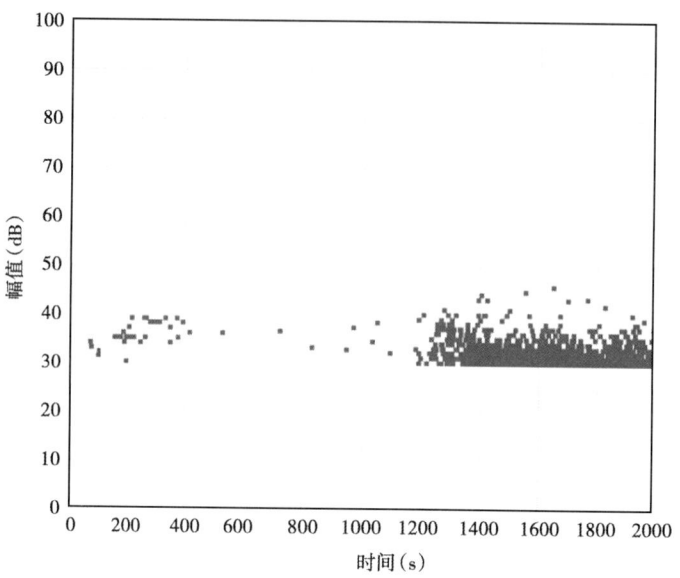

图 4.29　0.5mol/L NaCl 溶液中 Q235 极化过程声发射信号幅值

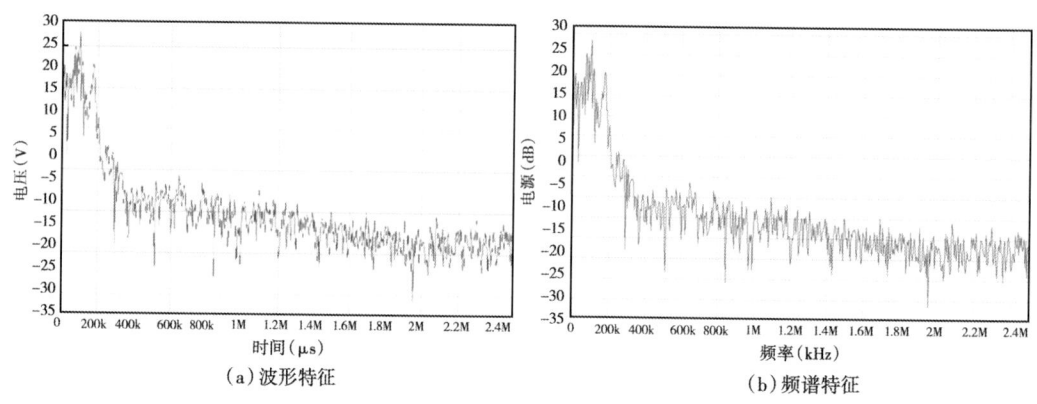

（a）波形特征　　　　　　　　　　　　（b）频谱特征

图 4.30　0.5mol/L NaCl 溶液中 Q235 阴极极化过程典型声发射信号特征

1000s 附近声发射信号计数累积增加非常缓慢，投影到极化曲线上，可以发现这一阶段对应的极化电位处于自腐蚀电位附近，属于稳定状态，声发射计数和能量的累积增加量最小。

1000s 之后阳极极化阶段声发射信号出现大幅度的累积增加。1400s 后由于腐蚀产物的生成，表面活度的较低，声发射计数累积曲线斜率减小，计数率降低。1700s 后声发射信号计数几乎不再增加，投影到极化曲线上发现阳极极化的尾部出现钝化现象。阳极极化过程的信号主要是来自金属溶解，信号与析氢腐蚀的阳极极化曲线相似，表现为混合型，但幅值和能量相对阴极吸氧过程较高，计数较高，典型声发射信号特征和频谱特征如图 3.30 所示。同样该阶段伴随着氧化还原反应的进行，从动力学的角度分析，初期处于活化阶段，属于稳定状态，声发射计数和能量的累积增加量升高；后期尾部出现钝化，亦属于稳定状态。物质从一种稳态过程发展成另一种稳态过程必然伴随着能量的流动和释放，而声发射现象就是由局部能量的快速释放而产生的弹性波现象,可知 Q235 低碳钢试样表面腐蚀现象的发生引起了声发射信号的波动,再次验证了第二章的理论分析。

对比析氢腐蚀极化过程与吸氧腐蚀极化过程典型声发射信号,发现阴极气泡声源产生的声发射信号均为突发型,峰值频率分布较宽;阳极金属溶解声源产生的声发射信号均为混合型,峰值频率分布较窄。但吸氧腐蚀的声发射信号峰值频率高于析氢腐蚀。

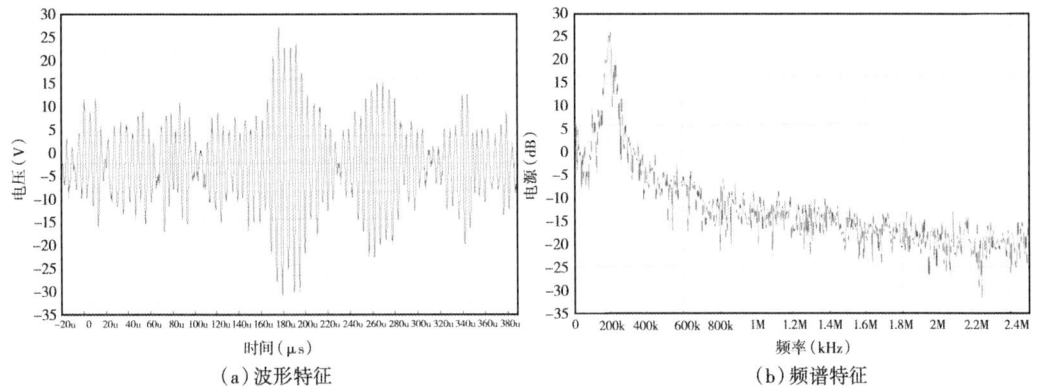

(a)波形特征　　　　　　　　　　　　　(b)频谱特征

图 4.31　0.5mol/L NaCl 溶液中 Q235 阴极极化过程典型声发射信号特征

4.3.3　罐底金属腐蚀过程的电化学阻抗

为了研究罐底金属腐蚀过程中声发射信号与腐蚀电流之间的关系,从腐蚀电位开始以 40mV 的增幅或减幅,进行了 −763~−523mV 区间的电化学阻抗谱测试,如图 4.32 所示。Nyquist 图表明,电位在 −763~−683mV 区间时,高频容抗弧基本保持稳定,表明 Q235 低碳钢试样表面没有腐蚀迹象,低频容抗弧半径逐渐减小,但腐蚀电流仍然非常微小,由此验证阴极极化过程的声发射信号主要来自氧气气泡的溃灭。从 Bode 图中也可以看到,高频区的相位角互相重合,而低频区的相位角逐渐减小,也说明了金属表面腐蚀的情况。

电位在 −683~−523mV 区间时,在测试频率范围内的阻抗谱均表现为单一容抗弧,随着极化电位的正移,容抗弧半径逐渐减小,说明 Q235 表面的腐蚀反应阻力有所降低,腐蚀电流密度增加,验证了阳极极化过程声发射信号计数和能量的增加与腐蚀电流密度的增加有关,声发射典型参数可以表述腐蚀的活度。同时,Bode 图也显示出在整个频率范围内,随着电位的正移,阻抗模|Z|减小,相位角降低,腐蚀电流增大。

仍假设如图 4.19 的等效电路模型,利用 ZView 软件对数据进行拟合,结果列于表 4.4,结果显示四组数据溶液电阻 R_s 值基本一致,平均值为 0.72924Ω。−683~−523mV 属于强极化区,随着极化电位的正移,R_p 逐渐减小,腐蚀阻力减小,腐蚀电流密度增加。而表 4.4 中此过程对应的声发射信号参数特征也表现为,声发射计数增加即腐蚀活度变大,能量增加即腐蚀强度变高。

表 4.4　吸氧腐蚀声发射和电化学阻抗谱拟合数据

电位(mV)	−683	−643	−603	−563	−523
R_s (Ω·cm²)	7.519	7.370	7.275	7.176	7.122
R_p (Ω·cm²)	65.22	30.2	15.12	8.945	6.057

续表

电位（mV）	−683	−643	−603	−563	−523
C（F·cm^2）	0.00034086	0.00030019	0.00027975	0.00028646	0.0003361
AE Counts	504	895	1138	1401	1585
AE Energy	100	221	341	437	486
AE Hits	57	78	94	109	112

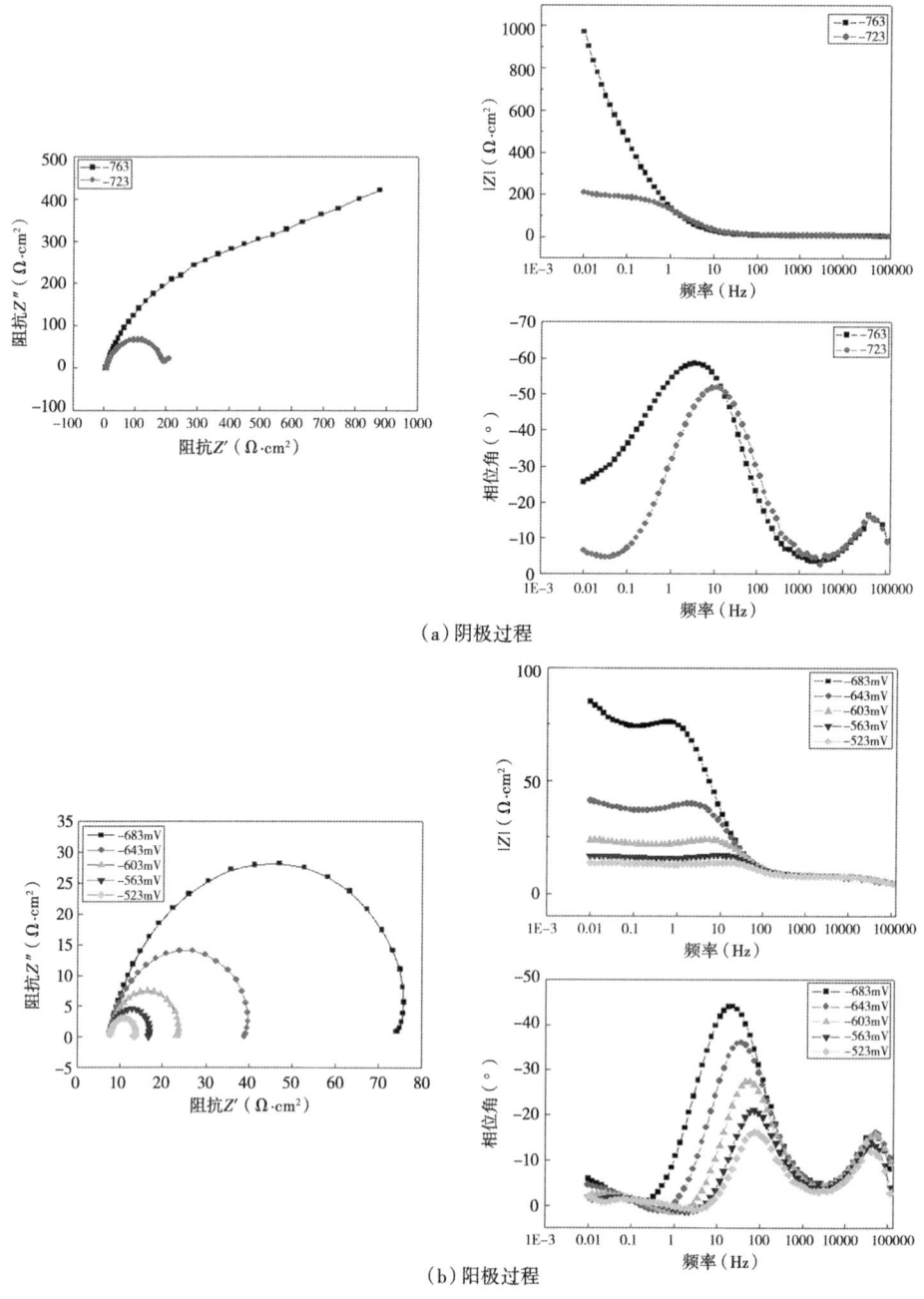

（a）阴极过程

（b）阳极过程

图 4.32　0.5mol/L NaCl 溶液中 Q235 极化过程的阻抗谱特征

4.3.4 罐底金属腐蚀过程的腐蚀产物和腐蚀形貌

应用体式显微镜对 Q235 低碳钢试样在 0.5mol/L NaCl 溶液中极化过程不同阶段的腐蚀结果进行观测，如图 4.33 所示，放大倍数为 50 倍。可以看出试样在阴极极化阶段没有腐蚀发生 [图 4.33 (a)]；阳极极化阶段发生了剧烈的腐蚀，形成密集的腐蚀坑，并附着腐蚀产物 [图 4.33 (b)]。

 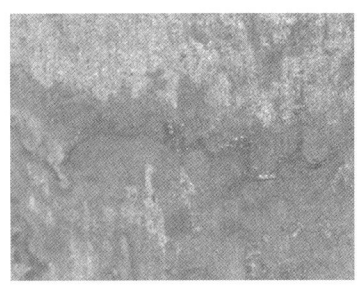

(a) 阴极极化后　　　　　　　　(b) 阳极极化后

图 4.33　0.5mol/L NaCl 溶液中不同腐蚀阶段光镜照片

为了更直观地获得 Q235 低碳钢试样表面腐蚀产物在不同腐蚀阶段的变化情况，对其进行扫描电子显微镜（SEM）分析。放大倍数为 1000 倍，分析结果如图 4.34 所示。阴极极化后，试样表面加工刀痕纹理清晰，没有腐蚀发生 [图 4.34 (a)]；阳极极化后，试样表面被腐蚀产物覆盖，很难看到试样表面基体 [图 4.34 (b)]。

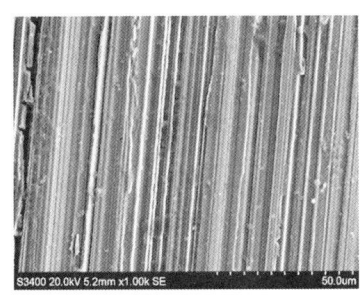 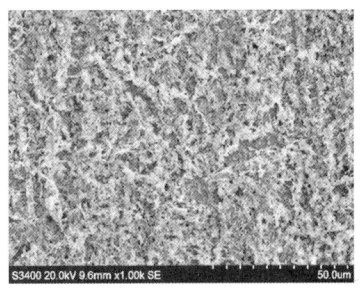

(a) 阴极极化后　　　　　　　　(b) 阳极极化后

图 4.34　0.5mol/L NaCl 溶液中 Q235 不同腐蚀阶段 SEM 照片

为了获得 Q235 低碳钢腐蚀产物成分，分析其元素构成，对单个腐蚀坑的腐蚀产物进行 EDS 元素分析，如图 4.35 所示。结果表明元素有 Fe、O、C、Cl，说明腐蚀产物为 Fe 的氧化物，C 为低碳钢中元素，Cl 为表面附着的腐蚀溶液中的氯化物。而在体式显微镜下 [图 4.33 (b)] 可以看出金属表面存在黑色和红褐色物质即为铁的氧化物。

以上分析表明，吸氧腐蚀阴极极化过程的声发射信号均来自氧气气泡的溃灭；阳极极化过程的声发射信号来自金属腐蚀溶解。

图 4.35　0.5mol/L NaCl 溶液中 Q235 腐蚀产物 EDS 分析

4.4　罐底金属腐蚀严重程度的声发射表征

实验和理论表明，电化学反应的驱动力大小由腐蚀速率决定，腐蚀速率越大，驱动力越大，金属原子离开晶格越多，声发射活性即计数率越高，腐蚀速率与声发射活度呈正相关。腐蚀产生的腐蚀坑形成过程（声发射过程）都是腐蚀速率的函数。若把这个变量统一用 x 表示，则在腐蚀期间产生的声发射事件数 ϕ 是腐蚀严重程度的函数：

$$\phi = \phi(x) \tag{4-1}$$

同样，一个事件所产生的振铃计数 η 也是 x 的函数，即：

$$\eta = \eta(x) \tag{4-2}$$

设 $N(X)$ 是一种材料达到腐蚀状态 x 时所产生的振铃脉冲计数，则 $N(X)$ 即为每个事件中所含振铃数的函数，也是产生的事件数的函数，即声发射振铃总计数可以表达为：

$$N(X) = \int \eta(x) \mathrm{d}\phi \tag{4-3}$$

将式（4-3）两边同时对 x 求导，则得：

$$\frac{\mathrm{d}N(X)}{\mathrm{d}x} = \eta(x) \frac{\mathrm{d}\phi}{\mathrm{d}x} \tag{4-4}$$

对声发射率 $\frac{\mathrm{d}N(X)}{\mathrm{d}t}$ 作变换 $\frac{\mathrm{d}N(X)}{\mathrm{d}x} \cdot \frac{\mathrm{d}x}{\mathrm{d}t}$，并将式（4-4）代入，则得到声发射率的表达式：

$$\frac{\mathrm{d}N(X)}{\mathrm{d}t} = \eta(x) \frac{\mathrm{d}\phi}{\mathrm{d}x} \cdot \frac{\mathrm{d}x}{\mathrm{d}t} \tag{4-5}$$

一个事件产生的振铃脉冲 η 为：

$$\eta = A \cdot \ln\left(\frac{V_\mathrm{p}}{V_\mathrm{t}}\right) \tag{4-6}$$

式中　V_p——从传感器输出的峰值电压；

　　　V_t——设置的阈值电压。

而 A 反映与信号频率相对应的衰减系数,即:

$$A = \frac{f_0}{\alpha} \tag{4-7}$$

式中　f_0——传感器的响应中心频率;

　　　α——声波衰减系数。

将式(4-6)和式(4-7)同时代入式(4-5)可得

$$\frac{\mathrm{d}N(X)}{\mathrm{d}t} = \frac{f_0}{\alpha} \sum_1^n \ln\left(\frac{V_{\mathrm{pn}}}{V_t}\right) \frac{\mathrm{d}\phi}{\mathrm{d}t} \frac{\mathrm{d}x}{\mathrm{d}t} \tag{4-8}$$

式(4-8)为声发射率的表达式。$\frac{\mathrm{d}x}{\mathrm{d}t}$即为腐蚀速率,则式(4-8)可写为:

$$\frac{\mathrm{d}x}{\mathrm{d}t} = \frac{\dfrac{\mathrm{d}N(X)}{\mathrm{d}t}}{\dfrac{f_0}{\alpha} \sum_1^n \ln\left(\dfrac{V_{\mathrm{pn}}}{t}\right) \dfrac{\mathrm{d}\phi}{\mathrm{d}t}} \tag{4-9}$$

显然,罐底腐蚀严重程度可由声发射计数率、幅值、门槛、事件率来表征,但是受传感器响应中心频率和声波衰减系数的影响。对3.2.2中的极化过程声发射信号振铃计数累积曲线进行求导,得到对应自腐蚀电流密度的声发射信号振铃计数率;对能量计数曲线进行分析,得到对应自腐蚀电流密度的能量计数。

因此,可以应用声发射典型参量描述金属腐蚀过程,腐蚀活性大声发射计数率高,腐蚀强度大声发射能量计数率高。

对比析氢腐蚀极化过程的与吸氧腐蚀极化过程典型声发射信号,发现阴极气泡声源产生的声发射信号均为突发型,峰值频率分布较宽;阳极金属溶解声源产生的声发射信号均为混合型,峰值频率分布较窄。吸氧腐蚀的声发射信号峰值频率高于析氢腐蚀。氢气泡声源信号幅值高能量,大于金属溶解声源信号,大于氧气泡溃灭声源信号。

第5章 不同介质模拟储罐声发射长期在线监测

现阶段，储罐底板腐蚀声发射检测是定期普查，但由于储罐底板的腐蚀过程是缓慢的、动态的、非均匀变化的过程，以往的检测结果很难准确地反映储罐底板真实的腐蚀状态。并且尚未建立起声发射信号与罐底腐蚀过程的具体对应关系，难以给检测到的信号赋予实际的腐蚀阶段物理意义，对检测结果难以给出准确的评价。因此搭建模拟储罐底板腐蚀声发射长期监测实验平台，进行不同介质储罐底板腐蚀过程的声发射长期监测试验研究，分析信号特性，提取特征参量，识别声发射源，描述腐蚀状态；同时开展同介质同周期挂片实验研究，分析不同腐蚀阶段的腐蚀产物，建立声发射典型参量与腐蚀速率、腐蚀严重程度的关系。

5.1 不同介质模拟储罐声发射长期监测

实验采用储罐常用材料Q235，储罐腐蚀产生的声发射现象，在金属的腐蚀过程中多种情况都可以导致声发射信号的产生：金属表面腐蚀物的脱落与其表面的摩擦、生成氢气泡的破裂和金属表面钝化膜的损坏破裂。这些都可能是产生声发射应力波的声发射源，这些可以用声发射设备采集到的声发射信号可以作为检测金属腐蚀有效信息。依据上述声发射源的产生机制建立声发射信号模型，并且设计实验研究声发射信号的信号特征。根据腐蚀的不同情况设计相应的实验。通过声发射设备监测腐蚀实验的进程，分析声发射信号与腐蚀的关系，为以后进一步探究声发射对腐蚀的检测奠定基础。对如何提前有效地检测到这些腐蚀对生产设备的安全运行有着重大意义。

根据储罐底板腐蚀理论可知，储罐底板积水及其中的氯是主要导致腐蚀产生的原因之一；水溶液的腐蚀原理是吸氧腐蚀，而HCl溶液的腐蚀原理是析氢腐蚀；并且水和酸这两种腐蚀介质的腐蚀程度也有所不同，可以形成腐蚀速率快慢的比较。因此选择水溶液和0.75mol/L盐酸溶液作为模拟储罐底板腐蚀长期监测实验的两种腐蚀介质。

5.1.1 水介质模拟储罐底板腐蚀声发射监测

1）模拟储罐声发射系统

本实验系统包括、DP3I型传感器、R3α型传感器、PCI-8全数字声发射仪组成，实验系统中主要应用装置如下所述。

（1）模拟储罐的选用。

本实验采用模拟储罐的常用材料为Q235碳素结构钢，储罐底板直径600mm，储罐高700mm。

（2）传感器的选用。

选用美国PAC公司生产的DP3I型传感器，工作频率范围为20~220kHz，中心响应频率为31.74kHz，操作温度为-65~175℃。真空脂耦合。另一种为PAC最新的R.45IUC型水下传感器（Underwater Sensor），工作频率范围为20~220kHz，峰值频率为22.461kHz，40dB增益，温度范围为-35~65℃，并带有5m长的同轴电缆线，水介质耦合。

（3）声发射SAMOS检测系统及参数的设置。

选用美国PAC公司生产的第3代全数字化系统，它具有可以并行处理PCI总线的PCI-8主板，即在一块主板上具有8个通道的实时声发射特征提取、波形采集及处理的能力，PCI总线提供声发射数据与PC机的传输速度可达132m/s，是PAC公司目前集成化更高、价格更低的系统，更适用压力容器检测等工程应用。在声发射检测系统中定时参数的设置是至关重要的一个环节，它可以影响到声发射波形形状特征。定时参数包括：峰值鉴别时间（PDT）、撞击闭锁时间（HLT）和撞击鉴别时间（HDT）。结合实验所采用的材料及结构尺寸，经过多次的实验测试，最终设定PDT为300μs，HDT为600μs，HLT为1000μs。由于本实验的定位声源来自于模拟断铅声源，因此检测门槛选为中灵敏度范围内，设置为40dB。声发射检测系统参数设置见表5.1。

表5.1 声发射系统参数设置

门槛（dB）	采样率SPS	触发峰值定义时间PDT（μs）	触发定义时间HDT（μs）	触发闭锁时间HLT（μs）
40	1024	300	600	1000

2）不同介质模拟储罐罐底腐蚀

（1）试验前期准备。

实验初期需要对模拟储罐处理，先除锈处理把储罐底板及管壁用砂纸打磨处理再用砂轮机除锈，最后擦净使得模拟储罐内壁没有锈迹。然后在罐的内壁及外壁上均匀涂上防腐漆，如图5.1所示。

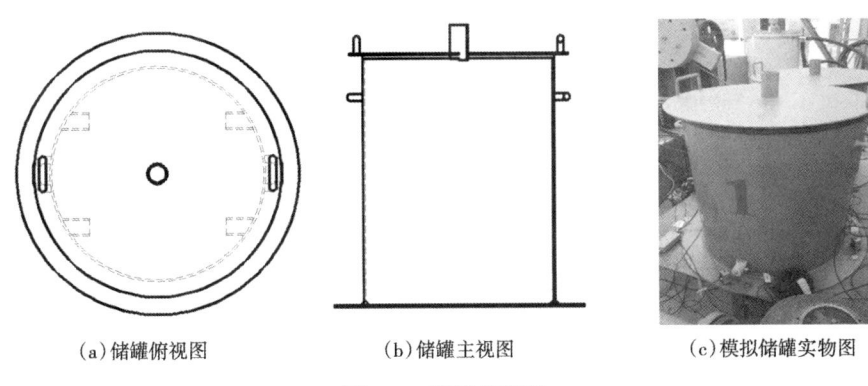

(a) 储罐俯视图　　　　　(b) 储罐主视图　　　　　(c) 模拟储罐实物图

图5.1 模拟储罐图

（2）实验传感器布置。

在一号水介质储罐进行实验，通过观察数据结果来判断哪种方案适合对储罐底板腐蚀进行检测。

第一种方案：在模拟储罐的底板外侧布置DP3I型传感器分别布置在底板的东南西北四个方向，并标号为1号、2号、3号、4号传感器。

第二种方案：在模拟储罐罐底的东南西北四个方向布置R3α型传感器与1、2、3、4接近,并标号为5号、6号、7号、8号传感器。

第三种方案:在模拟储罐罐壁接近罐底的东南西北四个方向的位置布置DP3I型传感器,传感器距罐底8~10cm,并标号为9、10、11、12。

同时,在实验平台以及另一个空储罐罐底布置DP3I型传感器用来接受外界的干扰信号,并标号为15号、16号。他们的作用是与一号储罐上传感器接收的信号进行对比从而排除干扰信号。同时在水中放入R.45IUC型水下传感器并标号为13。这三种发案的示意图如图5.2所示。

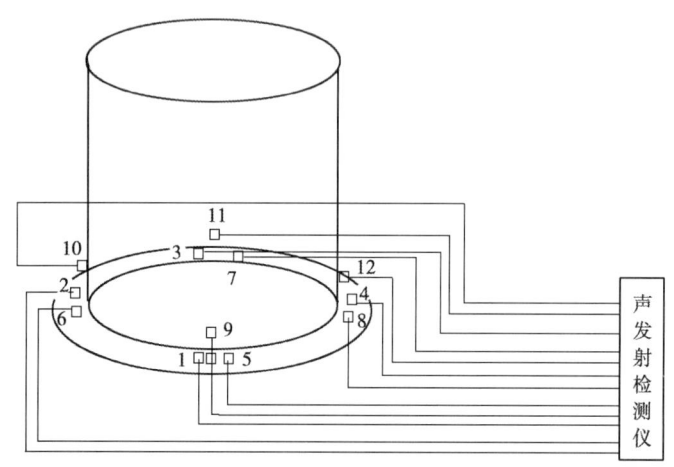

图5.2 声发射检测传感器布置示意图

(3)实验过程。

①根据传感器的布置方案,确定传感器距离底板的适宜高度,为了得到最好的灵敏度,应布置传感器的储罐外壁相应位置处需打磨出 $\phi30mm$ 见金属光泽的区域,在此安装传感器。

②采用0.5mm、硬度为2H的铅笔芯折断信号作为模拟源,铅芯伸出长度约为2.5mm,与储罐表面的夹角为30°左右,在距离传感器中心(100±5)mm处折断,其响应幅度值应取三次以上响应的平均值之前和结束之后应进行通道灵敏度的测试,要求对每一个通道进行模拟源声发射幅度值响应测试,各通道响应的幅度值与所有通道的平均幅度值之差应不大于±3dB。

③在确定没有有害的环境噪音发生后,可进行声发射检测,检测时间选择在晚上十点至第二天早上六点。

④对采集的数据进行记载包括所有撞击、每个通道撞击数目等。

3)罐底声发射监测

(1)传感器方案选择。

通过介质为水的储罐底板腐蚀声发射实验来确定传感器的布置方案并且为以后实验提供参考,所以要根据已有的实验数据分析出哪一种方案是最优的选择。选取稳定腐蚀期中一周的监测数据进行分析。

根据原始数据以及声发射信号的初步分析可以用下面的方法进行分析,先统计每一个通道总撞击数再通过AE-win软件根据信号的波形及特征参数排滤掉干扰信号,初步找出每一个通道的有效信号。根据有效信号的多少比上总撞击数记为单通道的准确度然后再算出平均准确度，这样就能初步找到合理的传感器排布方案。具体数据如下表格，表格 5.2 为原始数据、表格 5.3 为有效撞击数据表。由原始数据以及有效撞击数据可以得到最终的单通道的准确度。

表 5.2 原始数据表

通道	每天各通道总撞击						
	第一天	第二天	第三天	第四天	第五天	第六天	第七天
1	—	—	—	6	—	—	—
2	1	—	—	9	2	—	—
3	—	—	—	—	—	—	—
4	—	—	—	12	8	1	5
5	6	4	3	12	11	5	3
6	3	2	2	8	—	—	4
7	1	—	1	6	2	—	2
8	2	—	4	14	6	5	6
9	5	2	1	12	7	1	3
10	2	1	2	6	—	—	2
11	2	7	—	7	2	1	1
12	4	6	—	—	3	—	1

从表 5.2 原始数据表可以看出方案一即通道 1、2、3、4 不能全面的接收声发射信号，并且根据得到的表 5.4 传感器准确度表可知第一套方案准确度较二、三低，所以不予采用第一方案。

表 5.3 有效撞击数据表

通道	每天各通道总撞击						
	第一天	第二天	第三天	第四天	第五天	第六天	第七天
1	—	—	—	1	—	—	—
5	3	3	2	2	1	1	2
9	3	2	1	10	1	2	1
2	—	—	—	4	1	—	—
6	2	1	2	2	—	—	—
10	—	1	1	3	—	—	1
3	—	—	—	4	—	—	—
7	1	—	1	5	1	3	2
11	2	6	—	—	—	—	—
4	—	—	—	3	6	—	3
8	2	—	4	4	1	2	5
12	1	5	—	—	2	—	—

91

从表中可以看出：二、三方案准确度相对接近，但是从传感器自身特点来看就有些许的差别。R3α 型传感器自身不带前置放大器，如果用它来检测的话需要给它接一个前置放大器，这就导致又多出了一部分中间环节使得信号受到干扰的可能性增大。然而 DP3I 型传感器内置前放，不需要配置前置放大器，与 R3α 型传感器相比少了一部分中间环节使得受到干扰的可能性变小。所以根据传感器自身的特点以及为了实验的方便选择 DP3I 型传感器比较合适，故选择第三种方案。

表5.4 传感器准确度表

通道	各通道准确度							平均准确度
	第一天	第二天	第三天	第四天	第五天	第六天	第七天	
1	0	0	0	5/6	0	0	0	83%
5	0	3/4	2/3	5/6	10/11	4/5	2/3	92%
9	4/5	1	1	5/6	6/7	1	2/3	90%
2	0	0	0	2/3	0	0	0	71%
6	2/3	1	1	3/4	0	5/6	2/3	85%
10	0	1	1	2/3	2/3	0	2/3	80%
3	0	0	2/3	3/5	0	2/3	0	60%
7	6/7	0	1	3/4	2/3	0	1	91%
11	0	3/4	0	0	0	2/3	0	95%
4	2/3	0	0	1/4	0	0	3/5	79%
8	1	2/3	1	2/7	1/6	2/5	1/2	90%
12	0	0	3/4	0	0	3/5	0	82%

2）腐蚀的历程分析

（1）腐蚀强度历程分析。

对模拟储罐进行数月的声发射监测，根据采集到的 1 号模拟储罐的腐蚀声发射数据可得到这一期间的腐蚀规律，如图 5.3 所示，其中横坐标是时间纵坐标是每天信号撞击的总数。

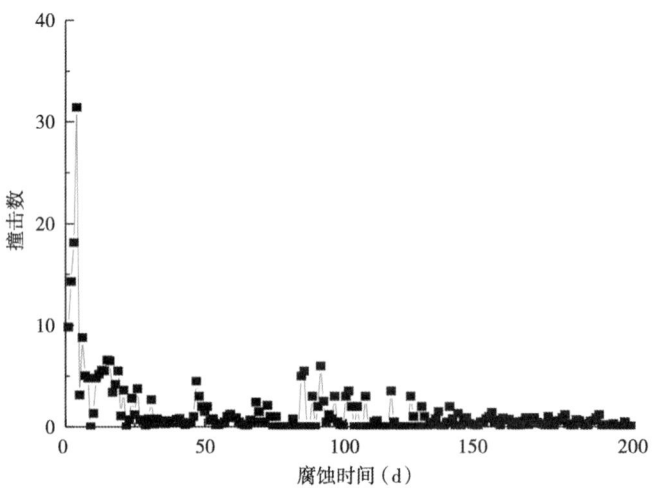

图 5.3　1 号模拟储罐底板腐蚀声发射信号幅值总历程图

从图 5.3 中可以发现，在腐蚀的初期（0~4d），撞击计数呈线性上升趋势，达到 30 多，但随后又直线下降，随后数量开始减少并趋于稳定。稳定区有时有小的波动，可能是由于形成的腐蚀产物存在脱落的点。在罐底金属腐蚀的过程中通常伴随着复杂的过程，从最开始的金属表面的钝化膜的破裂过程，到由于腐蚀反应发生产生氢气泡的破裂，再从金属腐蚀物的生产到腐蚀物产生与剥落。这一系列的过程都伴随着声发射信号的产生，但总体来看腐蚀的过程主要分：初始腐蚀期、快速腐蚀期和稳定腐蚀期这几个阶段。

（2）特征参数历程分析。

本实验针对于罐底腐蚀声波传播路径的特点，通过三种传感器布置方案采集到声发射信号。图 5.4 为不同的腐蚀时期幅值的历程图。

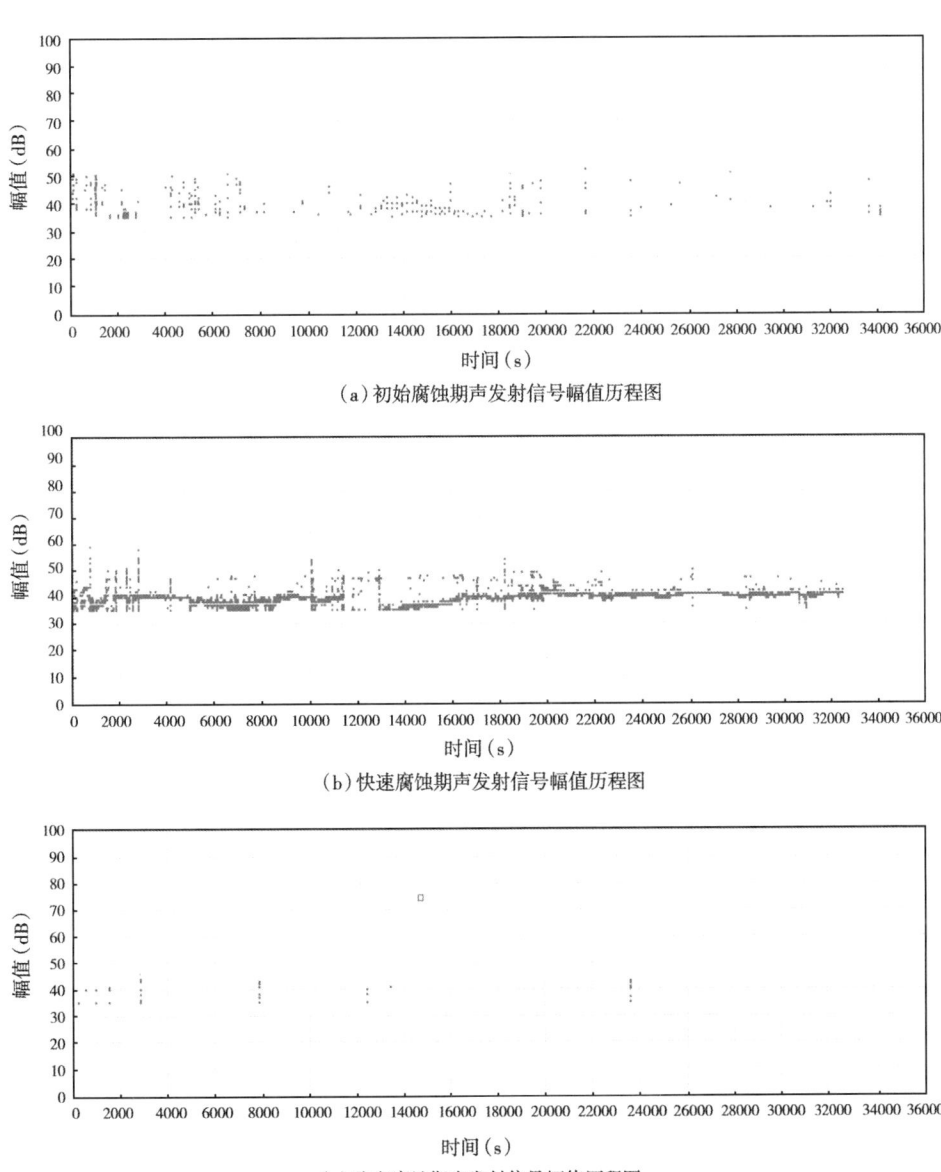

(a) 初始腐蚀期声发射信号幅值历程图

(b) 快速腐蚀期声发射信号幅值历程图

(c) 稳定腐蚀期声发射信号幅值历程图

图 5.4 水介质储罐底板腐蚀声发射信号幅值历程图

由图 5.4 所示的幅值分布可以得到如下的规律：

初始期：信号幅值较低，主要分布范围为 35~55dB，声发射信号计数较少。

快速期：信号幅值增大，主要分布范围为 35~60dB，声发射信号计数剧增。

稳定期：信号幅值减小，主要分布范围为 35~45dB，声发射信号计数减小，但腐蚀仍在继续。

为了进一步得出腐蚀声发射信号的参量特征，对各通道所采集到的声发射信号数据分别进行了上升时间—幅值、能量计数—上升时间、能量计数—幅值的关联分析，如图 5.5 至图 5.7 所示。

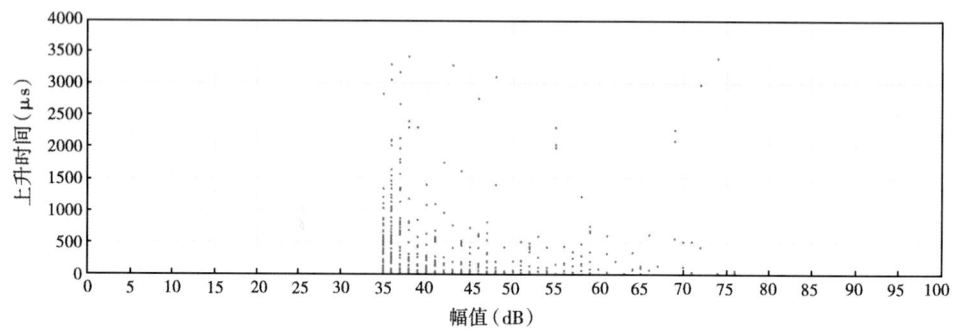

图 5.5　上升时间与幅值关联图

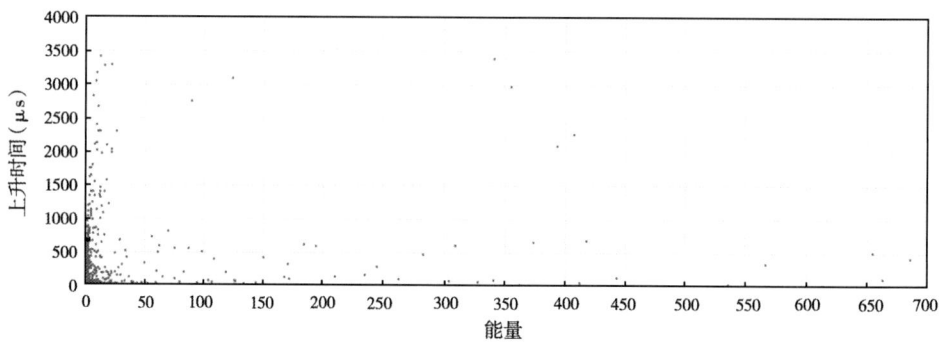

图 5.6　上升时间与能量关联图

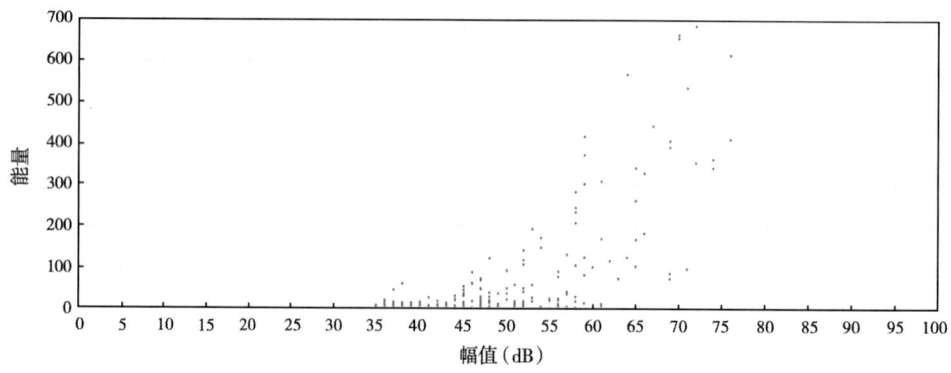

图 5.7　能量与幅值幅值关联图

由上升时间与幅值的关联图可知，幅值一般在 35~70dB，上升时间为 1~3500μs，并且大部分声发射信号的幅值小于 60dB 上升时间小于 1500us 只有个别信号在 1500μs 以上。

由上升时间与能量的关联图可知，能量一般在 0~100 之间，大部分集中在 50 以下；上升时间一般在 0~2500μs 之间，大部分信号上升时间小于 1500μs。图中能量过大或者是上升时间过大的点比较多，说明声发射仪监测储罐底板腐蚀是受到的干扰比较多。

由能量与幅值关联图可知接收到的 AE 信号的幅值以及能量特征与图 5.5 图 5.6 所得结论完全相符。

3) 同一声源信号特征分析

根据以上分析可知腐蚀声发射信号在初始腐蚀期、快速腐蚀期和稳定腐蚀期的波形特征以及参数都是有很大不同的。因此，主要分析腐蚀信号的波形特征以及不同时期参数之间的对比。选择同一声源信号是通过声发射仪接收腐蚀信号的时间，找出在同一时间三种不同的传感器接收的腐蚀信号去分析。

（1）初始腐蚀期。

图 5.8（a）是 DP3I 型传感器在初始腐蚀期接收的信号波形；图 5.8（b）是 R3α 型传感器在初始腐蚀期接收的信号波形；图 5.8（c）R.45IUC 型水下传感器在初始腐蚀期接收的信号波形；以上三个信号是在同一时间接收到的，所以可以认定是同一声源发出的腐蚀信号。

由图 5.8 可以看出在初始腐蚀期的腐蚀的声发射信号较少，而且声发射信号基本以突发型的声发射信号为主，在这个阶段腐蚀主要是金属表面的钝化膜破裂及一定数量的氢气泡的生产过程，这个过程中声发射信号的幅值一般在 50dB 左右。由于在初始腐蚀期信号主要以"突发型"声发射信号为主，所以信号的上升时间较短，一般在 50μs 以下，说明信号达到能量最高点所用时间比较小，说明信号的类型是属于突发型为主。

（2）快速腐蚀期。

图 5.9（a）是 DP3I 型传感器在快速腐蚀期接收的信号波形；图 5.9（b）是 R3α 型传感器在快速腐蚀期接收的信号波形；图 5.9（c）R.45IUC 型水下传感器在快速腐蚀期接收的信号波形；选择同一声源信号是通过声发射仪接收腐蚀信号的时间，找出在同一时间三种不同的传感器接收的腐蚀信号去分析。以上三个信号是在同一时间接收到的，所以可以认定是同一声源发出的腐蚀信号。

随着反应时间的进行腐蚀反应加剧，在腐蚀过程中由于反应产生的氢气破裂和腐蚀物生产及剥落的事件也随之增多，因为反应的剧烈会导致多个氢气泡同时破裂或者在气泡破裂时有腐蚀物脱落的情况发生，这样就会使多个声发射信号叠加形成连续型声发射信号或者是混合型声发射信号，在腐蚀的快速腐蚀期主要以这种混合型声发射信号为主。信号的幅值在 60dB 左右较前一阶段没有较大变化。然而上升时间在 800~1500 左右信号达到最高点的时间变长，信号波形趋近于连续型，但其中也掺杂一些突发型信号，最终使得信号类型变为混合型。

（3）稳定腐蚀期。

图 5.10（a）是 DP3I 型传感器在稳定腐蚀期接收的信号波形；图 5.10（b）是 R3α 型传感器在稳定腐蚀期接收的信号波形；图 5.10（c）R.45IUC 型水下传感器在稳定腐蚀期接收的信号波形。

随着腐蚀的深入进行腐蚀反应过程也趋于平稳。在腐蚀稳定期腐蚀信号较之前明显减

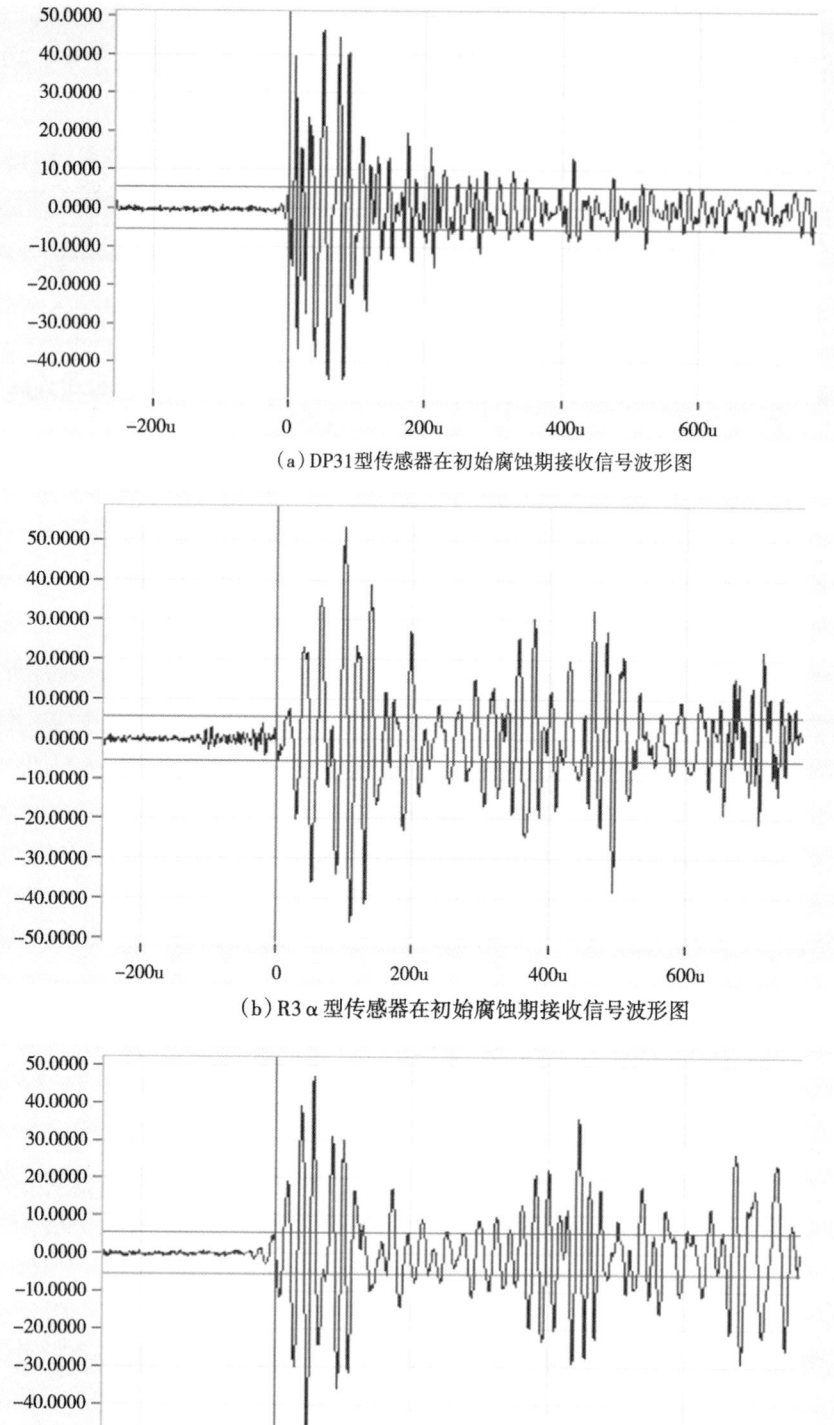

(a) DP31型传感器在初始腐蚀期接收信号波形图

(b) R3α型传感器在初始腐蚀期接收信号波形图

(c) R.45IUC型水下传感器在初始腐蚀期接收信号波形图

图 5.8 同一声源不同传感器在初始腐蚀期接收信号波形图

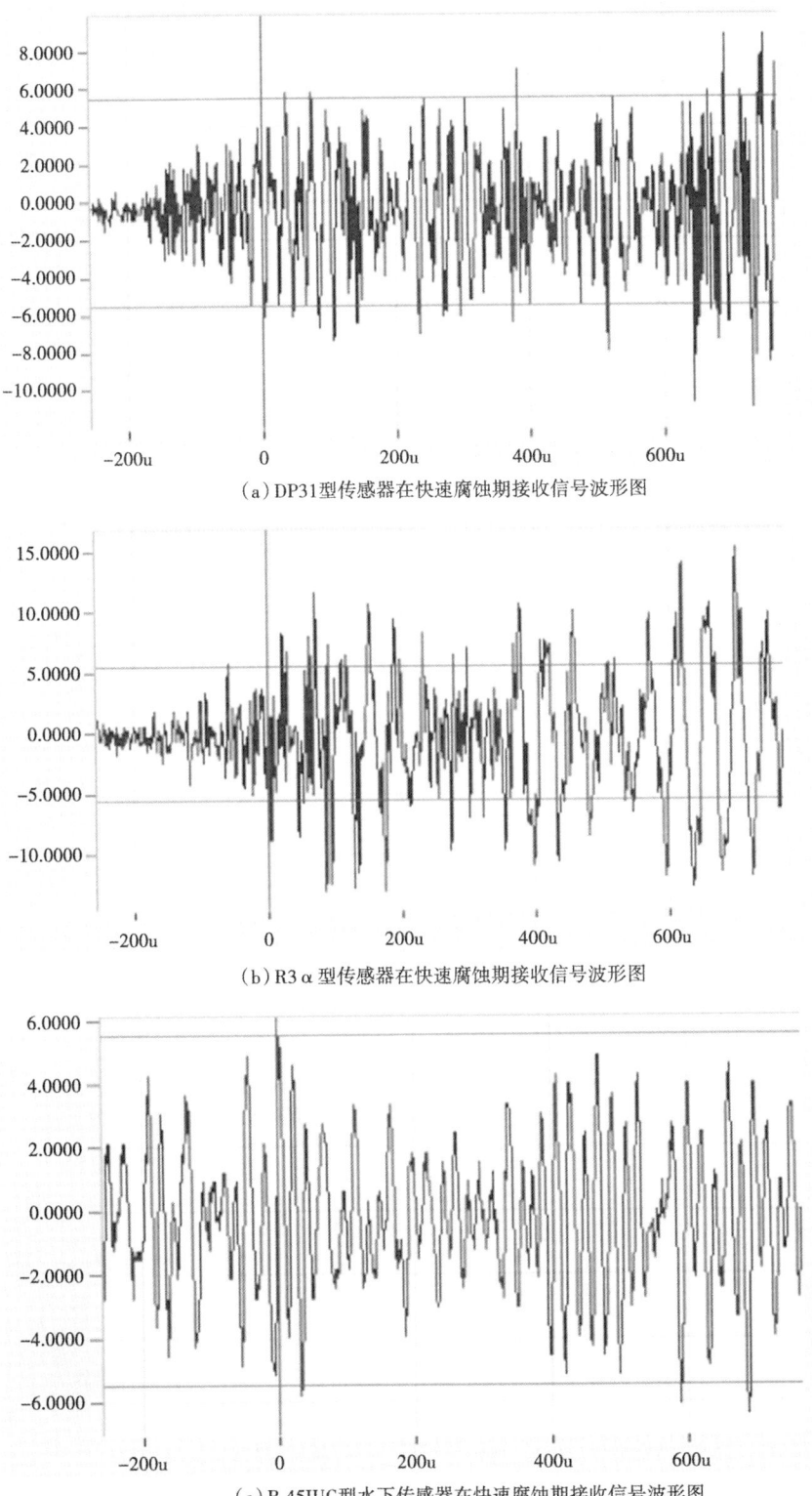

（a）DP31型传感器在快速腐蚀期接收信号波形图

（b）R3α型传感器在快速腐蚀期接收信号波形图

（c）R.45IUC型水下传感器在快速腐蚀期接收信号波形图

图 5.9　同一声源不同传感器在快速腐蚀期接收信号波形图

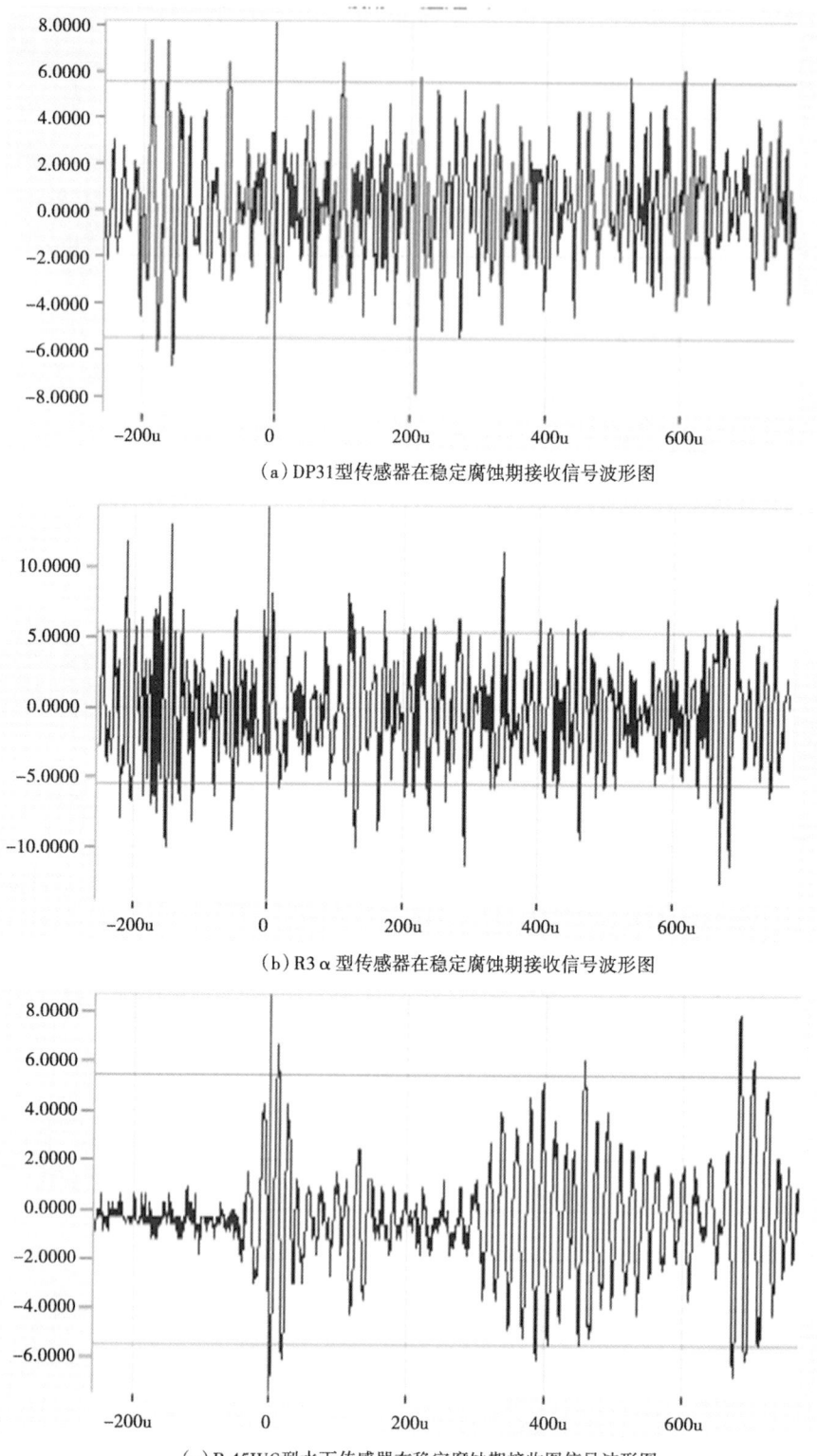

(a) DP31型传感器在稳定腐蚀期接收信号波形图

(b) R3α型传感器在稳定腐蚀期接收信号波形图

(c) R.45IUC型水下传感器在稳定腐蚀期接收图信号波形图

图 5.10 同一声源不同传感器在腐蚀稳定期接收信号波形图

少，声发射信号以连续型声发射信号为主，在幅值方面声发射信号的幅值与之前有所下降一般在45dB左右，而上升时间与快速腐蚀期上升时间类似，而且计数也有减小的趋势。

由以上的综合分析可得：DP3I型传感器与R3α型传感器接收的信号波形特征和特征参数类似，然而与水下传感器之间有所不同。DP3I型传感器与R3α型传感器属于同种类型传感器，所接收到的信号波形和特征参数大致相同。通过波形与撞击数可以看出水下传感器所接收的信号量相对于DP3I型传感器与R3α型传感器较少，但是所接收的信号比较清晰，进一步说腐蚀AE波通过水介质传播衰减较小，信号丢失较少，其幅值、能量、上升时间、持续时间等参数也更为接近源信号。因此可以初步确定，在罐内介质（水介质）中放入传感器进行罐底腐蚀声发射检测的实验方法具有一定的可行性和优越性。

5.1.2 盐酸介质模拟储罐底板腐蚀声发射监测

1）模拟储罐声发射系统

本实验选用美国PAC公司生产的第3代全数字化系统PCI-8。除此之外还需要配置前置放大器来提高信号的抗干扰能力，采用PAC公司的2/4/6型、40dB增益，此时前置放大器的频率相应带宽为0.01~2MHz，可以满足采集腐蚀信号的要求。检测门槛值的高低是影响系统灵敏度的主要因素之一。门槛值过高，有用信号会被部分滤除；门槛值过低一些噪音信号会被一同采集。因此将均匀腐蚀腐蚀声发射信号的检测门槛值设为35dB。

2）盐酸模拟储罐罐底腐蚀

（1）实验前期准备。

本实验需要的实验设备有：模拟储罐（图5.1）编号为2号、浓度为0.75mol/L的稀盐酸溶液、绝缘橡胶、声发射检测仪器等。除锈，然后在罐的内壁及外壁上均匀涂上防腐漆。

（2）实验传感器布置。

由于在介质为水的储罐的实验中排除了一号方案即布置在底板的DP3I型传感器和二号方案即在模拟储罐罐底的东南西北四个方向布置R3α型传感器。所以选择第三种方案即在模拟储罐罐壁接近罐底的东南西北四个方向的位置布置DP3I型传感器，传感器距罐底8~10cm，并标号为5、6、7、8。真空耦合好传感器后进行标定，依据GB/T 18183—2000的规定对声发射检测系统灵敏度和仪器参数进行标定。采用ϕ0.5mm、硬度为HB、伸长量2.5mm，与表面夹角30°的铅芯折断信号为模拟信号，在距传感器20mm处进行测试。在每次相同设置情况下均进行一次系统标定。经过统计，每次标定的结果为：最大的信号幅度为99dB，最小的信号幅度为97dB，与标定平均值间的幅度差不大于3dB，符合标准要求。

（3）实验过程。

在二号储罐中注入0.75mol/L的稀盐酸至储罐体积60%，由于盐酸易挥发，所以注入完盐酸后要在储罐罐口嵌入密封圈套上塑料布再盖紧罐盖。根据之前讨论的两种方案把传感器耦合到储罐罐底以及管壁上然后再把传感器连接到声发射检测仪上，标定好后开始测试。

由于稀盐酸中不仅含有氯离子而且还有氢离子，所以稀盐酸对储罐不仅有腐蚀的作用而且还会和储罐底板发生化学反应，这样腐蚀或反应的初期信号会非常的强烈，这时就对二号储罐进行全天的监测。稍微平稳后每天夜间监测。对采集的数据进行记载包括所有撞击、每个通道撞击数目等。根据每天的数据分析出储罐底板腐蚀的一些规律以及外部条件对储罐底板腐蚀的一些影响。

3）罐底声发射监测

（1）腐蚀的历程。

对模拟储罐进行数月的声发射监测，根据采集到的 2 号模拟储罐的腐蚀声发射数据可得到这一期间的腐蚀规律，如图 5.11 所示，其中横坐标是时间，纵坐标是每天信号撞击的总数。

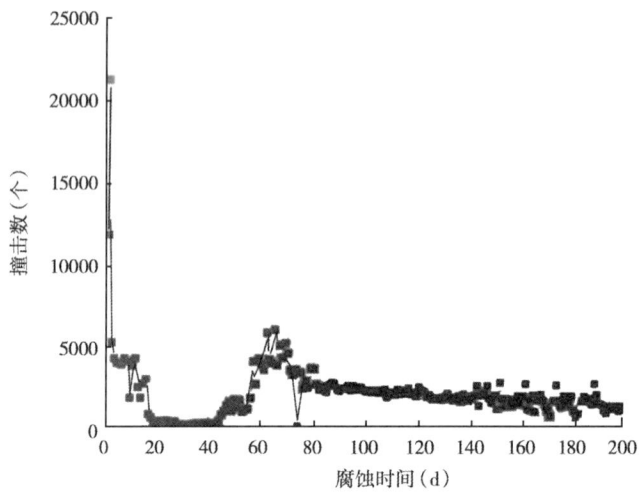

图 5.11　2 号模拟储罐底板腐蚀腐蚀声发射信号幅值总历程图

从图 5.11 可以看出 2 号盐酸介质模拟储罐数据比较大，是由于盐酸介质的 2 号模拟储罐底板腐蚀剧烈。腐蚀过程的声发射信号撞击数迅速上升、迅速下降然后趋于稳定。当储罐内刚注入盐酸溶液，罐底板迅速产生大量氢气泡，随之氢气泡脱离底板，上升破裂，金属溶解，因此这一过程信号数量非常多。稳定期的后期有个小幅度的信号上升，是由于随着腐蚀的进行防腐漆脱落，裸露出的金属发生了腐蚀，产生声发射信号。介质为酸的储罐底板腐蚀过程与水介质储罐类似分为三个阶段：初始腐蚀期、快速腐蚀期、稳定腐蚀期。

（2）特征参数历程。

本实验针对于罐底腐蚀声波传播路径的特点，通过三种传感器布置方案采集到声发射信号。图 5.12 为不同的腐蚀时期幅值的历程图。

由图 5.12 所示的幅值历程可以得到如下的规律：

初始期信号幅值主要分布范围为 40~60dB，快速期信号幅值也是主要分布范围为 40~60dB。初始期声发射信号计数比快速腐蚀期声发射信号相对较少。稳定期：信号幅值减小，主要分布范围为 40~50dB，声发射信号计数减小，但腐蚀仍在继续。

声发射特征参数包括撞击、计数、幅值、上升时间、持续时间、能量、振铃等，在这些参数中，彼此之间也可以任意两个参数组合进行关联分析，例如 AE 幅值—事件分布、能量—持续时间的关联图等。为了进一步得出腐蚀声发射信号的特征参数，对各通道所采集到的声发射信号数据分别进行了上升时间—幅值、能量计数—上升时间、能量计数—幅值的关联分析。如图 5.13 至图 5.15 为能量—幅值—上升时间三维关联图。

由上升时间与幅值的关联图可知，幅值一般在 35~65dB 之间，上升时间在 1~1500μs 之间，并且大部分声发射信号的幅值小于 60dB 上升时间小于 1200μs 只有个别信号在 1500μs 以上。

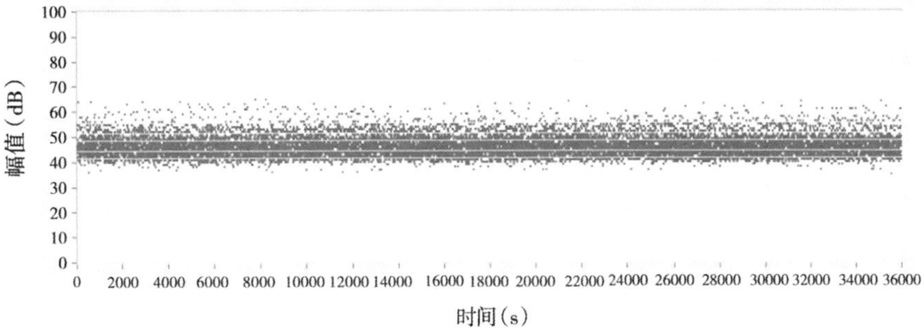

(a）初始腐蚀期声发射信号幅值历程图

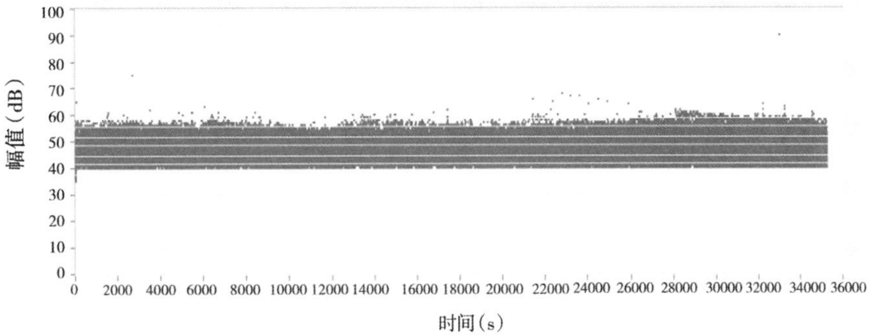

(b）快速腐蚀期声发射信号幅值历程图

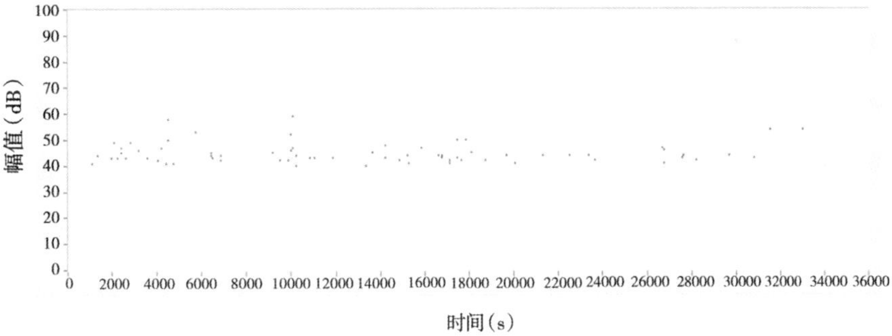

(c）稳定腐蚀期声发射信号幅值历程图

图 5.12　酸介质储罐底板腐蚀声发射信号幅值历程图

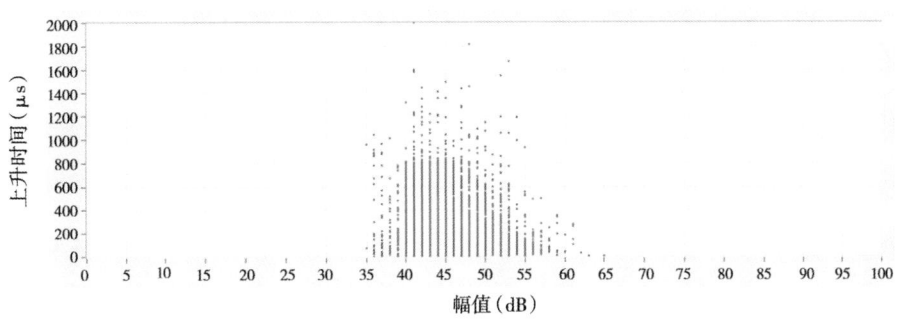

图 5.13　上升时间与幅值关联图

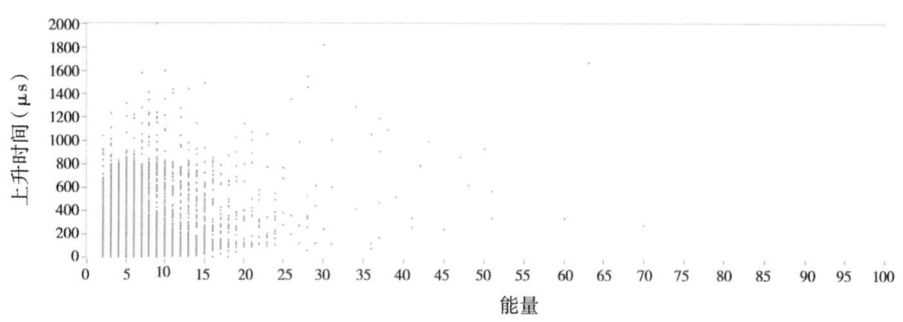

图 5.14 上升时间与能量关联图

由上升时间与能量的关联图可知，能量一般在 0~50 之间，大部分集中在 25 以下；上升时间一般在 0~1500μs 之间，大部分信号上升时间小于 1000μs。

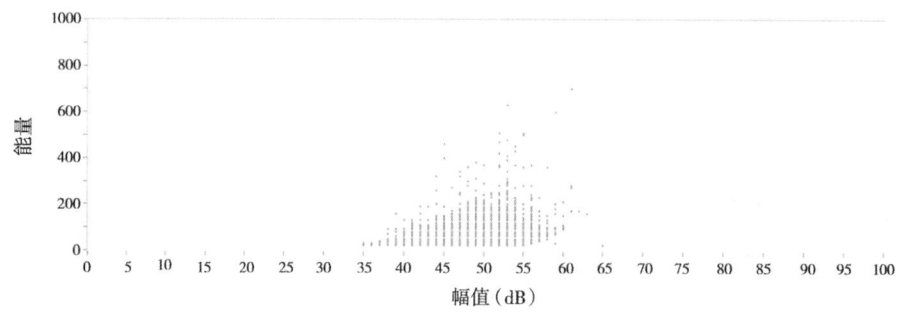

图 5.15 能量与幅值幅值关联图

由能量与幅值关联图可知接收到的 AE 信号的幅值以及能量特征与图 5.13、图 5.14 所得结论完全相符。

（3）信号特征。

根据以上分析可知腐蚀声发射信号在初始腐蚀期、快速腐蚀期和稳定腐蚀期的波形特征以及参数都是有很大不同的。因此，本节主要分析腐蚀信号的波形特征以及不同时期参数之间的对比。

①初始腐蚀期。

图 5.16 是初始腐蚀期传感器所接收到的所有信号其中具有代表性的一个。

由图 5.16 可以看出在初始腐蚀期的腐蚀的声发射信号基本以突发型的声发射信号为主，声发射信号也比较少。在这个阶段腐蚀主要是金属表面的钝化膜破裂及一定数量的氢气泡的生产过程，而且由于腐蚀介质是盐酸所以还会和储罐底板发生化学反应，也产生了许多声发射信号。这个过程中声发射信号的幅值一般在 45dB 左右。由于在初始腐蚀期信号主要以"突发型"声发射信号为主所以信号的上升时间较短，一般为 50μs 左右，说明信号达到能量最高点所用时间比较小，说明信号的类型是属于突发型为主。

②快速腐蚀期。

由图 5.17 看出随着反应时间的进行腐蚀加剧，在腐蚀过程中由于反应产生的氢气泡破裂和腐蚀物生产及剥落的事件也随之增多。因为反应的剧烈会导致多个氢气泡同时破裂或者在气泡破裂时有腐蚀物脱落的情况发生，这样就会使多个声发射信号叠加形成连续型声发射

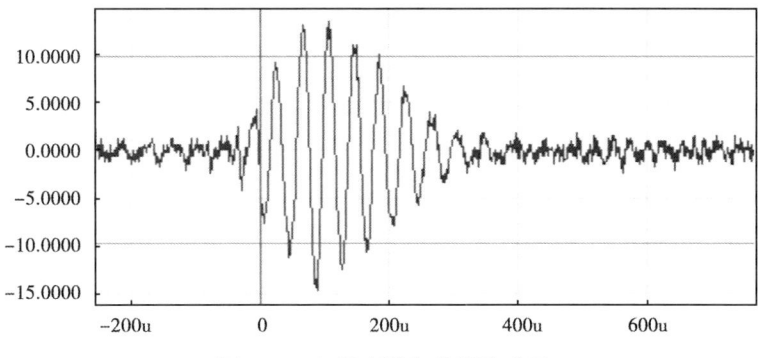

图 5.16 初始腐蚀期信号波形图

信号或者是混合型声发射信号,在腐蚀的快速腐蚀期主要以这种混合型声发射信号为主,信号的幅值在 60dB 左右。然而上升时间在 800~1000μs 信号,达到最高点的时间变长,信号波形趋近与连续型但其中也掺杂一些突发型信号,最终使得信号类型变为混合型。

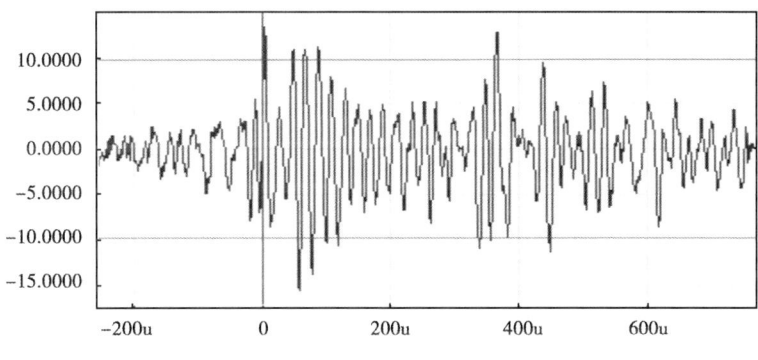

图 5.17 快速腐蚀期信号波形图

③稳定腐蚀期。

随着腐蚀的深入进行腐蚀反应过程也趋于平稳。在稳定腐蚀期腐蚀信号较之前明显减少,声发射信号以连续型声发射信号为主,在幅值方面声发射信号的幅值与之前有所下降一般在 40dB 左右,而上升时间与快速腐蚀期上升时间类似,而且计数也有减小的趋势(图 5.18)。

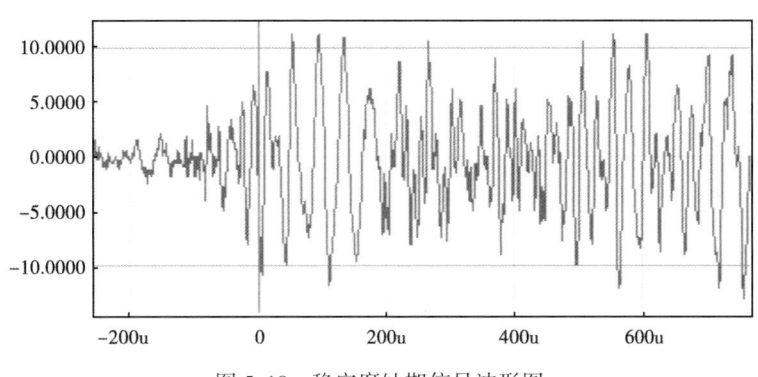

图 5.18 稳定腐蚀期信号波形图

5.1.3 不同品质原油介质模拟储罐底板腐蚀声发射监测

1) 储罐底板腐蚀声发射系统

(1) 实验前期准备。

本实验需要的实验设备有:模拟储罐(图5.1)编号为3号、原油、绝缘橡胶、声发射检测仪器等。除锈,然后在罐的内壁及外壁上均匀涂上防腐漆。

(2) 实验传感器布置。

根据选定的传感器布置方案,在模拟储罐罐壁接近罐底的东南西北四个方向的位置布置DP3I型传感器,传感器距罐底8~10cm,并标号为9、10、11、12。真空耦合好传感器后进行标定,依据GB/T 18182—2000的规定对声发射检测系统灵敏度和仪器参数进行标定。采用$\phi 0.5mm$、硬度为HB、伸长量2.5mm,与表面夹角30°的铅芯折断信号为模拟信号,在距传感器20mm处进行测试。在每次相同设置情况下均进行一次系统标定。经过统计,每次标定的结果为:最大的信号幅度为99dB,最小的信号幅度为97dB,与标定平均值间的幅度差不大于3dB,符合标准要求。

(3) 实验过程。

在实验室环境下,构建两个模拟储罐分别注入大庆原油和俄罗斯原油对其进行声发射监测,储罐编号分别为3号储罐(俄罗斯原油)、4号储罐(大庆原油),试验共监测20d,每天进行5h试验数据采样。传感器布置如上一组实验所示,2号储罐(传感器编号为8、9、10),3号储罐(传感器编号为19、20、21)。两种介质的理化性质见表5.5、表5.6。

表5.5 大庆南三油库原油物性表

检测项目	检测结果	检测项目	检测结果
密度(kg/m³)(20℃)	850.4	沥青质质量分数(%)	<0.05
水含量(%)(质量分数)	0.35	残炭质量分数(%)	3.01
凝点(℃)	32	硫含量质量分数(%)	0.10
酸值(mgKOH/g)	0.04	析蜡点(℃)	39.1

表5.6 俄罗斯原油物性表

检测项目	检测结果	检测项目	检测结果
密度(kg/m³)(20℃)	851.9	盐含量(mg)(NaCl/L)	21
水含量(%)(质量分数)	0	硫含量(%)(质量分数)	0.65
凝点(℃)	-13	开口闪点(℃)	40
酸值(mgKOH/g)	0.0212	燃点(℃)	40

2) 罐底声发射监测

对模拟储罐进行数月的声发射监测,根据采集到的3号和4号模拟储罐的腐蚀声发射数据可得到这一期间的腐蚀规律,如图5.19所示,其中横坐标是时间,纵坐标是每天信号撞击的总数。

(1) 腐蚀强度历程分析。

如图5.19所示为大庆原油和俄罗斯原油腐蚀强度历程图,从图中可以看出两种品质原油整体历程图走势相似,都经历腐蚀前期撞击数较少,后期撞击数逐渐增多,最后撞击数趋于平缓,整个过程可以用曲线描述是从低点逐渐上升到高点后缓慢降低趋于稳定。从图中可

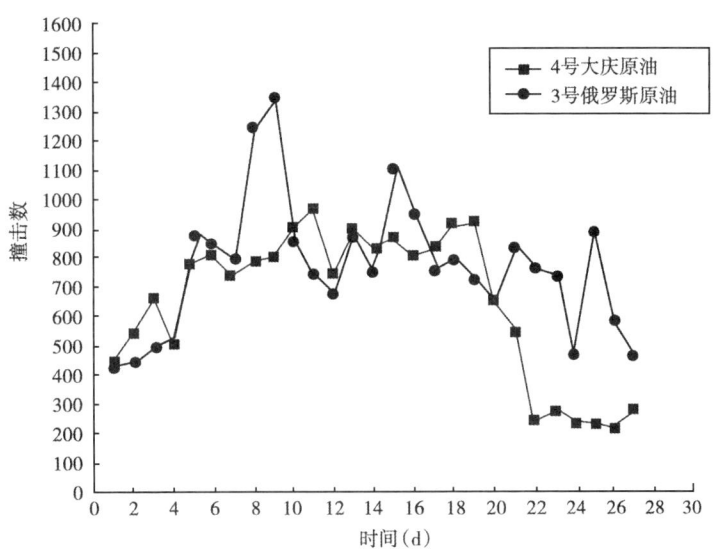

图 5.19 大庆原油和俄罗斯原油腐蚀强度历程图

以明显看出虽然两种原油的腐蚀历程图相似，但大庆原油的整个曲线要略高于俄罗斯原油，说明大庆原油对储罐底板的腐蚀强度要强于俄罗斯原油对储罐底板的腐蚀。从表 5.5 和表 5.6 可以看出，这是因为大庆原油中的含水量和酸值都要高于俄罗斯原油，原油中的水含多种离子如 Cl^-、S^{2-}、CO_3^{2-} 等具有很强的腐蚀性会对底板造成腐蚀，而原油中酸性较强同样含有较多的 Cl^- 离子其具有较强的侵蚀性，Cl^- 会第一时间吸附到金属的钝化膜上，而把 O^{2-} 排挤掉，随后便结合钝化膜中的阳离子形成可溶物对底板造成腐蚀。

（2）幅值分析。

对两个储罐进行 27d 每天 5h 的声发射监测。稳定腐蚀信号可以分为两部分：一个区域为 40~60dB 区域，该区域信号幅值较低，信号连续产生，为腐蚀的基础信号；另一区域为 60~85dB，该区域信号幅值较高，分布相对较为离散，表示腐蚀层的松动、破裂、剥离等过程。

图 5.20 为两种油品对底板初始腐蚀期的幅值历程图，从图中可以看出在初始腐蚀期，3 号储罐和 4 号储罐的幅值都较低，信号主要存在 40~60dB 区域，但盛装大庆原油的 3 号储罐的声发射信号明显多于盛装俄罗斯原油的 4 号储罐。

图 5.21 为两种油品对底板快速腐蚀期幅值历程图，从图中可以看出随着时间推进，两种油品的储罐底板声发射信号大量增多说明对储罐底板的腐蚀加剧，信号分布在 40~60dB 基础信号区域及 60~85dB 高幅值区域。3 号储罐的声发射信号较 4 号储罐多且密，幅值也略高于 4 号储罐，说明大庆原油对储罐底板的腐蚀强度高于俄罗斯油对储罐底板的腐蚀。

图 5.22 为两种油品对储罐底板腐蚀处于稳定阶段的幅值历程图，从图中可以看出，腐蚀进入尾声阶段两种油品的声发射信号较初始腐蚀期和稳定腐蚀期明显减少，信号主要集中在幅值较低的 40~60dB 基础信号区域。

（3）关联分析。

从信号—能量关联图得出稳定腐蚀信号明显分为两类，以幅值进行划分，A 类为 35~45dB，B 类为 45~60dB。如图 5.23 所示，为两种油品对储罐底板初始腐蚀期的能量—幅值

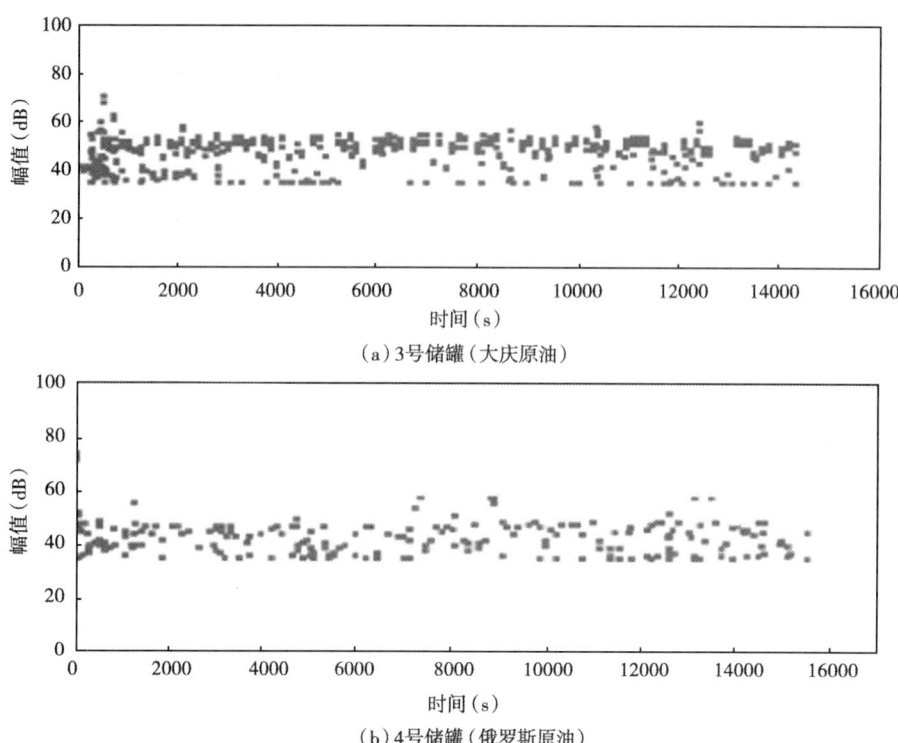

图 5.20 3 号储罐和 4 号储罐初始腐蚀期的幅值关联图

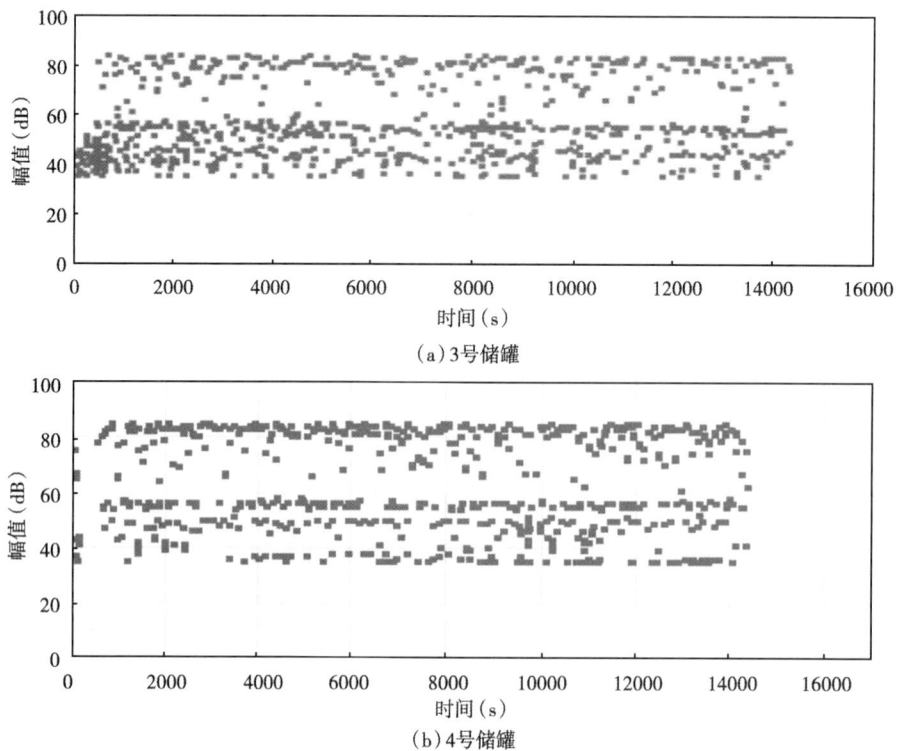

图 5.21 3 号储罐和 4 号储罐快速腐蚀期的幅值

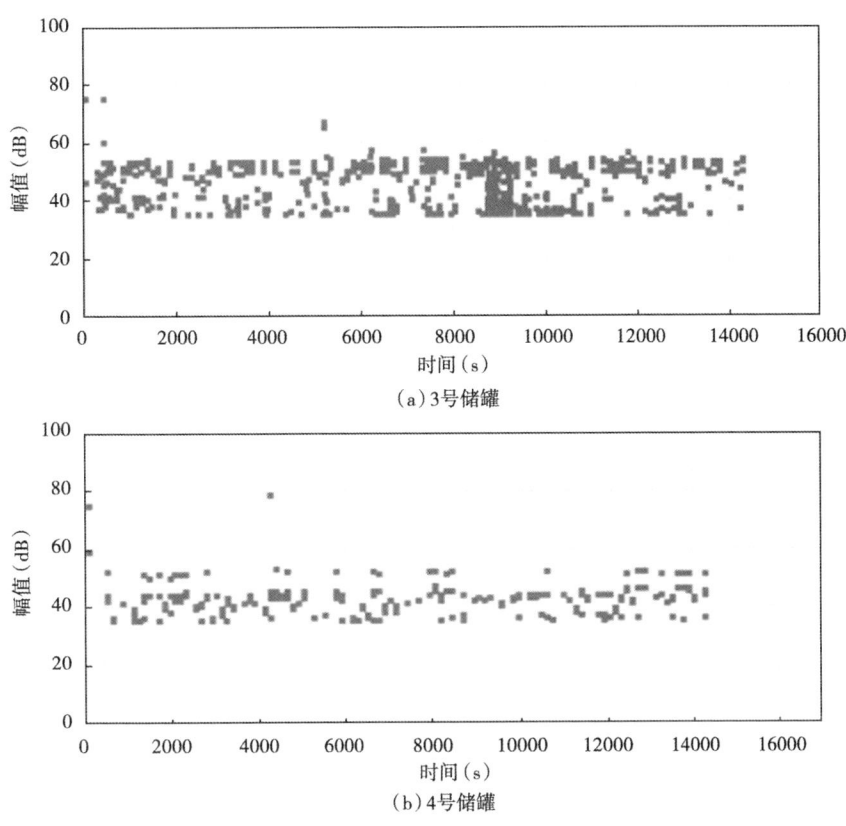

图 5.22 3号储罐和4号储罐稳定腐蚀期的幅值关联图

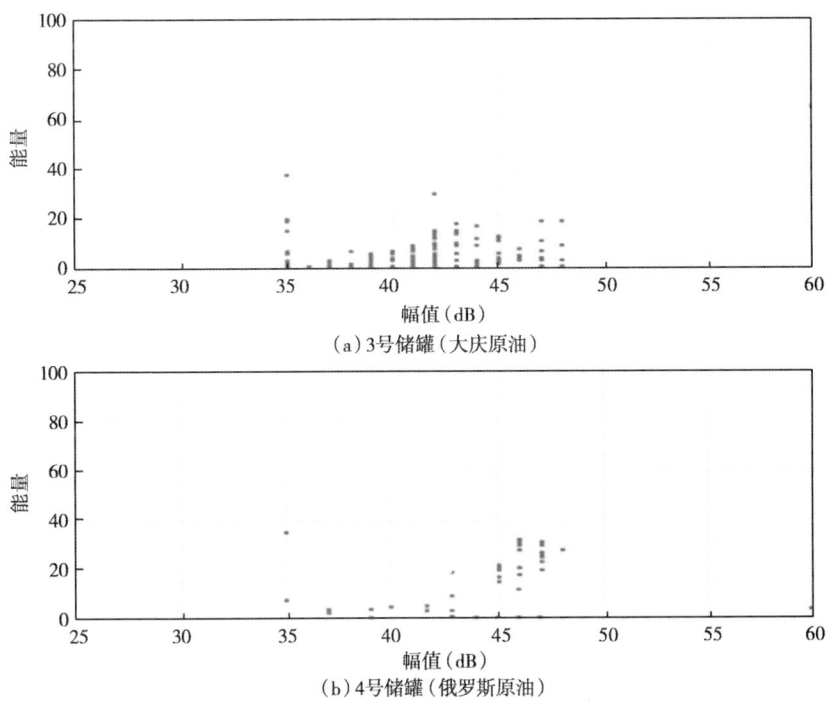

图 5.23 3号储罐和4号储罐初始腐蚀期的能量—幅值关联图

关联图，从图中可以看出在初始腐蚀期两种油品的能量幅值都较低主要为 A 类信号，3 号储罐的能量及幅值略高于 4 号储罐。

图 5.24 为快速腐蚀期两种油品对储罐底板的能量—幅值历程图，在快速腐蚀期，两种油品的声发射信号量大幅增加，能量和幅值明显增高，都存在 A 类基础腐蚀信号和 B 类高幅值高能量信号，但 3 号储罐的腐蚀信号能量及幅值都明显高于 4 号储罐。

图 5.25 为稳定腐蚀期的能量—幅值历程图，在稳定腐蚀阶段，两种油品的声发射信号减少，能量和幅值降低，信号主要为 A 类基础腐蚀信号存在少量 B 类高腐蚀类信号。但 3 号储罐的声发射信号量要大于 4 号储罐，能量及幅值也高于 4 号储罐。

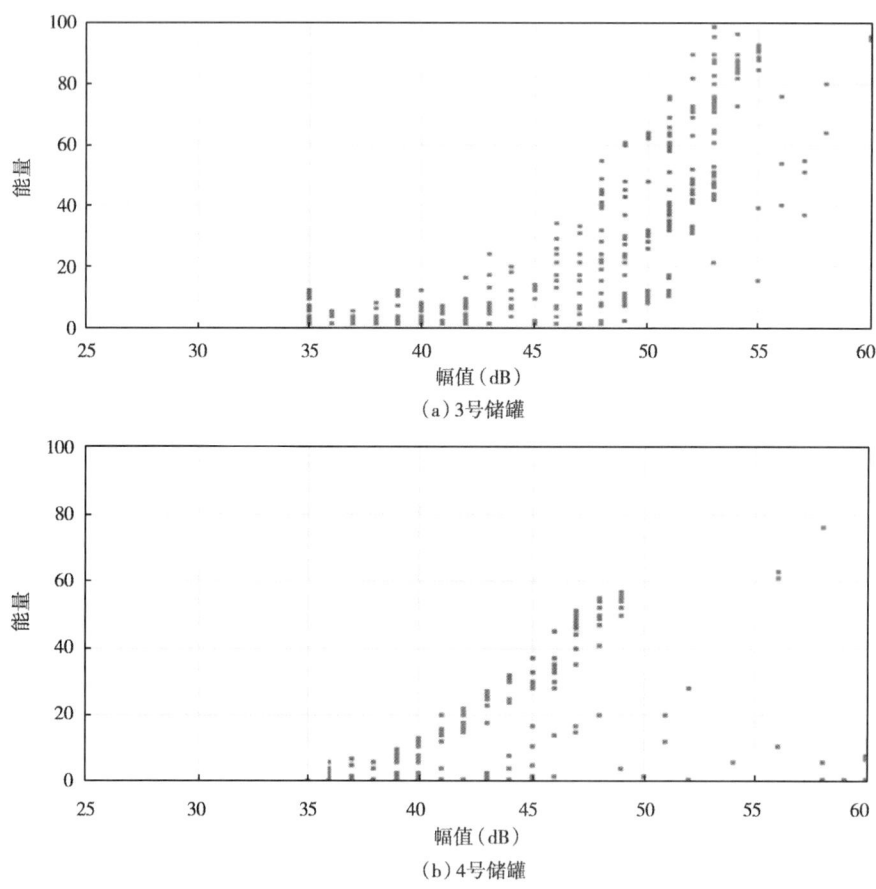

图 5.24　3 号储罐和 4 号储罐快速腐蚀期的能量—幅值关联图

5.1.4　不同品质原油模拟储罐底板腐蚀声发射监测

通过对比三个实验可以发现彼此之间有许多的不同之处，也有许多相同之处。

相同点：

（1）两个实验的腐蚀历程相同，都经过初始腐蚀期、快速腐蚀期、稳定腐蚀期。

（2）在每一个腐蚀阶段声发射信号波形特征相同，即在初始腐蚀期两个实验的声发射信号以突发型信号为主；在快速腐蚀期声发射信号既有突发型信号也有连续型信号属于混合型信号；在稳定腐蚀期声发射信号以连续型为主。

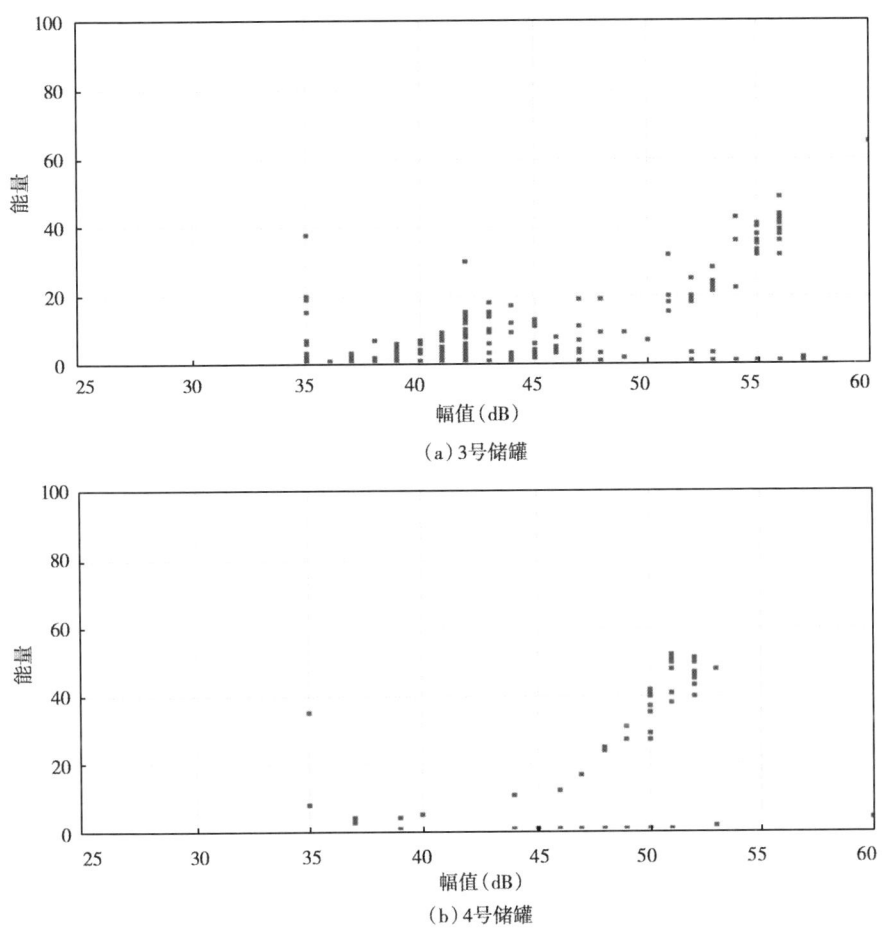

图 5.25 3号储罐和4号储罐稳定腐蚀期的能量—幅值关联图

不同点：

(1) 实验的腐蚀介质不同导致腐蚀产生的声发射信号强度不同，从以上的腐蚀历程图和原始数据中可以看出在腐蚀过程中，介质为水的储罐底板腐蚀产生的声发射信号比介质为盐酸的储罐底板产生的腐蚀声发射信号要少很多。由于介质不同，酸在储罐中既能与储罐底板发生化学反应生成氢气泡也可以与底板发生电化学反应，所以产生的信号比较多包括氢气泡的破裂、氢气泡脱离金属表面、腐蚀物的脱落、钝化膜的破裂等。

(2) 实验的声发射信号的特征参数不同。根据以上的关联图可以看出介质为水的储罐底板声发射实验信号的特征参数例如幅值一般在 35~70dB 之间，上升时间在 1~3500μs 之间，能量在 0~100 之间；而介质为酸的储罐底板声发射实验信号的特征参数例如幅值一般在 40~60dB 之间，上升时间在 1~1500μs 之间，能量在 0~50 之间。

(3) 初始腐蚀期的现象不同。介质为水的储罐初始腐蚀期产生的气泡并不是很多，而且腐蚀产物为褐色说明腐蚀产物里 Fe^{3+} 居多；而介质为盐酸的储罐初始腐蚀期产生的气泡非常多，并且腐蚀产物为黑色说明两个实验的腐蚀产物不同。

5.2 同介质同周期挂片腐蚀

在模拟储罐底板腐蚀声发射实验中无法直观地获得不同腐蚀阶段的罐底腐蚀形貌，对储罐底板腐蚀产物以及腐蚀速率很难进行直接检测，因此在对模拟储罐进行声发射长期监测的同时，进行了相同周期、相同介质的挂片腐蚀实验。

5.2.1 挂片腐蚀

1) 挂片腐蚀准备

实验仪器：Q235标准挂片、电子分析天平、塑料容器、挂线。其中挂片采用与储罐底板相同材料的Q235钢，符合HG5-1526-83标准，Ⅰ型试片，如图5.26所示。长×宽×厚为(50.0±0.1) mm×(25.0±0.1) mm×(2.0±0.1) mm，光洁度全部△7；挂孔ϕ(4.0±0.1) mm，光洁度△4；试片总面积28.00cm^2。加工过程如下：

(1) 由整块钢板上取下的大料要在刨床去四周的热影响区15~20mm（由气割引起的）。

(2) 经刨、铣、钻、磨4个工序，加工到规定的光洁度及尺寸（若用冲、剪加工要除去剪切区3mm）。

(3) 磨平面后，棱角处，挂孔圆周会产生毛刺、必须除去。

(4) 试片外观要求表面不能有划痕、凹坑、锈斑，挂孔内不能有锈斑，棱角及挂孔不能有毛刺，尺寸、表面光洁度应符合要求。

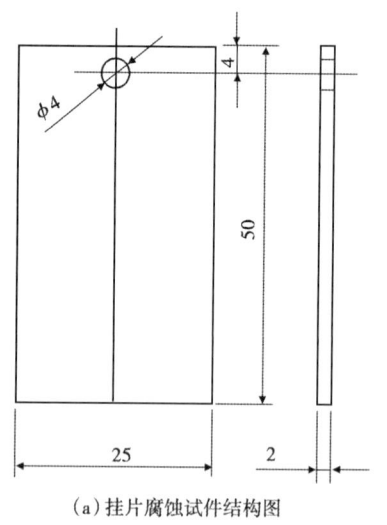
(a)挂片腐蚀试件结构图

(b)挂片腐蚀试件实物图

图5.26 挂片腐蚀试件图

实验试剂：水、浓度为0.75mol/L的盐酸溶液、大庆原油、俄罗斯原油。

实验条件：(1) 温度取室内温度25℃。

(2) 试验周期为14d。

2) 腐蚀过程

(1) 实验前的预处理，如图5.27至图5.31所示。

①脱脂去污：将封油纸中的试件取出，用粗滤纸擦去油污后，放入盛有石油醚的器皿

中,用脱脂棉去除试件表面污物,连续清洗2~3次。

②脱水:经脱脂处理的试件,用无水乙醇浸泡约5min进一步脱脂及脱水。

③干燥:取出试件用干燥滤纸擦拭,同时用冷风吹干。

④称量:将已擦拭吹干的试件按照试片编号用滤纸包装,置于干燥器4h后称重称准至0.0001g。

⑤封装:将称好重的挂片用滤纸包好,防止被空气中的水蒸气腐蚀,待用。

图5.27 浸泡

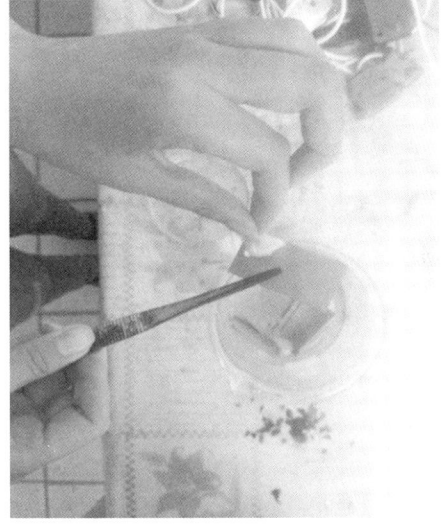

图5.28 脱水

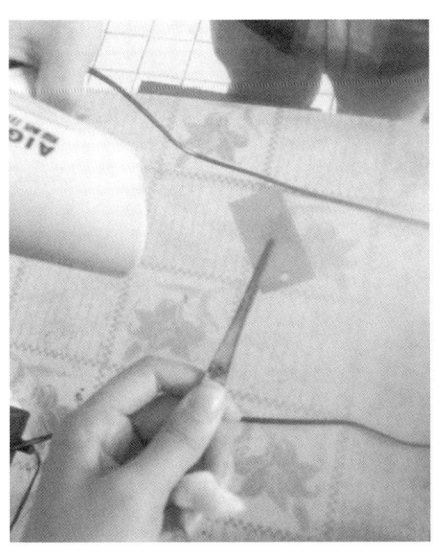

图5.29 干燥

图5.30 称重

(2)对挂片进行统一编号。

0001-0028号挂片用耐腐蚀挂线将其悬挂在1号塑料容器中;0029-0056号挂片用挂线将其悬挂在2号塑料容器中,如图5.32所示。

111

图 5.31 封装

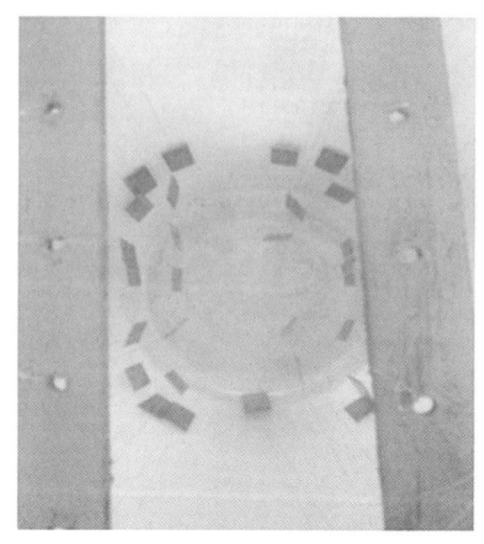
图 5.32 挂片腐蚀示意图

(3) 试验溶液的配置。

将与 1 号模拟储罐盛装介质相同的水溶液加入 1 号塑料容器，与 2 号模拟储罐盛装介质相同的 0.75mol/L 的稀盐酸溶液加入 2 号塑料容器。所有挂片均不接触容器壁和容器底，浸没并悬浮在溶液中。盛装挂片的容器与相应模拟储罐同时注入相同的腐蚀溶液，以保证同周期同介质。

将盛有挂片的容器安置在无外界干扰的环境中，按照 2 周、2 周、4 周、4 周、8 周、8 周、12 周、12 周、16 周的时间间隔在相应溶液中提取挂片，按编号顺序每次取出 3 个试片，其中 1 个用于电镜扫描与能谱分析，其余两个用于测量腐蚀速率。

5.2.2 腐蚀严重程度分析

1) 挂片在水溶液介质中腐蚀严重程度

(1) 腐蚀形貌分析。

将每次按照 2 周、2 周、4 周、4 周、8 周、8 周、12 周、12 周、16 周的时间间隔在 1 号塑料容器中提取的 3 个试片，1 个用于电镜扫描与能谱分析。其中取出挂片时，1 号塑料容器的腐蚀溶液形态如图 5.33 所示，试片的宏观腐蚀形貌如图 5.34 所示，将挂片表面的腐蚀产物清洗掉，用无水酒精进行冲洗，冷风吹干，进行扫描电镜观察，试片的微观腐蚀形态如图 5.35、图 5.37、图 5.39、图 5.41、图 5.43、图 5.45 所示，相应的腐蚀产物能谱分析如图 5.36、图 5.38、图 5.40、图 5.42、图 5.44、图 5.46 所示，具体能谱成分检测结果见表 5.7 至表 5.12。现阶段到第 28 周。

从图 5.33 中可以看出，溶液的颜色逐渐加深，沉积的腐蚀产物逐渐增多，但增加幅度是变小的，是由于容器中的试片数量随着取出有所减少。

从图 5.34 中可以看出，1 号塑料容器水介质中的挂片腐蚀产物先是越积越多 [(a) ~ (e)]，但是累积到一定程度会有所脱落 [(e), (f)]。图 5.33 和图 5.34 可以看出，水介质中储罐常用材料的腐蚀产物以松散 Fe_2O_3 为主，容易被冲刷掉。

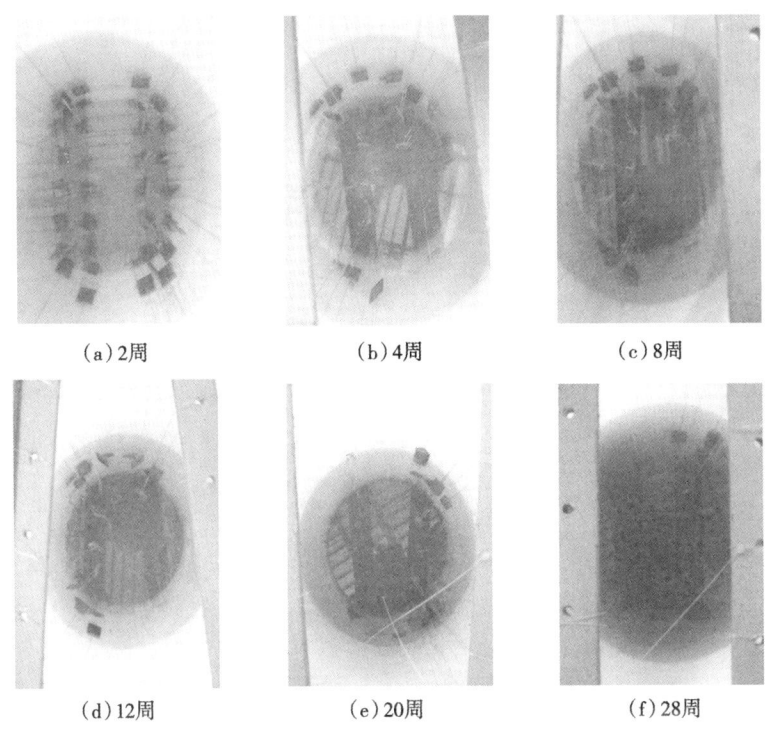

图 5.33 1 号塑料容器挂片取出时 1 号塑料容器整体腐蚀形态

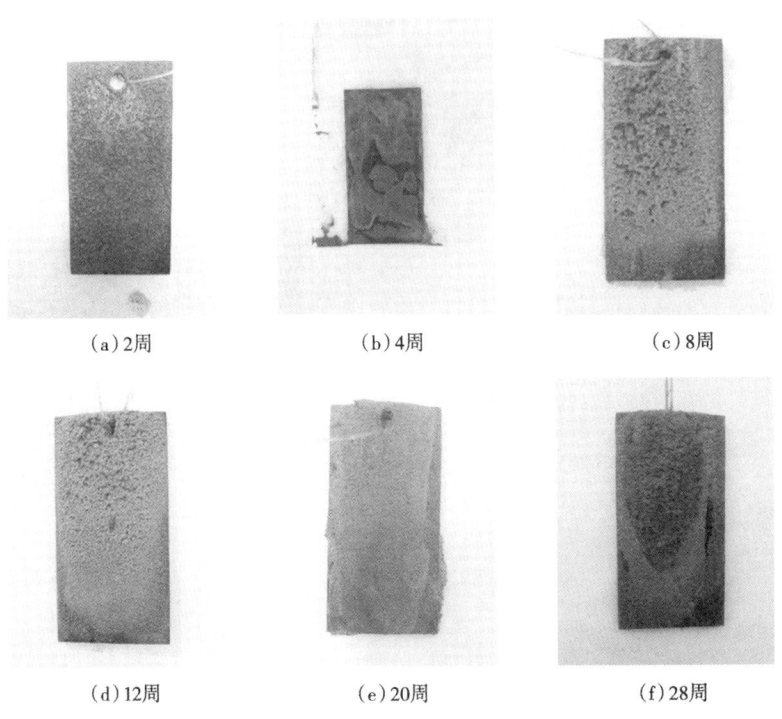

图 5.34 1 号塑料容器中挂片取出时宏观腐蚀形貌

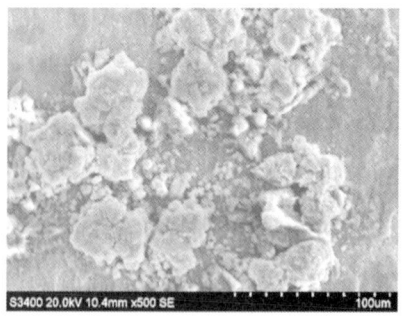

(a)2周(100倍)　　　　　　　　(b)2周(500倍)

图 5.35　1 号塑料容器中挂片 2 周的微观形态

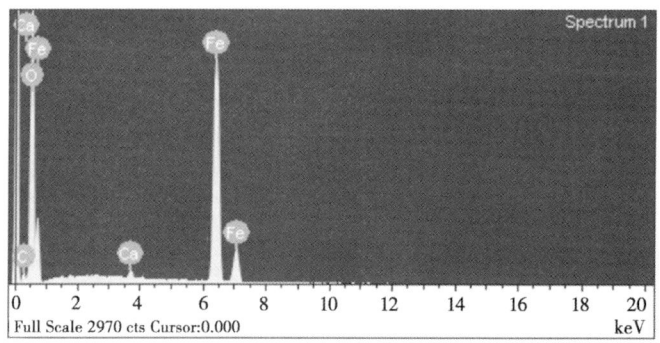

图 5.36　1 号塑料容器中挂片 2 周腐蚀产物成分谱图

表 5.7　1 号塑料容器中挂片 2 周腐蚀产物能谱分析结果

Element	Weight（%）	Atomic（%）
C	4.10	9.14
O	37.42	62.68
Ca	0.58	0.39
Fe	57.90	27.79

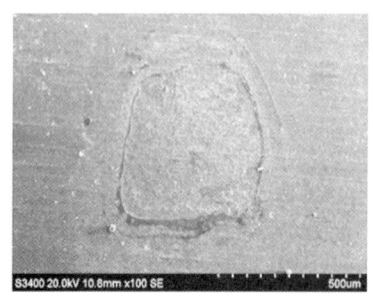
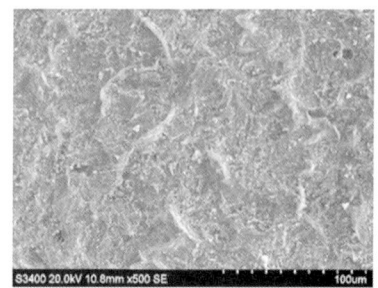

(a)4周(100倍)　　　　　　　　(b)4周(500倍)

图 5.37　1 号塑料容器中挂片 4 周的微观形态

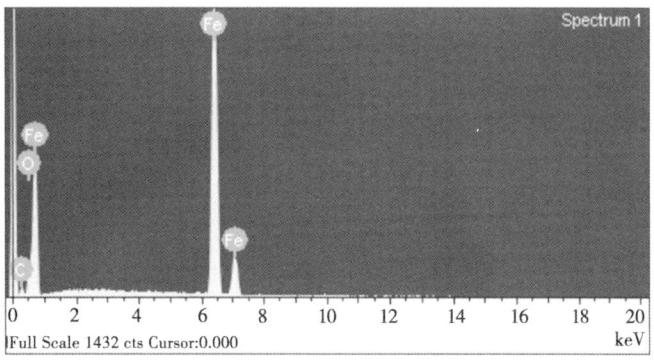

图 5.38　1 号塑料容器中挂片 4 周腐蚀产物成分谱图

表 5.8　号塑料容器中挂片 4 周腐蚀产物能谱分析结果

Element	Weight（%）	Atomic（%）
C	5.39	19.04
O	4.82	12.78
Fe	89.79	68.18

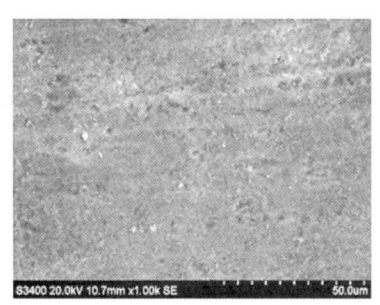

（a）8周（1000倍）　　　　　　　（b）8周（1000倍）

图 5.39　1 号塑料容器中挂片 8 周

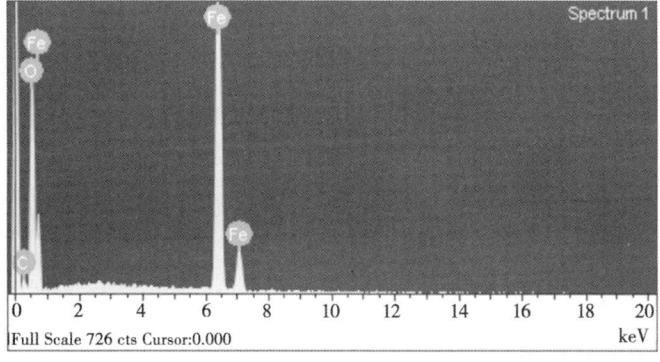

图 5.40　1 号塑料容器中挂片 8 周腐蚀产物成分谱图

115

表 5.9　1 号塑料容器中挂片 8 周腐蚀产物能谱分析结果

Element	Weight（%）	Atomic（%）
C	5.19	12.59
O	29.25	53.23
Fe	65.56	34.18

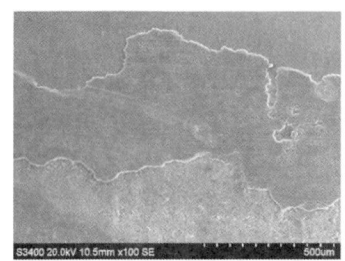 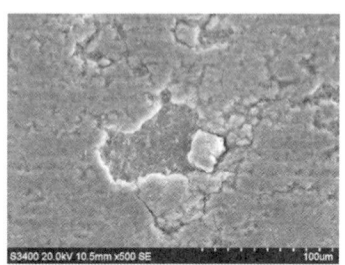

（a）12周（100倍）　　　　　　　（b）12周（500倍）

图 5.41　1 号塑料容器中挂片 12 周的微观形态

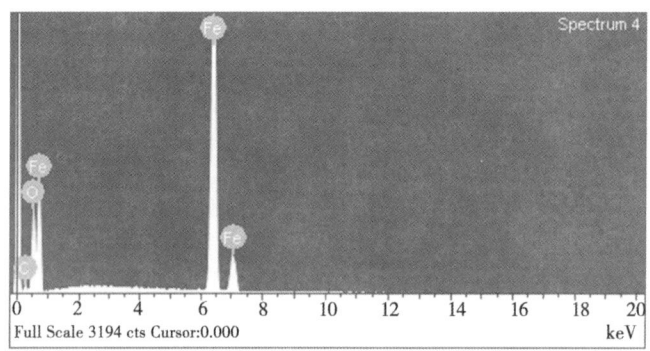

图 5.42　1 号塑料容器中挂片 12 周腐蚀产物成分谱图

表 5.10　1 号塑料容器中挂片 12 周腐蚀产物能谱分析结果

Element	Weight（%）	Atomic（%）
C	4.19	12.85
O	14.61	33.62
Fe	81.20	53.53

 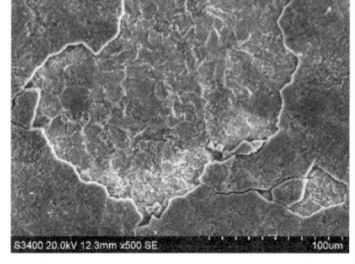

（a）20周（100倍）　　　　　　　（b）20周（500倍）

图 5.43　1 号塑料容器中挂片 20 周的微观形态

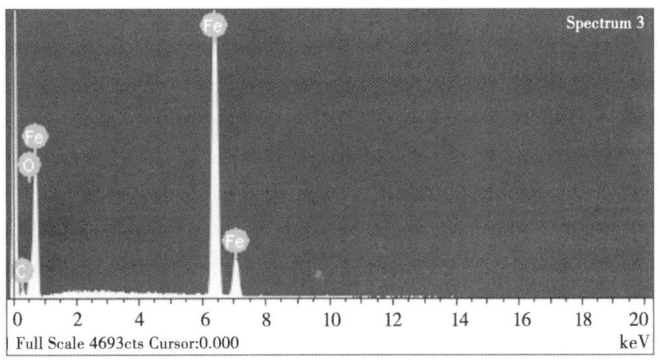

图 5.44　1 号塑料容器中挂片 20 周腐蚀产物成分谱图

表 5.11　1 号塑料容器中挂片 20 周腐蚀产物能谱分析结果

Element	Weight（％）	Atomic（％）
C	5.32	17.61
O	8.45	21.00
Fe	86.23	61.39

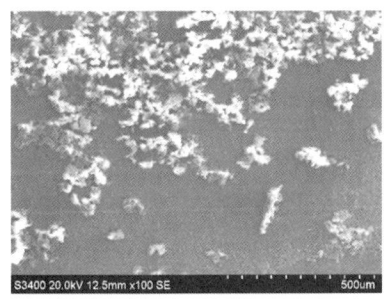

(a) 28周（100倍）　　　　(a) 28周（1000倍）

图 5.45　1 号塑料容器中挂片 28 周的微观形态

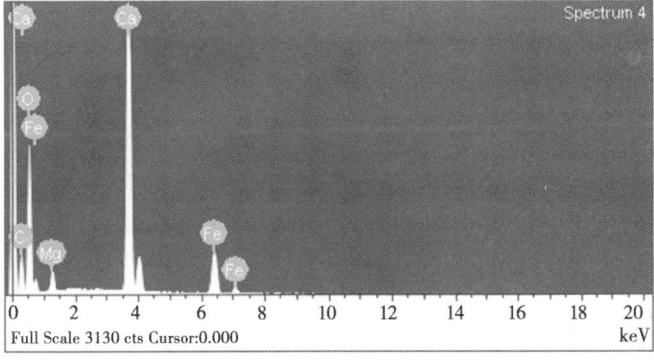

图 5.46　1 号塑料容器中挂片 28 周腐蚀产物成分谱图

117

表 5.12 1 号塑料容器中挂片 28 周腐蚀产物能谱分析结果

Element	Weight（%）	Atomic（%）
C	10.07	16.83
O	51.82	65.00
Mg	1.77	1.46
Ca	25.82	12.93
Fe	10.52	3.78

扫描电镜观察 1 号塑料容器中不同腐蚀阶段取出的挂片，图 5.35（a）可以看出 2 周时挂片表面整体基本未腐蚀，加工刀痕还在，未被腐蚀掉，但是表面粘有垢，即发白区域的物质，图 5.35（b）是金属表面附着的垢的 500 倍放大图，垢是水体中的矿物质附着在金属表面而形成的，主要由 $CaCO_3$ 和硅酸盐组成；图 5.37（a）可以看出挂片表面大部分加工刀痕还在，局部原来附着的垢脱落，露出腐蚀后表面，由图 5.37（b）可以看出腐蚀后表面的形貌，有小的沟壑；图 5.39（a）可以看出挂片表面有些地方形成了比较致密的腐蚀产物，腐蚀产物经过开裂、脱落就会露出腐蚀基体如图 5.39（b）所示，这一阶段挂片表面有些部位表现为比较致密氧化产物，有些部位的腐蚀产物开裂，有些部位开裂的腐蚀产物已经脱落露出金属基体，还有些部位附着垢；图 5.41（a）可以看出试片的这一区域分为 3 层，其中中间深颜色部位为附着的氧化腐蚀产物，以此为界上部较下部腐蚀轻微，图 5.41（b）是中间氧化层带的放大图，可以看出氧化层的微观形貌，小坑部位的腐蚀产物脱落，形成小坑；图 5.43（a）可以看出中间黑色区域是氧化层，两边发白区域是原来覆盖的氧化层脱落露出金属基体，与图 5.41（a）相似，但腐蚀程度较其严重，5.43（b）表现为中间为腐蚀后的金属基体，周围是氧化层；图 5.45（a）中凸起的是垢，黑色是氧化层，图 5.45（b）显示为氧化层外面附着一层垢，一般情况下氧化层沉积到一定厚度即脱落，这里没有脱落反而在外面附着垢，主要是由于容器是静置的。由图 5.36、图 5.38、图 5.40、图 5.42、图 5.44 的沉积物成分谱图及表 5.7 至表 5.11 可以看出，挂片表面的腐蚀产物主要成分为 $CaCO_3$ 和铁的氧化物，而由图 5.46 和表 5.12 可以看出，第 28 周取出的挂片表面腐蚀产物中有 MgO，可能是由于水中 Mg^{2+} 的沉积。

（2）失重法腐蚀速率分析。

采用失重法计算每个周期在 1 号塑料容器水溶液中取出的 2 个挂片的腐蚀速率，结果见表 5.13 及图 5.47，失重法计算腐蚀速率的公式为：

$$V = \frac{W_0 - W_t}{At} \tag{5-1}$$

式中 W_0——金属试件的始测重量，g；
W_t——金属试件消除腐蚀产物后的终测重量，g；
A——金属试件的表面积，m^2；
t——腐蚀进行的时间，h。

表 5.13 挂片在水中的腐蚀速率表

腐蚀周期（周）	挂片编号	腐蚀速率（$g·m^{-2}·a^{-1}$）	平均腐蚀速率（$g·m^{-2}·a^{-1}$）
2	0002	379.8980	373.8457
	0003	367.7934	
4	0005	469.7467	485.5342
	0006	501.3216	
8	0008	427.1524	440.6537
	0009	454.1550	
12	0011	399.6067	442.5936
	0012	485.5804	
20	0014	427.0128	486.4184
	0015	545.8240	
28	0017	644.7358	615.7713
	0018	586.8067	

2）挂片在盐酸溶液介质中腐蚀严重程度

（1）腐蚀形貌分析。

同样将每次按照 2 周、2 周、4 周、4 周、8 周、8 周、12 周、12 周、16 周的时间间隔在 2 号塑料容器中提取的 3 个试片，1 个用于电镜扫描与能谱分析。其中取出挂片时，2 号塑料容器的腐蚀溶液形态如图 5.47 所示，试片的宏观腐蚀形貌如图 5.48 所示，将挂片表面的腐蚀产物清洗掉，用无水酒精进行冲洗，冷风吹干，进行扫描电镜观察，试片的微观腐蚀形态如图 5.49、图 5.51、图 5.53、图 5.55、图 5.57、图 5.59 所示，相应的腐蚀产物能谱分析如图 5.50、图 5.52、图 5.54、图 5.56、图 5.58、图 5.60 所示，具体能谱成分检测结果见表 5.14 至表 5.19。现阶段到第 28 周。

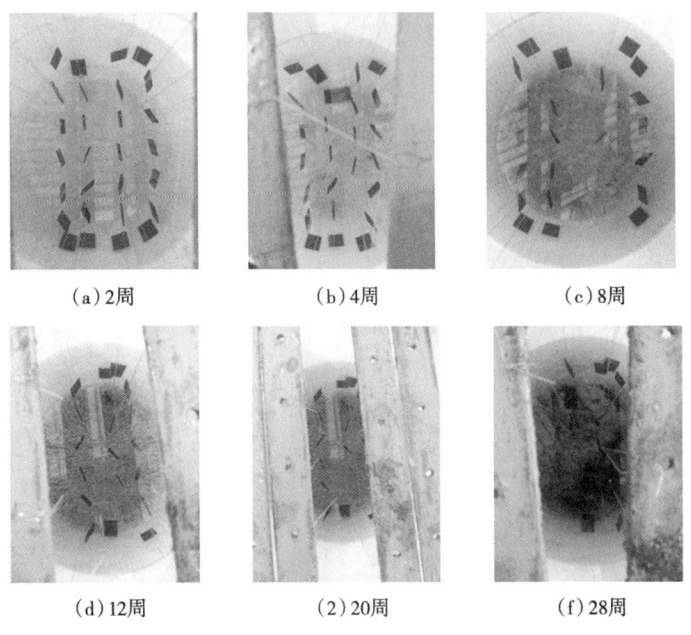

(a) 2周　　(b) 4周　　(c) 8周

(d) 12周　　(2) 20周　　(f) 28周

图 5.47　2 号塑料容器挂片取出时 2 号塑料容器整体腐蚀形态

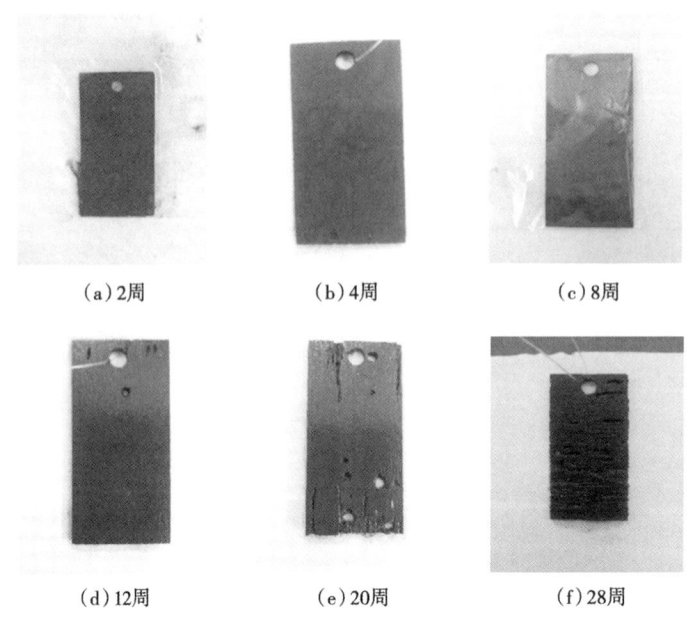

图 5.48 2 号塑料容器中挂片取出时宏观腐蚀形貌

从图 5.48 中可以看出，溶液的颜色逐渐加深，沉积的腐蚀产物逐渐增多，但增加幅度是变小的，是由于容器中的试片数量随着取出有所减少。溶液呈黄绿色，表明里面既有 Fe^{2+}，又有 Fe^{3+}，盐酸介质与挂片发生化学反应的 Fe 原子变成 Fe 离子融入介质中。

从图 5.48 中可以看出，2 号塑料容器盐酸介质中的挂片腐蚀宏观形貌与水介质中不同表现为黑色，为 Fe_3O_4 和析出的 C。随着腐蚀的进行，挂片表面腐蚀坑增多，后期甚至为穿孔，挂片的强度降低，有酥松趋势。

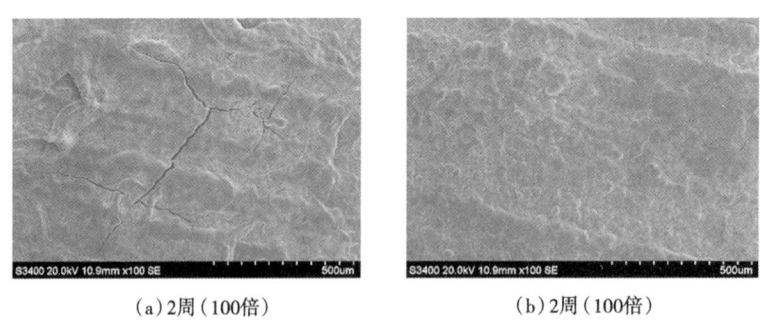

图 5.49 2 号塑料容器中挂片 2 周的微观形态

表 5.14 2 号塑料容器中挂片 2 周腐蚀产物能谱分析结果

Element	Weight (%)	Atomic (%)
C	4.66	9.64
O	43.23	67.10
Cl	0.35	0.24
Fe	51.75	23.01

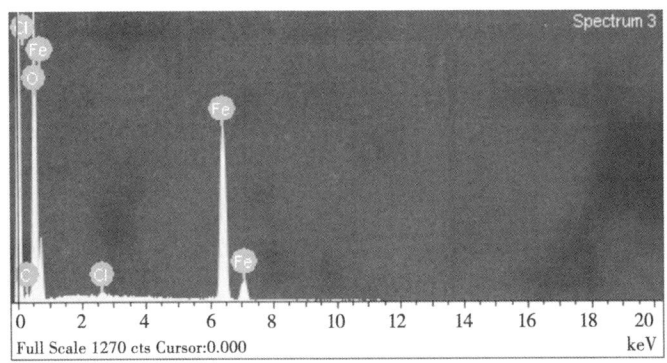

图 5.50 2号塑料容器中挂片 2周腐蚀产物成分谱图

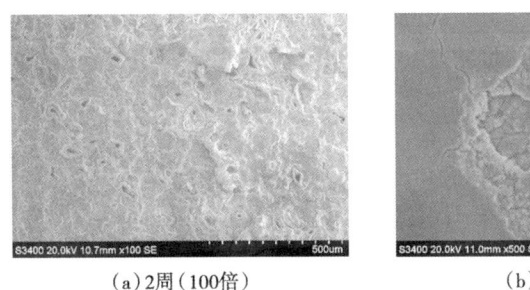 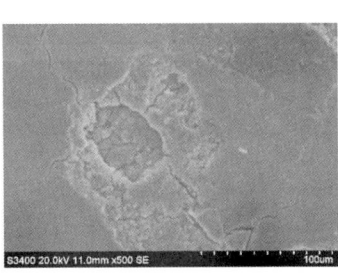

(a) 2周（100倍）　　　　　　(b) 2周（500倍）

图 5.51 2号塑料容器中挂片 4周的微观形态

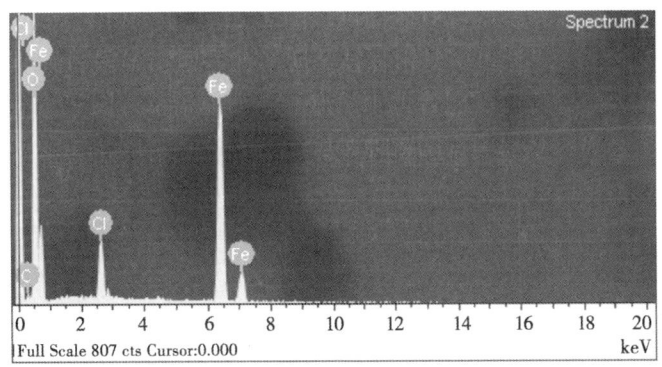

图 5.52 2号塑料容器中挂片 4周腐蚀产物成分谱图

表 5.15 2号塑料容器中挂片 4周腐蚀产物能谱分析结果

Element	Weight（%）	Atomic（%）
C	4.86	10.17
O	40.89	64.25
Cl	4.49	3.18
Fe	49.77	22.40

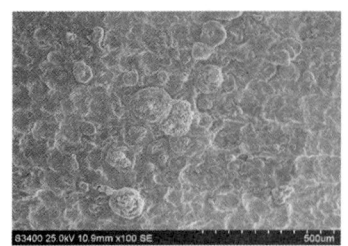 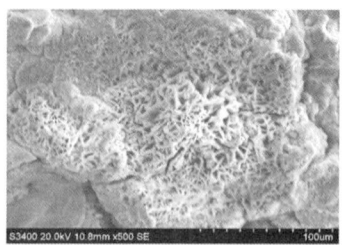

(a) 8周(100倍)　　　　　　　　(b) 8周(500倍)

图 5.53　1 号塑料容器中挂片 8 周的微观形态

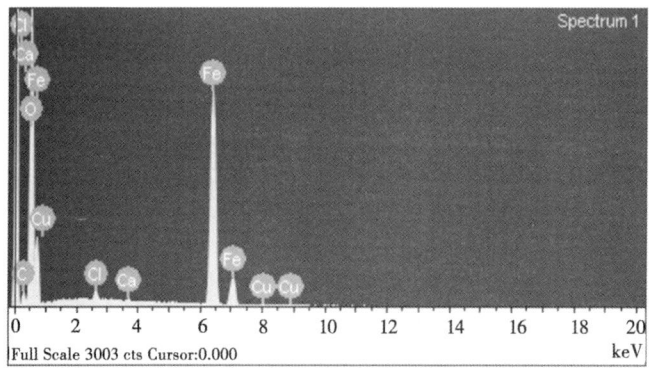

图 5.54　2 号塑料容器中挂片 8 周腐蚀产物成分谱图

表 5.16　2 号塑料容器中挂片 8 周腐蚀产物能谱分析结果

Element	Weight (%)	Atomic (%)
C	5.64	11.94
O	39.61	62.95
Cl	0.72	0.51
Ca	0.19	0.12
Fe	53.28	24.25
Cu	0.57	0.23

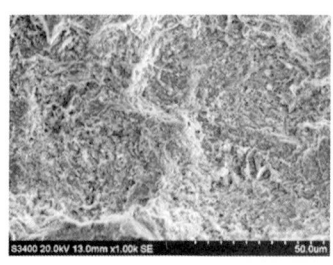 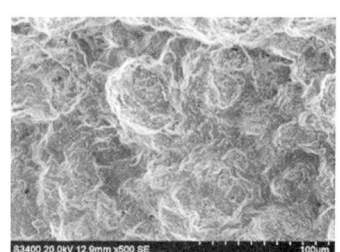

(a) 2周(100倍)　　　　　　　　(b) 2周(500倍)

图 5.55　2 号塑料容器中挂片 12 周的微观形态

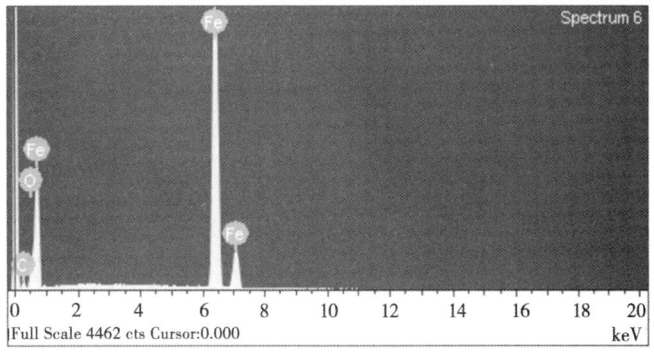

图 5.56 2 号塑料容器中挂片 12 周腐蚀产物成分谱图

表 5.17 2 号塑料容器中挂片 12 周腐蚀产物能谱分析结果

Element	Weight（%）	Atomic（%）
C	5.44	19.45
O	4.09	10.98
Fe	90.47	69.57

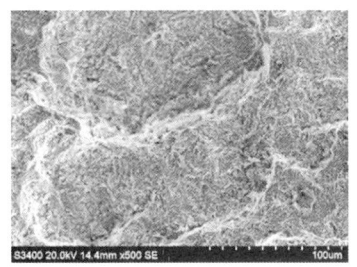

(a) 2周（500倍）   (b) 2周（100倍）

图 5.57 1 号塑料容器中挂片 20 周的微观形态

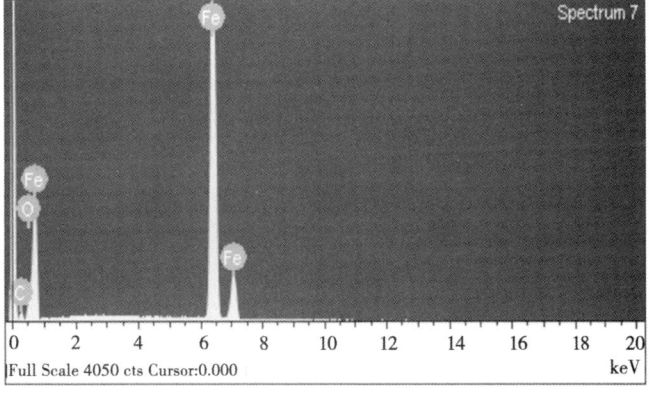

图 5.58 2 号塑料容器中挂片 20 周腐蚀产物成分谱图

表 5.18 2 号塑料容器中挂片 12 周腐蚀产物能谱分析结果

Element	Weight（%）	Atomic（%）
C	4.87	17.98
O	3.28	9.10
Fe	91.85	72.92

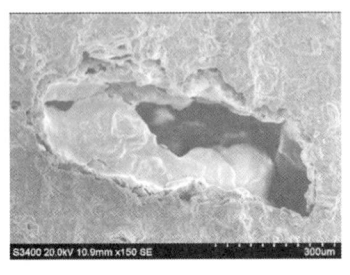 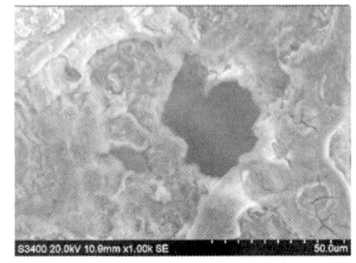

（a）2周（100倍）　　　　　　　　（b）2周（500倍）

图 5.59 1 号塑料容器中挂片 28 周的微观形态

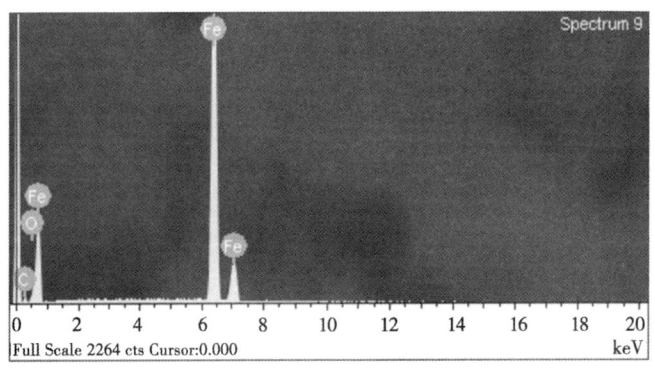

图 5.60 2 号塑料容器中挂片 28 周腐蚀产物成分谱图

表 5.19 2 号塑料容器中挂片 28 周腐蚀产物能谱分析结果

Element	Weight（%）	Atomic（%）
C	4.87	17.98
O	3.28	9.10
Fe	91.85	72.92

扫描电镜观察 2 号塑料容器中不同腐蚀阶段取出的挂片，图 5.49（a）可以看出 2 周时挂片表面整体已经发生腐蚀，已无明显加工刀痕，有细微裂纹，图 5.49（b）可以看出挂片表面已腐蚀不平；图 5.51（a）可以看出挂片表面大部分面积为均匀腐蚀，且表面附着腐蚀产物，图 5.51（b）显示挂片表面已有腐蚀坑；图 5.53（a）、（b）可以看出挂片表面留有腐蚀产物，实际上盐酸溶液中挂片大部分腐蚀产物很少，因为发生的是化学反应，腐蚀产物优先被腐蚀掉了；图 5.55（a）、（b）是腐蚀后的基体形貌，由于腐蚀产物已经溶解；图 5.57（a）、（b）可以看出腐蚀愈发严重，原本没有腐蚀坑的挂片表面，腐蚀沿着晶粒形成

的腐蚀坑扩大了；图5.59（a）、（b）可以看出挂片的腐蚀坑很深，甚至发生了腐蚀穿孔。由图5.50、图5.52、图5.54、图5.56、图5.58的沉积物成分谱图及表5.14至表5.19可以看出，挂片表面的腐蚀产物主要成分为铁的氧化物，而由图5.54和表5.16可以看出，第8周取出的挂片表面腐蚀产物中有Ca的化合物，可能是由于水中Ca^{2+}的沉积，表面含有Cu，可能是金属本身含有微少的Cu。

（2）失重法腐蚀速率分析。

由式（5-1）计算每个周期在2号塑料容器盐酸溶液中取出的2个挂片的腐蚀速率，结果见表5.20及图5.61。

表5.20 挂片在盐酸溶液中的腐蚀速率表

腐蚀周期（周）	挂片编号	腐蚀速率（$g \cdot m^{-2} \cdot a^{-1}$）	平均腐蚀速率（$g \cdot m^{-2} \cdot a^{-1}$）
2	0030	12104.5919	11880.1913
	0031	11655.7908	
4	0033	12771.7411	12692.1301
	0034	12612.5191	
8	0036	13415.3795	13679.0035
	0037	13942.6275	
12	0039	11497.1896	13261.8995
	0040	15026.6093	
20	0042	14312.7963	12387.3965
	0043	10461.9967	
28	0045	12688.5386	10987.8767
	0046	9287.2148	

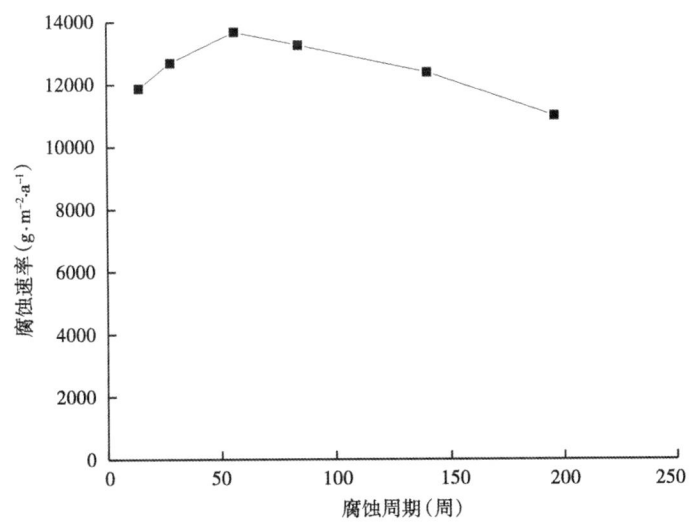

图5.61 2号塑料容器盐酸溶液中取出挂片腐蚀速率

3) 挂片在原油溶液介质中腐蚀严重程度

（1）腐蚀形貌分析。

同样将每次按照2周、2周、4周、4周、8周、8周、12周、12周、16周的时间间隔在3号塑料容器中提取的3个试片，1个用于电镜扫描与能谱分析。其中取出挂片时，3号塑料容器的腐蚀溶液形态如图5.62所示，试片的宏观腐蚀形貌如图5.63所示，将挂片表面的腐蚀产物清洗掉，用无水酒精进行冲洗，冷风吹干，进行扫描电镜观察，试片的微观腐蚀形态如图5.64、图5.66、图5.68、图5.70、图5.72、图5.74所示，相应的腐蚀产物能谱分析如图5.65、图5.67、图5.69、图5.71、图5.73、图5.75所示，具体能谱成分检测结果见表5.21至表5.26。现阶段到第28周。

图5.62　3号塑料容器挂片取出时3号塑料容器整体腐蚀

从图5.63中可以看出，3号塑料容器原油介质中的挂片腐蚀宏观形貌与水介质中相似，但腐蚀产物较挂片置于水中少很多，几乎很难发现腐蚀，为Fe_2O_3为主和析出的少量的C。随着腐蚀的进行，挂片表面腐蚀坑逐渐增多并趋于明显，肉眼可观察到腐蚀坑，挂片的强度降低，但仍很坚韧。

表5.21　3号塑料容器中挂片2周腐蚀产物能谱分析结果

Element	Weight（%）	Atomic（%）
C	3.97	9.08
O	39.42	61.68
Ca	0.60	0.41
Fe	60.90	26.79

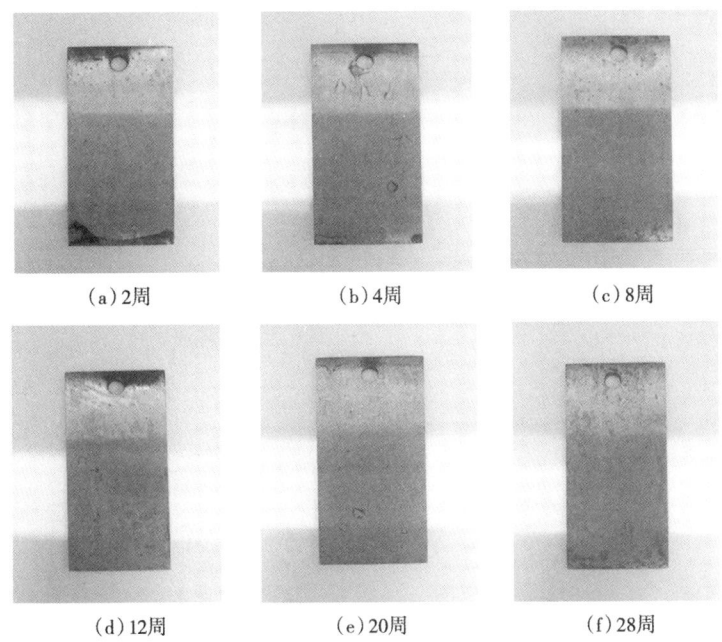

(a) 2周　　　　(b) 4周　　　　(c) 8周

(d) 12周　　　(e) 20周　　　(f) 28周

图 5.63　3 号塑料容器中挂片取出时宏观腐蚀形貌

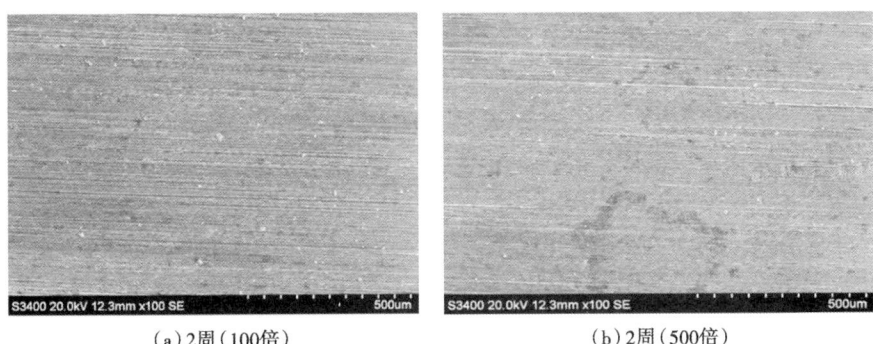

(a) 2周（100倍）　　　　(b) 2周（500倍）

图 5.64　3 号塑料容器中挂片 2 周的微观形态

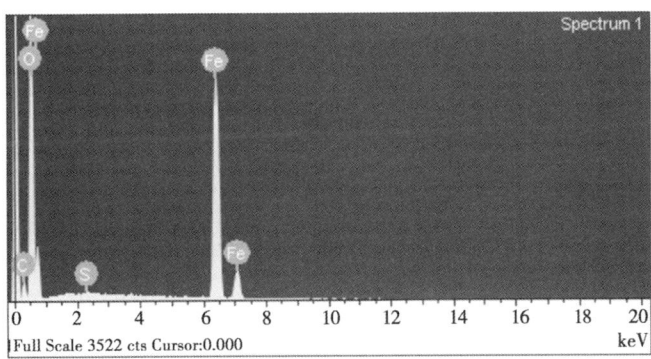

图 5.65　3 号塑料容器中挂片 2 周腐蚀产物成分谱图

（a）4周（100倍）　　　　　　　　（b）4周（500倍）

图 5.66　3 号塑料容器中挂片 4 周的微观形态

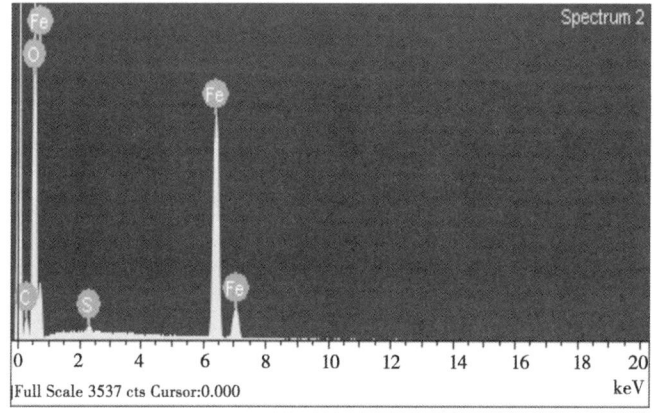

图 5.67　3 号塑料容器中挂片 4 周腐蚀产物成分谱图

表 5.22　3 号塑料容器中挂片 4 周腐蚀产物能谱分析结果

Element	Weight（%）	Atomic（%）
C	4.39	15.04
O	7.82	11.78
Fe	79.79	48.18

图 5.68　3 号塑料容器中挂片 8 周

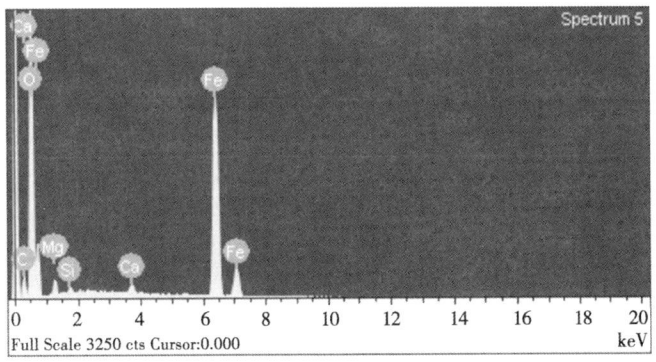

图 5.69　3 号塑料容器中挂片 8 周腐蚀产物成分谱图

表 5.23　3 号塑料容器中挂片 8 周腐蚀产物能谱分析结果

Element	Weight（%）	Atomic（%）
C	6.19	15.59
O	9.25	15.23
Fe	70.56	44.18

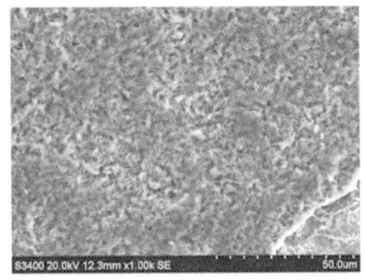
（a）12周（100倍）

（b）12周（500倍）

图 5.70　3 号塑料容器中挂片 12 周的微观形态

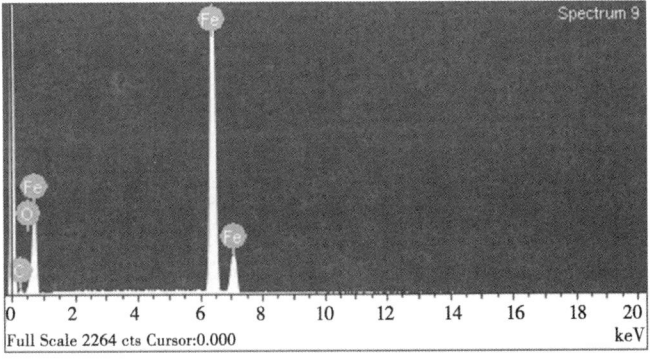

图 5.71　3 号塑料容器中挂片 12 周腐蚀产物成分谱图

表 5.24 3 号塑料容器中挂片 12 周腐蚀产物能谱分析结果

Element	Weight（%）	Atomic（%）
C	5.19	14.85
O	16.61	38.62
Fe	82.20	58.53

（a）12 周（100 倍）　　　　　　（b）12 周（500 倍）

图 5.72 1 号塑料容器中挂片 20 周的微观形态

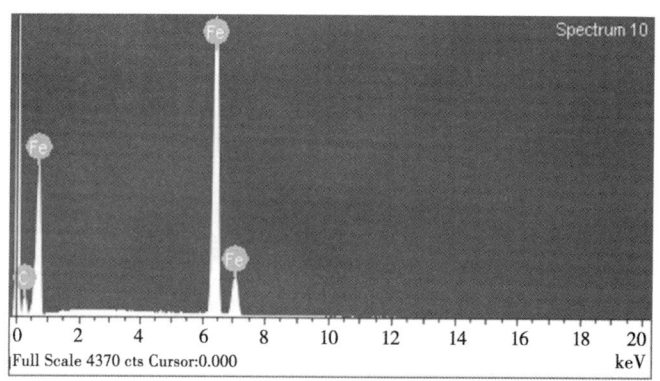

图 5.73 3 号塑料容器中挂片 20 周腐蚀产物成分谱图

表 5.25 3 号塑料容器中挂片 20 周腐蚀产物能谱分析结果

Element	Weight（%）	Atomic（%）
C	5.22	17.61
O	8.45	21.00
Fe	86.23	61.39

表 5.26 3 号塑料容器中挂片 28 周腐蚀产物能谱分析结果

Element	Weight（%）	Atomic（%）
C	6.32	19.61
O	14.65	22.30
Fe	90.23	68.39

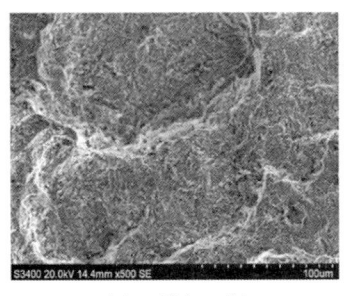 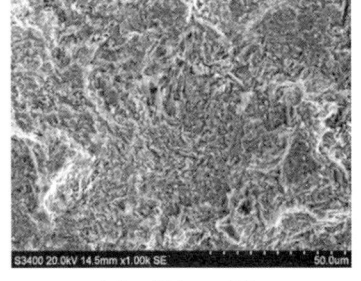

(a) 28周(100倍)　　　　　　　　　(b) 28周(1000倍)

图 5.74　3 号塑料容器中挂片 28 周的微观形态

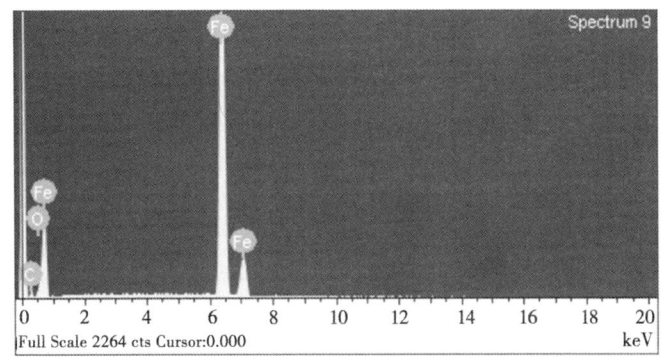

图 5.75　3 号塑料容器中挂片 28 周腐蚀产物成分谱图

扫描电镜观察 3 号塑料容器中不同腐蚀阶段取出的挂片，图 5.64（a）可以看出 2 周时挂片表面整体基本未腐蚀，加工刀痕还在，未被腐蚀掉，但是表面粘有垢，即发白区域的物质，图 5.64（b）是金属表面附着的垢的 500 倍放大图，垢是原油中所含水体中的矿物质附着在金属表面而形成的，主要由 $CaCO_3$ 和硅酸盐组成；图 5.66（a）可以看出挂片表面大部分加工刀痕还在，局部原来附着的垢脱落，露出已经腐蚀的表面，由图 5.66（b）可以看出腐蚀后表面的形貌，有小的腐蚀坑；图 5.68（a）可以看出挂片表面有些地方形成了比较致密的腐蚀坑，局部腐蚀产物脱落露出腐蚀基体如图 5.68（b），这一阶段挂片表面有些部位表现为比较致密氧化产物，有些部位的腐蚀产物已经脱落露出金属基体，还有些部位附着垢；图 5.70（a）可以看出试片的这一区域分为 2 层，其中间颜色较深的部位为附着的氧化腐蚀产物，以此为界上部较下部腐蚀轻微，图 5.70（b）是中间氧化层带的放大图，可以看出氧化层的微观形貌，小坑部位的腐蚀产物脱落，形成小坑；图 5.72（a）可以看出中间黑色区域是氧化层，两边发白区域是原来覆盖的氧化层脱落露出金属基体，与图 5.70（a）相似，但腐蚀程度较其严重，图 5.72（b）表现为中间为腐蚀后的金属基体，周围是氧化层；图 5.74（a）中微凸起的是垢，黑色是氧化层，图 5.74（b）显示为氧化层外面附着一层垢，一般情况下氧化层沉积到一定厚度即脱落，这里没有脱落反而在外面附着垢，主要是由于容器是静置的。由图 5.65、图 5.67、图 5.69、图 5.71、图 5.73、图 5.75 的沉积物成分谱图及表 5.21 至表 5.26 可以看出，挂片表面的腐蚀产物主要成分为 $CaCO_3$ 和铁的氧化物。

（2）失重法腐蚀速率分析。

由式（5-1）计算每个周期在 3 号塑料容器盐酸溶液中取出的 2 个挂片的腐蚀速率，结果见表 5.27 及图 5.76。

表 5.27 挂片在盐酸溶液中的腐蚀速率表

腐蚀周期（周）	挂片编号	腐蚀速率（g·m^{-2}·a^{-1}）	平均腐蚀速率（g·m^{-2}·a^{-1}）
2	0047	9104.5919	11880.1913
	0048	10655.7908	
4	0049	8771.7411	12692.1301
	0050	11612.5191	
8	0051	10415.3795	13679.0035
	0052	10942.6275	
12	0053	11497.1896	13261.8995
	0054	12026.6093	
20	0055	11312.7963	12387.3965
	0056	10461.9967	
28	0057	11688.5386	10987.8767
	0058	8287.2148	

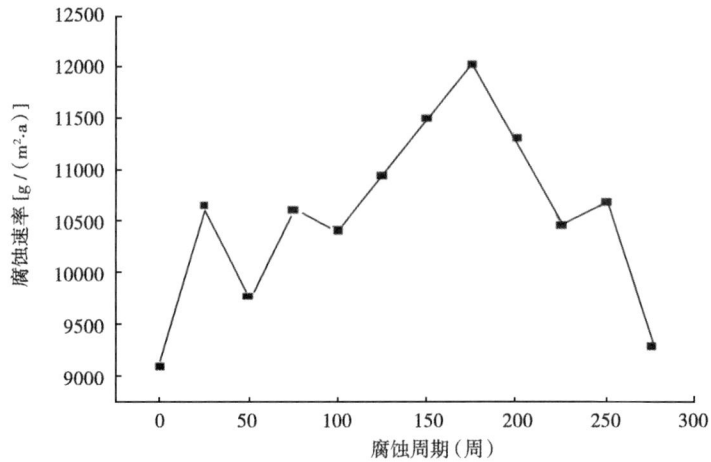

图 5.76 3 号塑料容器盐酸溶液中取出挂片腐蚀速率

第 6 章　不同地区模拟储罐底板腐蚀声发射检测

位于不同地区原油储罐的声发射特性分析及评价方法研究，针对中国幅员辽阔，不同地区表现出不同的气候特征，储罐表现的腐蚀特征、腐蚀程度也会有所不同，采用实验室研究和现场试验相结合的方法，模拟不同地区储罐的运行环境，并进行声发射长期监测实验研究，以获得位于不同地区储罐底板腐蚀特性及声发射信号特性；通过声发射设备监测腐蚀实验的进程，分析声发射信号与腐蚀的关系，为以后进一步探究声发射对腐蚀的检测奠定基础。对如何提前有效地检测到这些腐蚀对生产设备的安全运行有着重大意义。

6.1　声发射检测过程

用声发射监测系统，对两组实验进行声发射监测实验，第一组实验：配制 pH=2、pH=7 含水量为 30%，浓度为 0.1mol/L 的稀盐酸溶液和水溶液，将 pH=2 稀盐酸溶液置于 5 号储罐罐底板中心，将 pH=7 的水溶液置于 6 号储罐罐底板中心。

第二组试验：配置 pH=1、pH=7 含水量为 30%，浓度为 0.1mol/L 的稀盐酸和氯化钠溶液。将 pH=1 的稀盐酸置于距离 4 号罐底中心 3cm 处，将 pH=7 的氯化钠溶液置于距离 5 号罐底中心 3cm 处，并运用声发射技术对其进行监测，传感器布置如图 6.1 所示，中性氯化钠如图 6.2 所示。

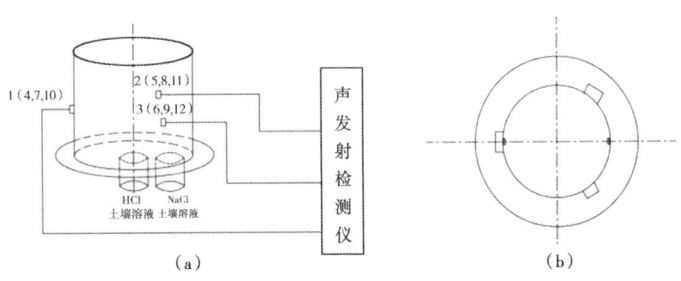

图 6.1　声发射监测系统

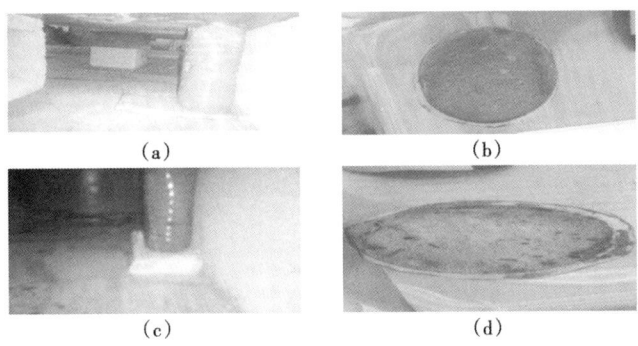

图 6.2　介质为中性氯化钠

6.2 声发射结果研究

6.2.1 土壤对储罐底板腐蚀的影响

1) 腐蚀强度历程分析

如图6.3所示为pH=2的稀盐酸土壤溶液和pH=7的水土壤溶液经过15d的声发射监测得到的腐蚀历程图,其中横坐标是时间,纵坐标是每天信号撞击的总数。从图中可以看出在初始腐蚀期两个储罐底板的撞击数均较多,初期撞击数呈指数上升趋势,随着时间的推进逐渐趋于平缓,在腐蚀后期撞击数减少呈指数下降趋势。两种土壤溶液均经历了初始腐蚀期、快速腐蚀期、稳定腐蚀期,但pH=2的稀盐酸溶液对底板的腐蚀更严重,从图中可以直观地看出土壤介质为稀盐酸的5号储罐底板的撞击数明显高于土壤介质为水的6号储罐底板。

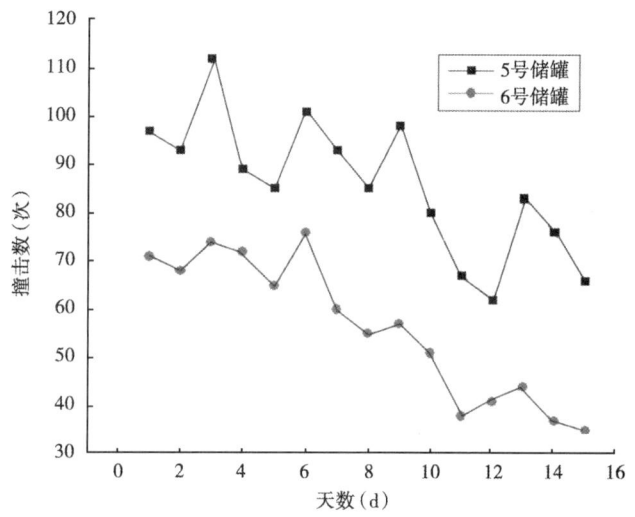

图6.3 5号(pH=2稀盐酸溶液)和6号(pH=7水溶液)储罐底板腐蚀历程

根据材料腐蚀机理,这是因为铁与溶液与防腐层之间彼此化学电位不同形成原电池结构,在pH=1的稀盐酸溶液中含有较多的氢离子,处于这种腐蚀液中的金属产生析氢反应,其主要过程包括水化氢离子的迁徙、对流、扩散并在电极表面脱水,吸附在原电池电极的负极;并且在原电池负极获得电子,从而形成氢原子;氢原子相互结合成对或者氢原子与氢离子及电子直接结合,形成氢气分子,完成一个周期的析氢腐蚀。

具体可以用式:阳极反应: $2Fe \longrightarrow 2Fe^{2+} + 4e$ (6-1)

酸性溶液中,阴极反应: $2H^+ + 2e \longrightarrow H_2 \uparrow$ (6-2)

总反应: $Fe + 2H^+ \longrightarrow Fe^{2+} + H_2 \uparrow$ (6-3)

在中性的pH=7的水溶液中,发生吸氧腐蚀,析氧腐蚀过程主要包括:氧溶解于腐蚀液,进入析氧腐蚀体系;氧以浓度梯度的方式向电化学腐蚀中的阴极运动吸附在阴极;氧在阴极表面发生还原反应,公式为:

在中性溶液中,阴极反应: $O_2 + 2H_2O + O_2 \longrightarrow 4OH^-$ (6-4)

总反应: $2Fe + 2H_2O + O_2 \longrightarrow 2Fe(OH)_2 \downarrow$ (6-5)

即在腐蚀进行时,铁生成 Fe(OH)₂ 沉淀从溶液中溢出来,但是这种亚铁类化合物是不稳定的,会将继续氧化生成 Fe(OH)₃。Fe(OH)₃ 脱水,生成 FeOOH(水合氧化铁,俗称铁黄)。基于以上分析水这种腐蚀介质的腐蚀原理是吸氧腐蚀,而酸这种腐蚀介质的腐蚀原理是属于析氢腐蚀,并且水和酸这两种腐蚀介质的腐蚀程度也有所不同,析氢腐蚀比吸氧腐蚀的腐蚀程度要大。

2) 幅值分析

对两个储罐底板进行 15d 的声发射监测。稳定腐蚀信号可以分为两部分:一个区域为 30~45dB 区域,该区域信号幅值较低,信号连续产生,为腐蚀的基础信号;另一区域为 45~55dB,该区域信号幅值较高,分布相对较为离散,表示腐蚀层的松动、破裂、剥离等过程。

试验如图 6.4 至图 6.6 所示,比较分析两种酸碱度不同的土壤溶液对储罐底板腐蚀的影响,试验选择 5 号和 6 号储罐具有代表性的初始腐蚀期、快速腐蚀期和稳定腐蚀期进行幅值比较,因此对腐蚀第 1 天(初始腐蚀期)、腐蚀第 6 天(快速腐蚀期)、腐蚀第 15 天(稳定腐蚀期)的幅值参数进行比较,区分不同地区酸碱度不同的土壤对储罐底板腐蚀的影响。

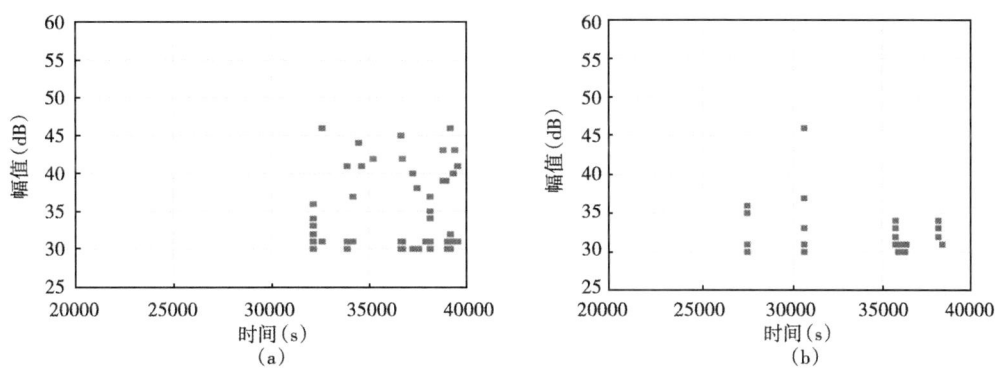

图 6.4 5 号储罐(pH=2 的盐酸溶液)和 6 号储罐(pH=7 的氯化钠溶液)监测第 1 天的幅值历程图

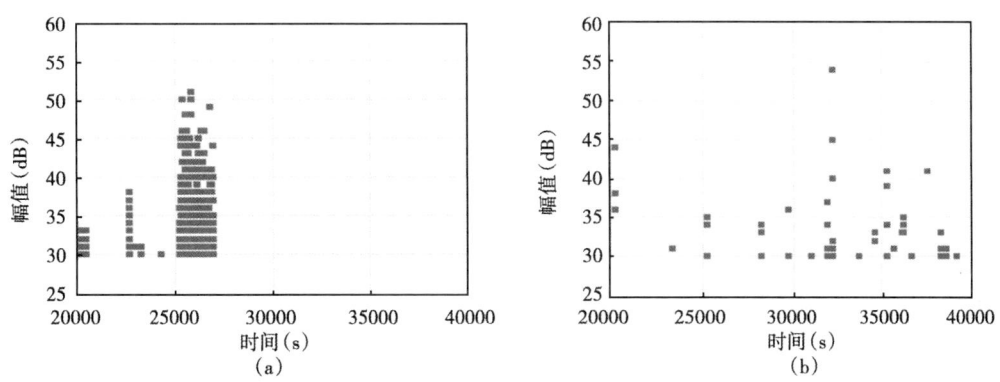

图 6.5 5 号储罐和 6 号储罐监测第 6 天的幅值历程图

从第一组试验第 1 天的幅值历程图可以看出两个储罐的幅值信号都较低,信号连续产生,但初始腐蚀期 5 号罐的腐蚀信号较 6 号罐多且密集,说明在初始腐蚀期 5 号储罐较 6 号储罐腐蚀活性高。试验第 6 天的幅值历程图可以看出,在快速腐蚀期 5 号和 6 号储罐底板信号量急剧增多,信号幅值较初始腐蚀期明显增高,一部分信号分布在 45~55dB,说明底板

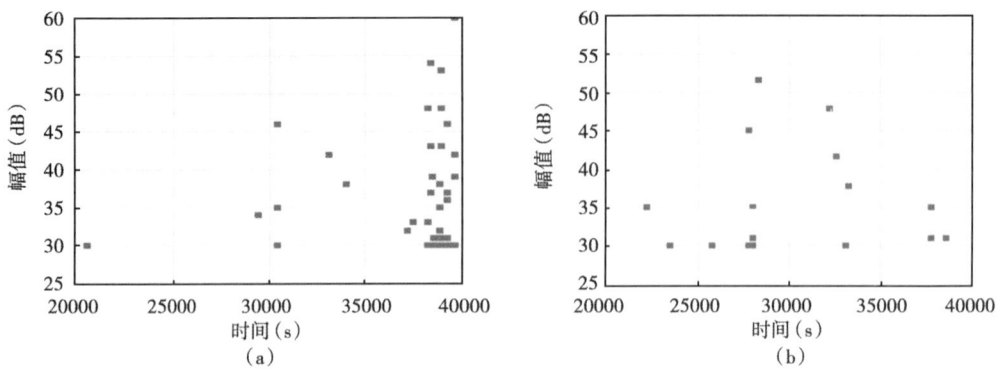

图 6.6　5 号储罐和 6 号储罐监测第 15 天的幅值历程图

发生了剧烈的腐蚀反应，但 5 号储罐底板的信号量较 6 号储罐底板的信号量多且密，幅值也较 6 号储罐底板的幅值信号高，说明 5 号储罐底板的腐蚀严重程度高于 6 号储罐底板。试验进行到第 15 天的幅值历程图可以看出，监测进行到第 15 天，储罐底板处于稳定腐蚀阶段，声发射信号明显减少，幅值较初始腐蚀期和稳定腐蚀期明显增高，信号主要集中在 45～55dB 这个区间，这一阶段主要表现的是腐蚀层的松动、破裂、剥离等过程。

3）关联分析

对第一组试验的两个不同地区土壤的腐蚀信号进行幅值与能量相关特性分析。从信号—能量关联图得出稳定腐蚀信号明显分为两类，以幅值进行划分，A 类为 15～35dB，B 类为 35～65dB。

如图 6.7 所示，从第一组试验第 1 天的能量—幅值相关图可以看出 5 号和 6 号储罐在初始腐蚀期，腐蚀信号都主要集中在幅值为 15～35dB 区间内的 A 类信号，5 号储罐一部分信号能量高于 6 号储罐，但幅值明显高于 6 号储罐的幅值。A 类信号幅值相对较小分布于低幅值区间但其能量较高，这是由于 A 类信号对应的是稳定腐蚀的基础信号，此阶段为腐蚀的孕育过程，包括电化学反应的进行，腐蚀产物的堆积，液体渗入腐蚀层等，整个过程相对稳定，没有剧烈的信号发生。

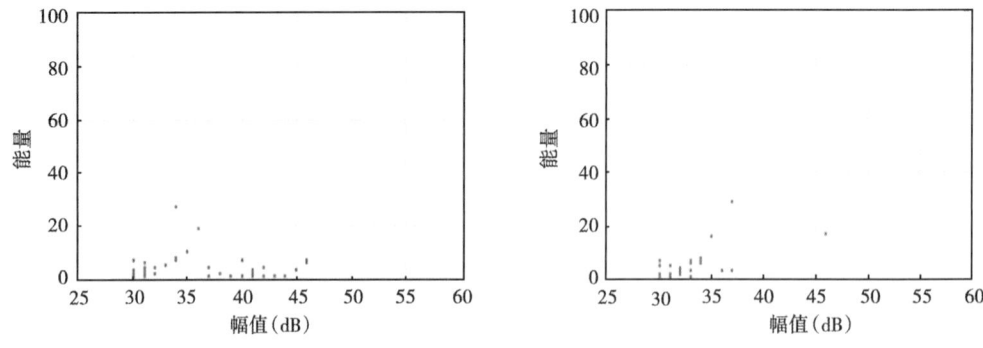

图 6.7　5 号和 6 号储罐监测第 1 天能量—幅值相关图

如图 6.8 为第 6 天的能量—幅值相关图，在快速腐蚀期 5 号和 6 号储罐底板能量—幅值相关图均呈现弧形递增分布，随着幅值的增加，腐蚀信号的能量也随之增加。除了能量较低的 A 类信号外还有大量能量较高的 B 类信号分布，B 类信号主要分布于高幅值区域对应腐蚀产物松动、气泡的破裂等腐蚀信号的能量释放过程，但其信号总数量远小于低幅值区。但无论从信号数量还是能量、幅值等相关参数 5 号储罐底板均高于 6 号储罐底板，说明在强酸环境下的土壤对底板的腐蚀破坏要明显强于水溶液土壤的中性环境。

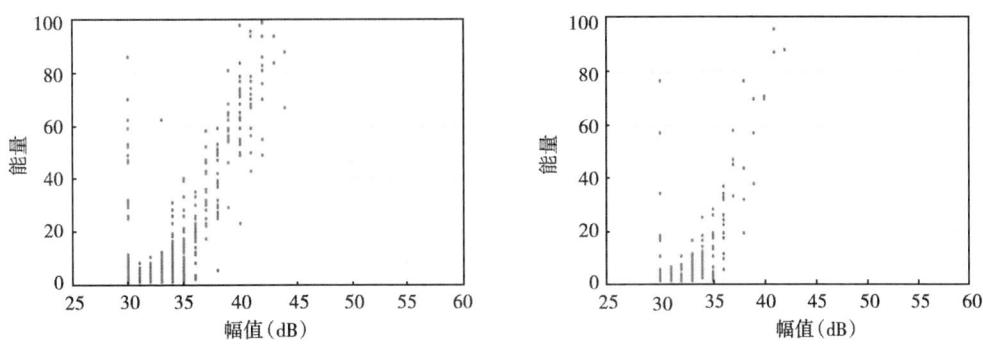

图 6.8　5 号和 6 号储罐监测第 6 天能量—幅值相关图

图 6.9 为第 15 天的能量—幅值相关图，从图中可以看出信号量较初始腐蚀期和快速腐蚀期信号数量明显减少零星分布在关联图中，腐蚀处于稳定阶段，一部分为 A 类信号、一部分为 B 类信号。但信号 5 号储罐底板的能量及幅值均高于 6 号储罐底板。

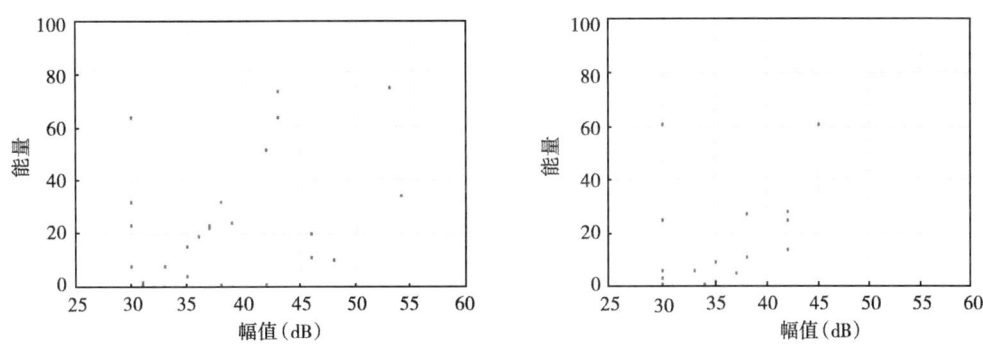

图 6.9　5 号和 6 号储罐监测第 6 天能量—幅值相关图

6.2.2　土壤溶液对储罐底板腐蚀的影响

1) 腐蚀强度历程分析

如图 6.10 为 pH=1 的稀盐酸土壤溶液和 pH=7 的氯化钠土壤溶液经过 15d 的声发射监测得到的腐蚀历程图，其中横坐标是时间，纵坐标是每天信号撞击的总数。

第二组试验稀盐酸的 pH 值由 2 变为 1 使土壤的酸性变得更强，由 pH=7 的中性水溶液变为同样是 pH=7 的氯化钠溶液，但两种土壤溶液对底板的腐蚀同样经历初始腐蚀期、快速腐蚀期、稳定腐蚀期。在初始腐蚀期撞击数较多随着时间的推进撞击增加到达高点后，腐蚀趋于平缓、撞击数逐渐减少，但在整个腐蚀过程中 pH=1 的强酸性土壤溶液对底板的腐蚀强度要远高于 pH=7 的中性氯化钠溶液。

在腐蚀过程中经历的电化学反应主要是针对酸性土壤的析氢腐蚀和中性盐溶液的析氧腐

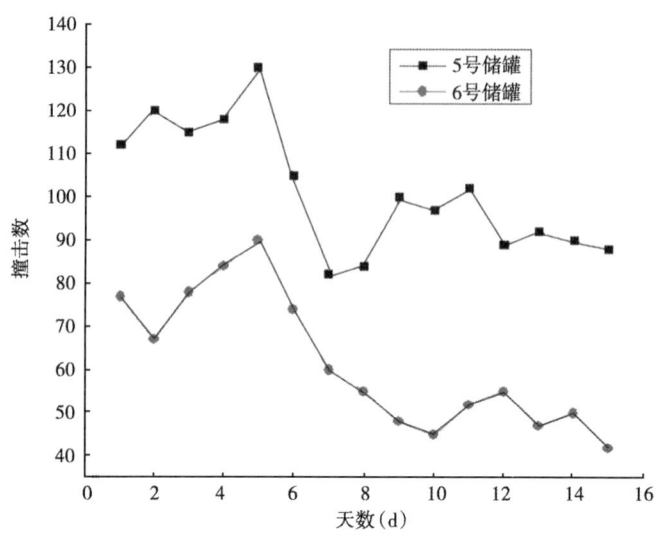

图 6.10 4号储罐（pH=1的稀盐酸溶液）和5号储罐（pH=7的氯化钠溶液）

蚀。中性氯化钠的析氧腐蚀的原因是因为氯化钠溶液中溶有大量的 Cl^-，其具有较强的侵蚀性，Cl^- 会第一时间吸附到金属的钝化膜上，而把 O^{2-} 排挤掉，随后便结合钝化膜中的阳离子形成可溶物，露出新一层的底金属，继而生成较小的腐蚀坑。这些小腐蚀坑被称为孔蚀核。在一般情况下，蚀核将会继续长大，形成肉眼可见的孔蚀，蚀孔可以继续发展延伸，因为其蚀孔内表面处于活性状态，电位为负；而蚀孔之外的金属表面暂处于钝性状态，电位为正。因此，蚀孔内和蚀孔外迂回构成一个活性状态——腐蚀钝态微电偶电池。此种电池具有小阳极、大阴极的特殊面积比结构，电流密度阳极较阴极大，因此孔蚀的速度加快。由于罐底表面的腐蚀防护层已经隔断，孔内的介质相对于孔外介质呈滞留状态，先前溶解的金属阳离子很难再往外扩散，与此同时外面已溶解的氧也不容易扩散进来。由于孔内的阳离子浓度增加，进入的氯离子以保持电中性，这些孔内形成了溶质为金属氯化物的浓溶液，此种浓溶液会维持孔内的金属表面的活性状态，又因为氯化物的水解，导致孔内介质的酸性增加，进而会增快阳极溶解的速度，再加上介质重力对其的影响，孔蚀因此会进一步向深处发展最终引起穿孔。

2）幅值分析

第二组试验如图 6.11 至图 6.13 所示，比较分析 pH=1 的强酸溶液土壤和 pH=7 的中性氯化钠溶液对储罐底板腐蚀的影响。从第 1 天的幅值历程图可以看出，在初始腐蚀期强酸土壤溶液的 5 号储罐底板信号较中性盐溶液 6 号储罐底板的声发射信号多幅值也较高，随着腐蚀反应的进行，如图所示在第 5 天的快速腐蚀期可以看出，两种土壤溶液均加剧了储罐底板的腐蚀，信号量增多幅值升高，但 5 号储罐底板较 6 号储罐底板的声发射信号量多且密集，6 号储罐底板声发射信号较疏散呈零星分布状态。从图第 15 天腐蚀稳定阶段的幅值历程图看出，随着腐蚀反应进行到尾声阶段，腐蚀基本趋于平缓声发射信号，很少呈松散分布状态。

3）关联分析

第二组试验对 pH=1 的盐酸土壤溶液和 pH=7 的氯化钠土壤溶液进行幅值与能量相关特性分析。从图 6.14 第一天的能量—幅值关联图可以看出在初始腐蚀期 5 号储罐底板对应

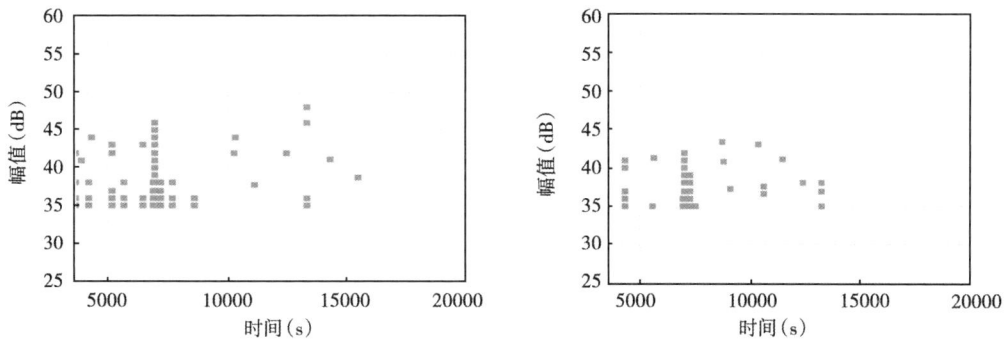

图6.11 5号储罐（pH=1的盐酸溶液）和6号储罐（pH=7的氯化钠溶液）监测第1天的幅值历程图

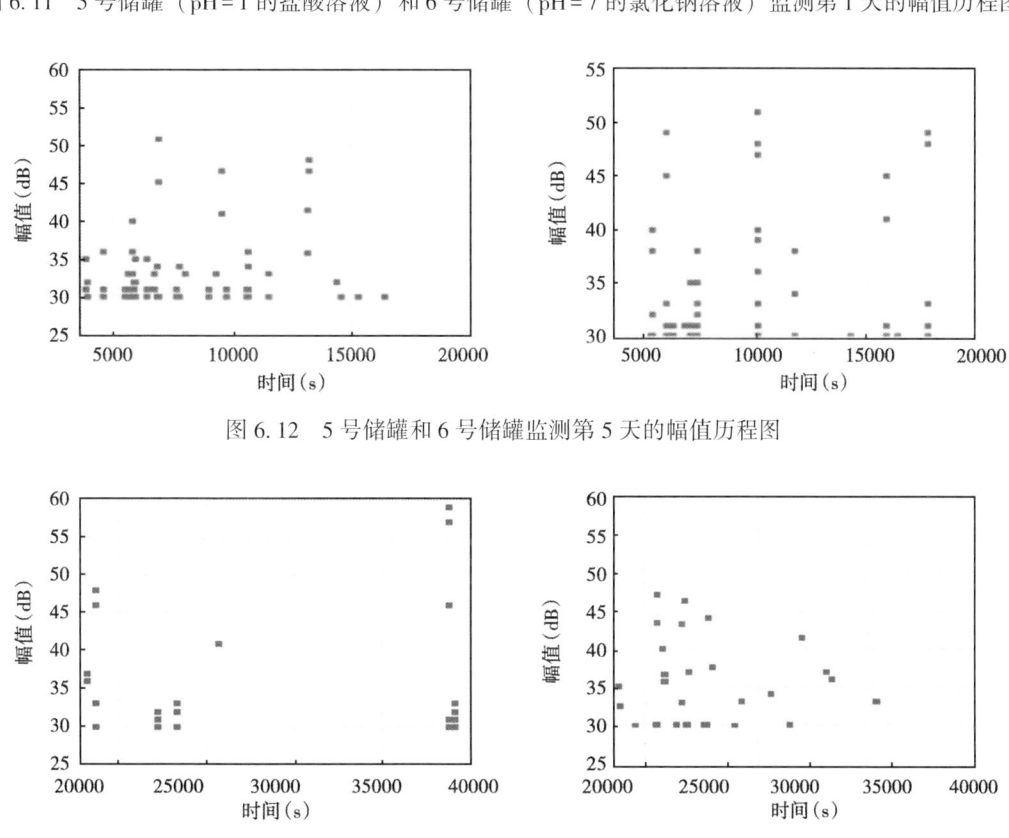

图6.12 5号储罐和6号储罐监测第5天的幅值历程图

图6.13 5号储罐和6号储罐监测第15天的幅值历程图

的盐酸土壤溶液的能量和幅值均高于6号储罐底板的氯化钠土壤溶液，随着反应的进行如图6.15快速腐蚀阶段，随着反应的推进反应进行到快速腐蚀期，这个阶段可以明显看出，两种土壤溶液的能量信号相差不多，均含A类和B类腐蚀信号，但酸性土壤溶液的幅值明显高于中性的盐类土壤溶液，说明酸性溶液的腐蚀强度要高于中性盐类土壤溶液。如图6.16腐蚀反应进行到最后阶段，处于腐蚀稳定阶段，两种土壤溶液对应的能量—幅值信号均降低，减少主要是少量的A类信号，只有酸性土壤溶液存在一定的B类信号。从三个阶段的关联图可以得出，pH=1的盐酸溶液对底板的腐蚀性要高于pH=7的中性盐溶液。

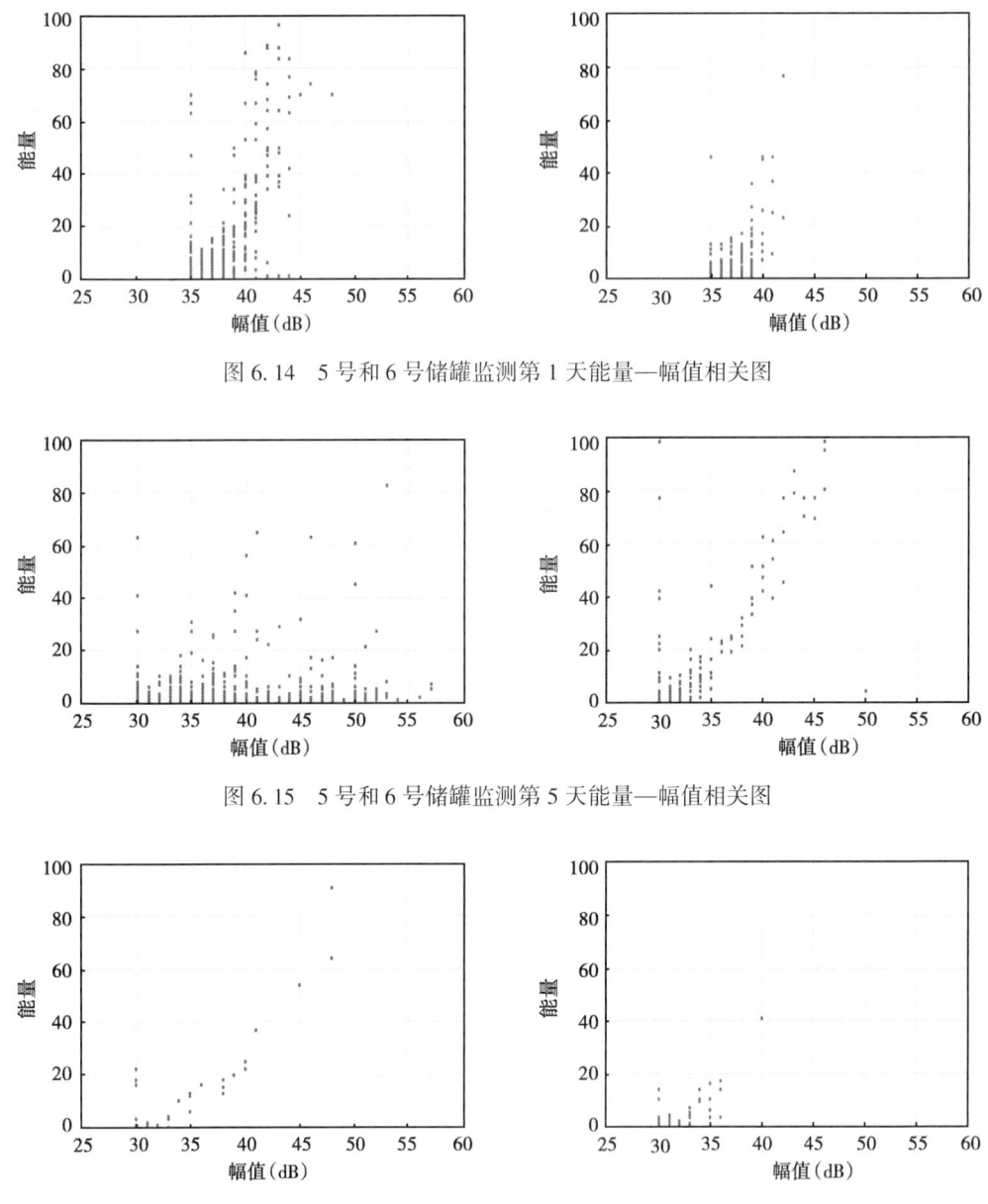

图 6.14 5 号和 6 号储罐监测第 1 天能量—幅值相关图

图 6.15 5 号和 6 号储罐监测第 5 天能量—幅值相关图

图 6.16 5 号和 6 号储罐监测第 15 天能量—幅值相关图

6.2.3 声发射监测对比

对比两个实验可以发现彼此之间有许多的不同之处，也有许多相同之处。

相同点：

（1）两组实验的腐蚀历程相同，都经过初始腐蚀期、快速腐蚀期、稳定腐蚀期。第一组实验的 pH=2 的盐酸和第二组实验的 pH=1 的盐酸均与储罐底板发生析氢腐蚀，第一组实验的 pH=7 的水溶液和第二组实验的 pH=7 的氯化钠溶液均发生吸氧腐蚀。

（2）两种 pH 值不同的酸性土壤溶液对储罐底板的腐蚀程度均高于 pH 为 7 的中性水溶

液土壤和氯化钠溶液土壤，酸性土壤溶液对储罐底板腐蚀所产生的声发射信号均较中性土壤溶液对储罐底板产生的声发射信号量要多且幅值高，能量大。

不同点：

（1）两组实验腐蚀介质的不同，导致腐蚀产生的声发射信号强度不同，从以上的腐蚀历程图可以看出在腐蚀过程中，介质为水和氯化钠盐溶液的储罐底板腐蚀产生的声发射信号比介质为盐酸的储罐底板产生的腐蚀声发射信号要少很多。但同为中性介质，氯化钠盐溶液的腐蚀性要强于水，这是因为氯化钠中含有大量的 Cl^-，其具有较强的侵蚀性，Cl^- 会第一时间吸附到金属的钝化膜上，而把 O^{2-} 排挤掉，随后便结合钝化膜中的阳离子形成可溶物，露出新一层的底金属，继续金属发生腐蚀，继而生成较小的腐蚀坑。由于介质不同，酸在储罐中既能与储罐底板发生化学反应生成氢气泡也可以与底板发生电化学反应，所以产生的信号比较多，包括氢气泡的破裂、氢气泡脱离金属表面、腐蚀物的脱落、钝化膜的破裂等。

（2）两组实验声发射信号的特征参数不同。根据以上的关联图可以看出介质为水的储罐底板声发射实验信号的特征参数，幅值一般在 35~60dB 之间，能量在 0~100 之间；而介质为酸的储罐底板声发射实验信号的特征参数，幅值一般在 40~60dB 之间，能量在 0~100 之间。介质为氯化钠的储罐底板声发射实验信号的特征参数幅值一般在 30~65dB 之间，能量在 0~100 之间。但同为盐酸介质 pH＝1 的盐酸要比 pH＝2 的盐酸对底板的腐蚀性要强，这是因为 pH 值越低其酸性越强，所含 H^+ 和 Cl^- 浓度越高对底板的腐蚀性越强。

（3）移开腐蚀源，查看储罐底板发现土壤溶液中介质不同导致腐蚀产物不同，介质为水的土壤溶液产生的腐蚀产物为褐色，说明腐蚀产物里 Fe^{3+} 居多；而介质为盐酸的储罐底板产生的腐蚀产物为黑色。

第7章 不同工况下模拟储罐底板动态腐蚀

常压立式储罐底板的特殊运行环境决定了其难以检测的特点,声发射定期监测技术成为目前国际上主要采用的无损检测方法,以往的储罐底板腐蚀声发射规律的探究试验也仅仅是对静态腐蚀进行监测。然而在实际生产过程中,储罐会经历检修清罐、进出料等工况的变化,这些将改变储罐底板的腐蚀状态,相应的声发射信号规律尚不清楚。储罐底板的腐蚀过程是缓慢的、动态的、非均匀变化的过程,定期监测结果很难准确地反映储罐底板真实的腐蚀状态。因此进行不同工况模拟储罐底板腐蚀声发射监测实验,探究工况变化对底板腐蚀的影响。

7.1 声发射模拟系统

模拟储罐如图7.1所示,实验采用美国PAC生产的第三代全数字化SAMOS系统,选用传感器为R3α型传感器,采用2/4/6前置放大器,滤波范围为1~1200kHz,35dB增益,耦合剂为真空脂。模拟储罐材料为Q235碳素结构钢,尺寸为$\phi 600mm \times 700mm \times 4mm$,用砂纸对罐底进行除锈处理,在罐的内壁及外壁上均匀涂上防腐漆。

图7.1 模拟储罐图

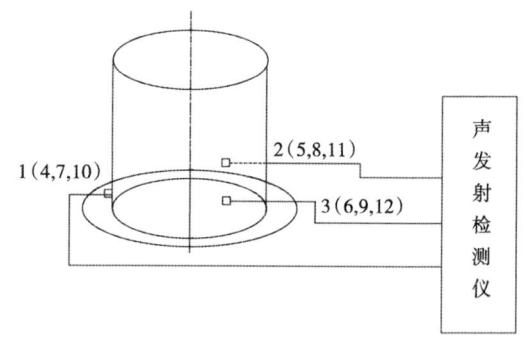

图7.2 声发射检测传感器布置方案

7.2 声发射系统参数设置

依据本书实验所采用的材料及结构尺寸,选择如表7.1所示声发射系统参数设置。

表7.1 声发射系统参数设置

门槛 (dB)	采样率 (K/s)	撞击峰值鉴别时间 PDT（μs）	撞击定义时间 HDT（μs）	撞击闭锁时间 HLT（μs）
35	1024	300	600	600

7.3 不同工况罐底板声发射

在实验室环境下,对 4 个模拟储罐进行不同工况的声发射监测试验研究,储罐编号分别为 1 号、2 号、3 号、4 号,试验共监测 29d 每天进行 6h 试验数据采样。传感器布置如图 7.2 所示,在距离 4 个罐底 60mm 的罐壁周围顺时针等距离布置 3 个传感器,使声发射信号能有效地被传感器接收到,其中 1 号储罐(传感器编号为 1、2、3),3 号储罐(传感器编号为 7、8、9),4 号储罐(传感器编号为 7、8、9)均为新罐,2 号储罐(传感器编号为 4、5、6)为有使用历史储罐,进行过清罐除锈处理,罐内介质均为清水,液位高度均为 60%,介质稳定后进行声发射监测实验。第一组试验为对 1 号储罐和 2 号储罐进行声发射监测,比较分析清罐处理对底板腐蚀的影响;第二组试验为对 3 号储罐进行声发射监测,待声发射信号表现为稳定状态,对罐内介质进行扰动操作,分析注液操作对底板腐蚀声发射信号规律的影响;第三组试验是对 4 号储罐进行声发射监测,待声发射信号表现为稳定状态,对其进行局部底板破坏改变其原有工况,分析注液局部冲刷底板工况变化对底板腐蚀声发射信号规律的影响。

7.4 声发射监测动态腐蚀

本书通过对不同工况下的声发射数据进行统计分析,从而判断出选择哪几个传感器进行声发射数据分析。从图 7.3 可以看出 4 个储罐的传感器中 3#、4#、7#、11#传感器接受到撞击数略高于各自储罐的其他通道,表明在其附近有较多的声发射信号,因此选择这 4 个传感器接收到的数据用作实验分析。表 7.2 列出进行 29d 每天 6h 监测所接收到的声发射信号参数的取值范围。从幅值统计可以看出,6#传感器信号幅值明显高于 1#传感器,7#和 11#传感器信号幅值略高于 1#传感器。从储罐能量取值范围可以看出,1#和 11#传感器信号能量的最高值明显较 6#传感器信号能量的最高值低,7#传感器能量略低于 1#传感器。说明 2 号储罐底板的腐蚀活性相比于 1 号储罐强很多,3 号和 4 号储罐底板腐蚀活性略高于静止工况的 1 号储罐。

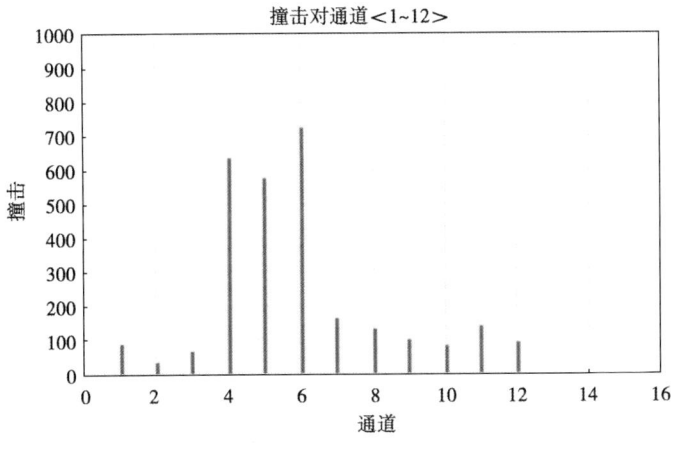

图 7.3 撞击—通道图

表 7.2　不同工况下的 AE 信号参量取值范围

储罐编号	不同工况	传感器	幅度（dB）	撞击计数（次）	能量
1号储罐	静止工况	1#	35~45	9~98	1~827
2号储罐	有使用历史	6#	35~84	73~730	1~596
3号储罐	对底板进行扰动	7#	35~56	6~150	1~817
4号储罐	对底板进行破坏	11#	35~67	16~172	1~652

7.4.1　有使用历史的模拟储罐与静止工况下新罐的声发射监测

1）腐蚀强度历程分析

如图 7.4 所示，比较分析清罐处理对底板腐蚀的影响的声发射信号经历图，从图中可以看到，1号储罐和2号储罐初始腐蚀期撞击数均较多，而2号清罐后明显比1号储罐初次腐蚀要多。随着腐蚀进行，1号储罐底板腐蚀撞击数逐渐趋于稳定，而2号储罐撞击数表现为增加趋势。依据金属材料的腐蚀机理，初始腐蚀期撞击数较多是因为基体没有腐蚀产物保护，腐蚀反应剧烈，经过一段时间的腐蚀后，基体表面的腐蚀产物对基体有一定的保护作用，因此腐蚀速度下降；2号储罐发生过腐蚀，除锈后表面仍残余一定的腐蚀产物，且基体表面不平整，容易形成局部腐蚀，并且生成的腐蚀产物与基体的结合较差，容易脱落，加速腐蚀，1号新罐则基体表面完整，生成的腐蚀产物与基体结合紧密，对基体的保护作用较好，最后腐蚀趋于平缓。

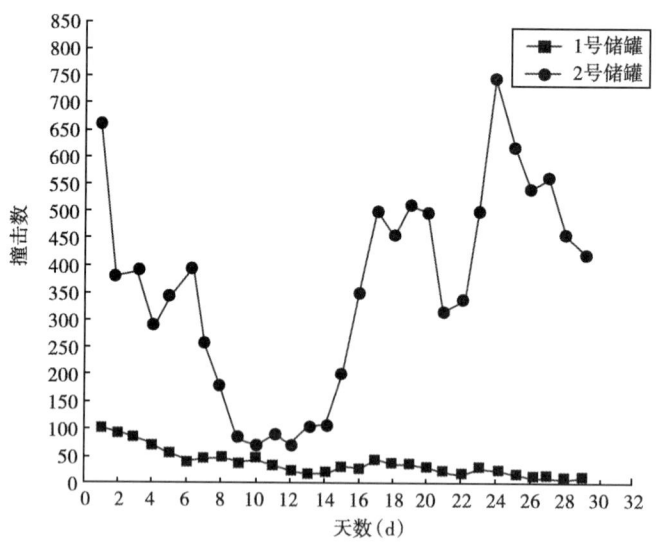

图 7.4　1号与2号储罐底板腐蚀历程图

2）幅值分析

对两个储罐进行 29d 每天 6h 采样监测。稳定腐蚀信号可以分为两部分：一个区域为40~55dB 区域，该区域信号幅值较低，信号连续产生，为腐蚀的基础信号；另一区域为55~80dB，该区域信号幅值较高，分布相对较为离散，表示腐蚀层的松动、破裂、剥离等过程。

第一组试验如图7.5、图7.6所示,比较分析清罐处理对底板腐蚀的影响,试验选择1号和2号储罐具有代表性的初始腐蚀期和稳定腐蚀期进行幅值比较,因此对腐蚀第1天和腐蚀第29天的幅值参数进行比较,区分两种工况对储罐底板腐蚀的影响。从第一组试验第1天的幅值历程图可以看出两个储罐的幅值信号都较低,信号连续产生,但初始腐蚀期2号罐的腐蚀信号较1号罐多且密集,说明在初始腐蚀期2号储罐较1号储罐腐蚀活性高。从储罐监测第29天的幅值历程图可以看出,经过一段时间的腐蚀后,2号储罐幅值明显增高并且一部分信号分布在55~80dB区域,说明底板发生了剧烈的腐蚀反应,而1号储罐基本没有声发射信号,说明腐蚀趋于平缓。

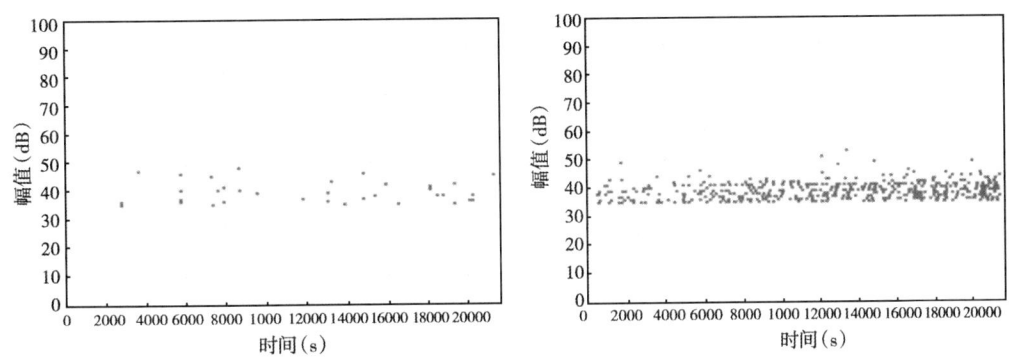

图7.5 1号和2号储罐监测第一天幅值历程图

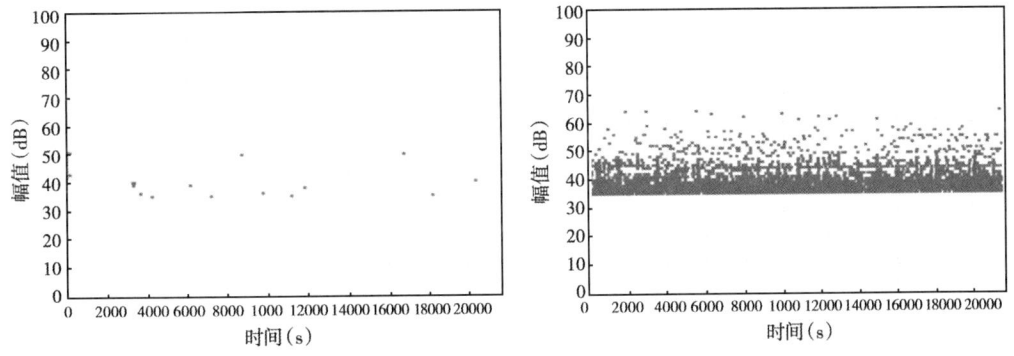

图7.6 1号和2号储罐监测第29天幅值历程图

3) 关联分析

从信号—能量关联图得出稳定腐蚀信号明显分为两类,以幅值进行划分,A类为35~45dB,B类为45~65dB。如图7.7所示,从第一组试验第1天的能量—幅值相关图可以看出1号和2号储罐在初始腐蚀期,腐蚀信号都主要集中在幅值为35~45dB区间内的A类信号,1号储罐一部分信号能量高于2号储罐,但2号储罐的信号量要明显多于1号储罐的信号量。A类信号幅值相对较小分布于低幅值区间但其能量较高,这是由于A类信号对应的是稳定腐蚀的基础信号,此阶段为腐蚀的孕育过程,包括电化学反应的进行,腐蚀产物的堆积,液体渗入腐蚀层等,整个过程相对稳定,没有剧烈的信号发生。如图7.8为第29天的能量—幅值相关图可以看出,储罐经过一段时间的腐蚀后,2号储罐能量与幅值的关联呈现弧形分布,随着幅值的增加,腐蚀信号的能量也随之增加。除了能量较低的A类信号外还有大量能量较高的B

类信号分布，B类信号主要分布于高幅值区域对应腐蚀产物松动、气泡的破裂等腐蚀信号的能量释放过程，但其信号总数量远小于低幅值区。而1号储罐只存在很少的声发射信号，信号能量较低幅值较高，说明腐蚀趋于稳定，2号储罐较1号储罐腐蚀信号较强活性较高。

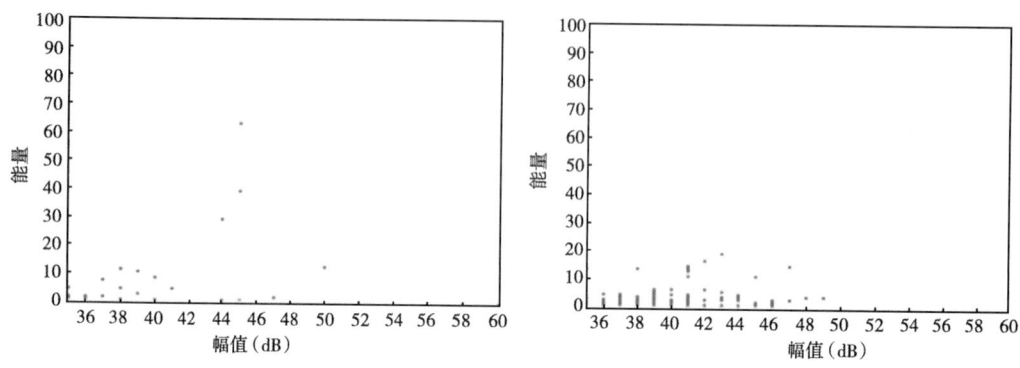

图7.7　1号和2号储罐监测第1天能量—幅值相关图

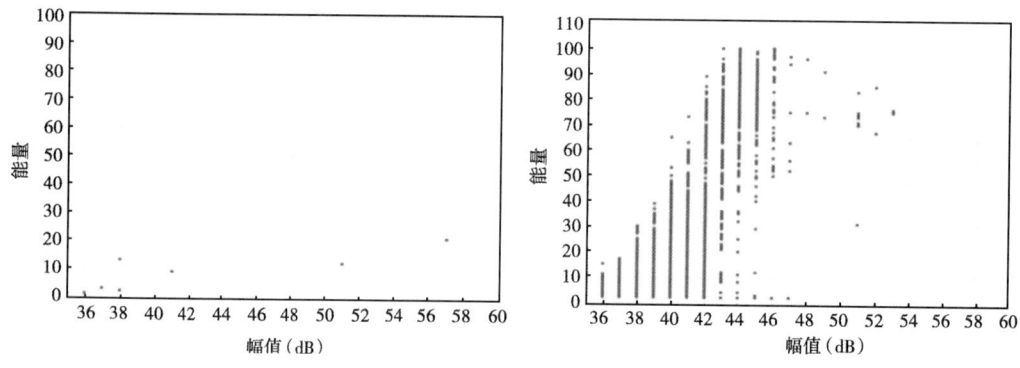

图7.8　1号和2号储罐监测第29天能量—幅值相关图

7.4.2　模拟储罐底板局部扰动后的声发射监测

1）腐蚀强度历程分析

实验如图7.9所示，为扰动工况变化模拟试验的声发射信号经历图，从图中可以看出处在静止状态的3号储罐表现为在初始腐蚀期撞击较多，后随着时间的累积而趋于平缓。进行扰动后，撞击数较之前明显增加，之后随着时间的推移也趋于平缓。这是由于扰动后储罐底板的腐蚀产物松动，腐蚀溶液与金属再次接触，形成一定程度的二次腐蚀，但幅度不大且影响较小，很快又形成了新的腐蚀产物使腐蚀处于相对稳定状态。

2）幅值分析

试验如图7.10所示，选择3号储罐三个阶段的幅值进行比较分析，第一阶段：第1天静止状态（初始腐蚀期），第二阶段：对底板进行扰动前第14天静止状态（稳定腐蚀期），第三阶段：扰动恢复静止后第16天。从第二组试验的3个幅值历程图可以看出3号储罐在初始腐蚀期腐蚀信号较多幅值较低，主要为腐蚀的基础信号，随着时间的延长信号减少腐蚀减缓，对其进行扰动后发现信号较扰动前有所增加，信号幅值也有所增高，一部分信号分布在55~80dB区域，说明扰动使腐蚀产物发生一定程度的松动、剥离会加速底板的腐蚀。

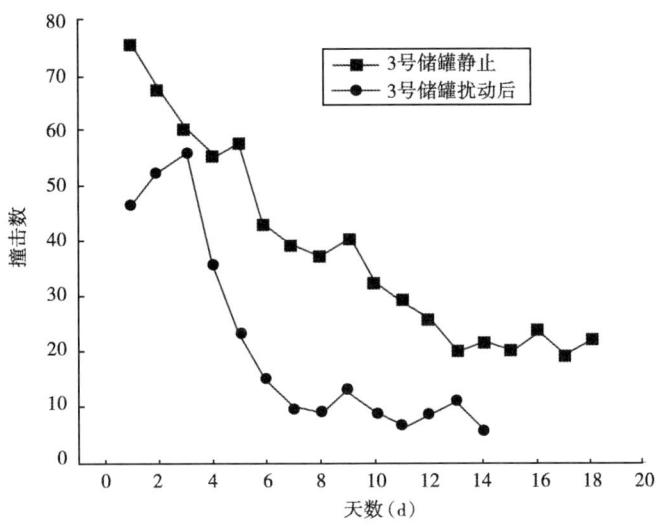

图 7.9 3号储罐底板工况改变前后腐蚀历程图

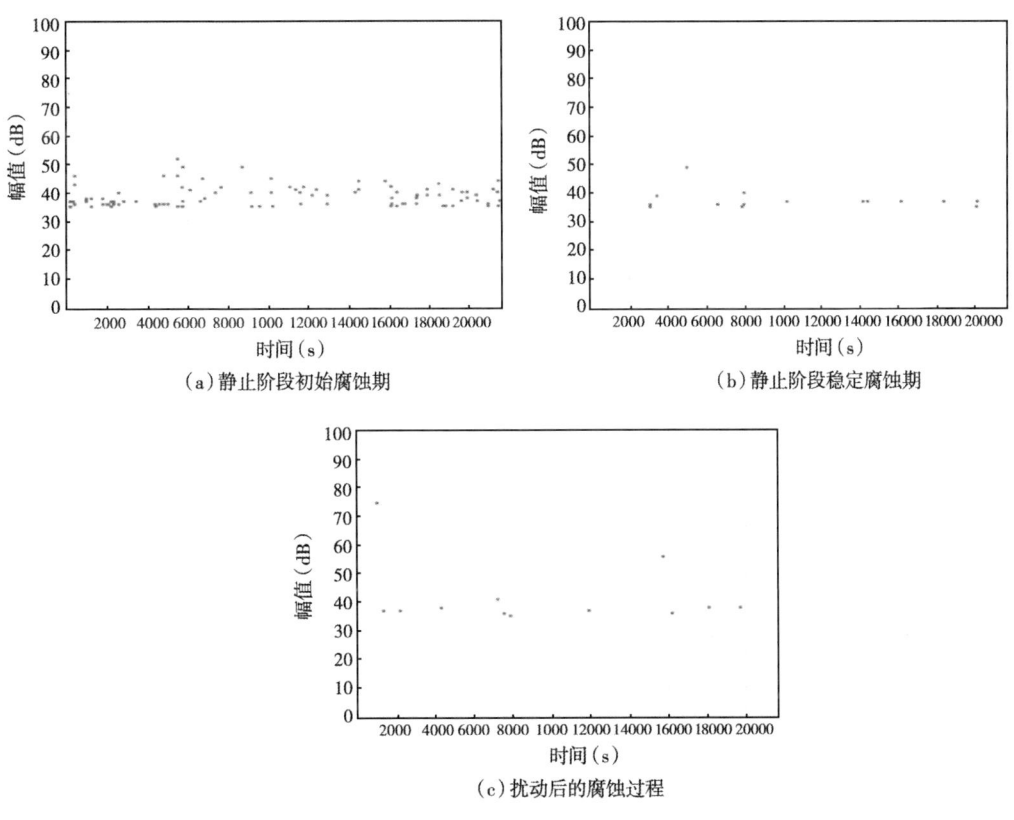

图 7.10 3号储罐工况变化前后腐蚀历程图

3) 关联分析

试验如图 7.11 所示,选择 3 号储罐三个阶段的能量—幅值相关图进行比较分析,第一阶段:第 1 天静止状态(初始腐蚀期),第二阶段:对底板进行扰动前第 14 天静止状态

(稳定腐蚀期），第三阶段：扰动恢复静止后第 16 天。从关联图可以看出初始腐蚀期较稳定腐蚀期能量计数多，但幅值较稳定阶段低，经过对储罐进行扰动后能量有所增加，幅值较静止阶段增高但仍主要分布在 A 区，变化程度有限，这主要是因为扰动仅仅使腐蚀产物松动并未使其脱落，说明扰动会对底板腐蚀造成一定的影响，但变化较小影响有限。

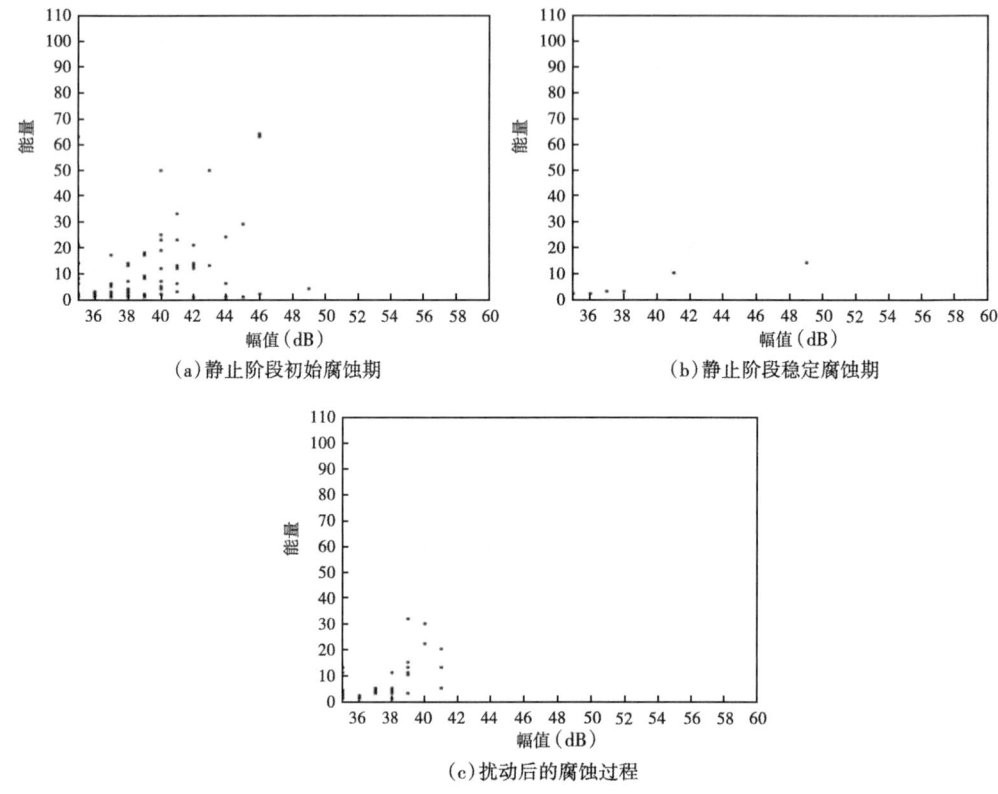

图 7.11　3 号储罐工况变化前后能量幅值相关

7.4.3　模拟储罐底板局部破坏后的声发射监测

1）腐蚀强度历程分析

试验如图 7.12 所示，为破坏局部腐蚀产物工况模拟试验的声发射信号经历图，从图中可以看出对 4 号储罐底板进行局部腐蚀产物破坏后，声发射撞击数明显增加，且撞击数较高的过程持续了相当长一段时间，随后渐渐趋于平缓。这种是由于局部破坏使长期浸泡在水中的腐蚀产物脱落，基体重新裸露在介质中，使局部区域腐蚀加速，撞击数增多，随着时间的增加生成新的腐蚀产物覆盖在底板上，腐蚀再次趋于平缓，声发射信号也趋于平稳。

2）幅值分析

试验如图 7.13 所示，选择 4 号储罐三个阶段的幅值进行比较分析，第一阶段：第 1 天静止状态（初始腐蚀期），第二阶段：对底板进行局部破坏前的第 14 天静止状态（稳定腐蚀期），第三阶段：破坏恢复静止后的第 16 天。从 3 个幅值历程图可以看出，从初始腐蚀期到稳定腐蚀期幅值从高到低，信号量从多到少，待腐蚀稳定后对其进行局部底板破坏后发现较静止阶段，信号数量增多，信号幅值较静止阶段明显升高，主要分布在 55~80dB 区域，

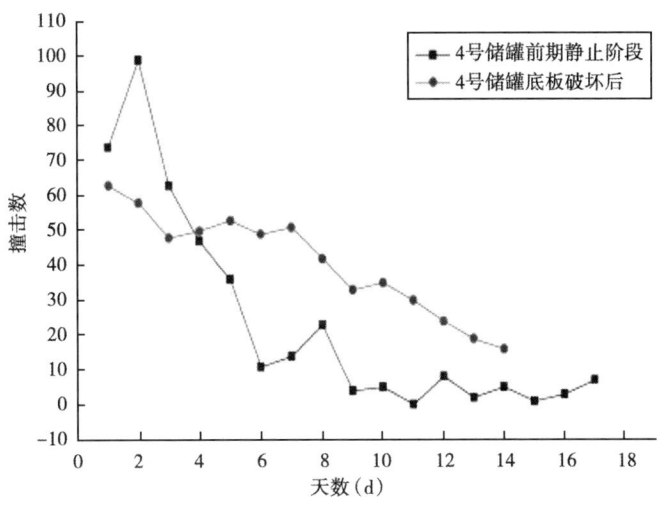

图7.12 4号储罐底板工况改变前后腐蚀历程图

说明局部底板破坏使钝化膜破裂、腐蚀层脱落致使局部金属裸露，再次发生腐蚀。

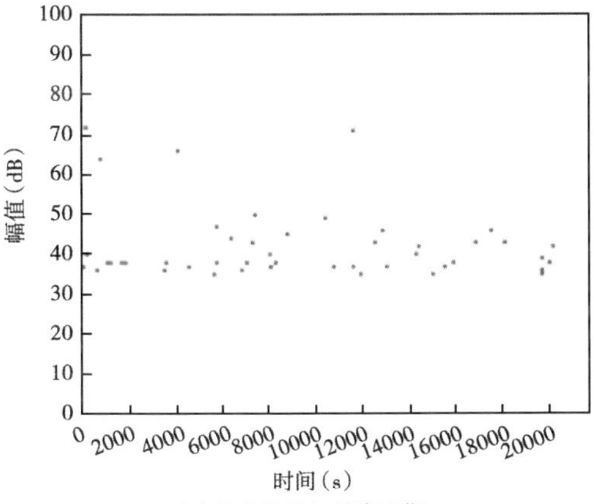

(a) 静止阶段初始腐蚀期

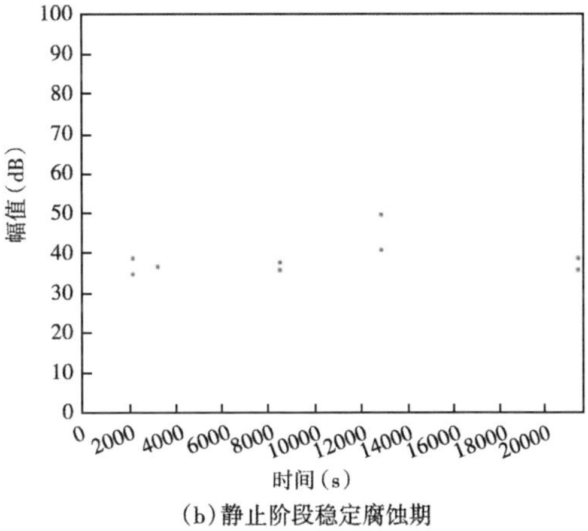

(b) 静止阶段稳定腐蚀期

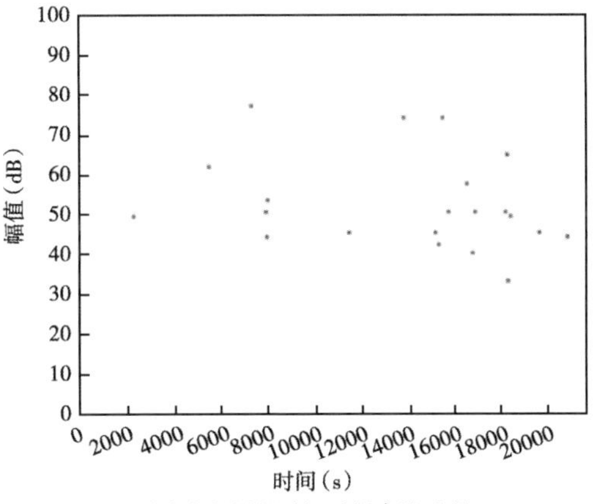

(c) 底板局部破坏后的腐蚀过程

图7.13 4号储罐工况变化前后腐蚀历程图

3) 关联分析

试验图 7.14 所示，选择 4 号储罐三个阶段的能量—幅值进行比较分析，第一阶段：第 1 天静止状态（初始腐蚀期），第二阶段：对底板进行局部破坏前的第 14 天静止状态（稳定腐蚀期），第三阶段：破坏恢复静止后的第 16 天。从关联图可以看出对底板进行局部破坏后，能量总数较工况改变前明显增加，幅值也有所增高，较静止阶段一部分信号分布在 B 区，这主要是因为底板进行局部破坏后，致使氧化膜破裂、腐蚀产物剥落机体重新裸露在介质中导致二次腐蚀，说明对底板进行破坏会较大程度改变介质对底板腐蚀的影响。

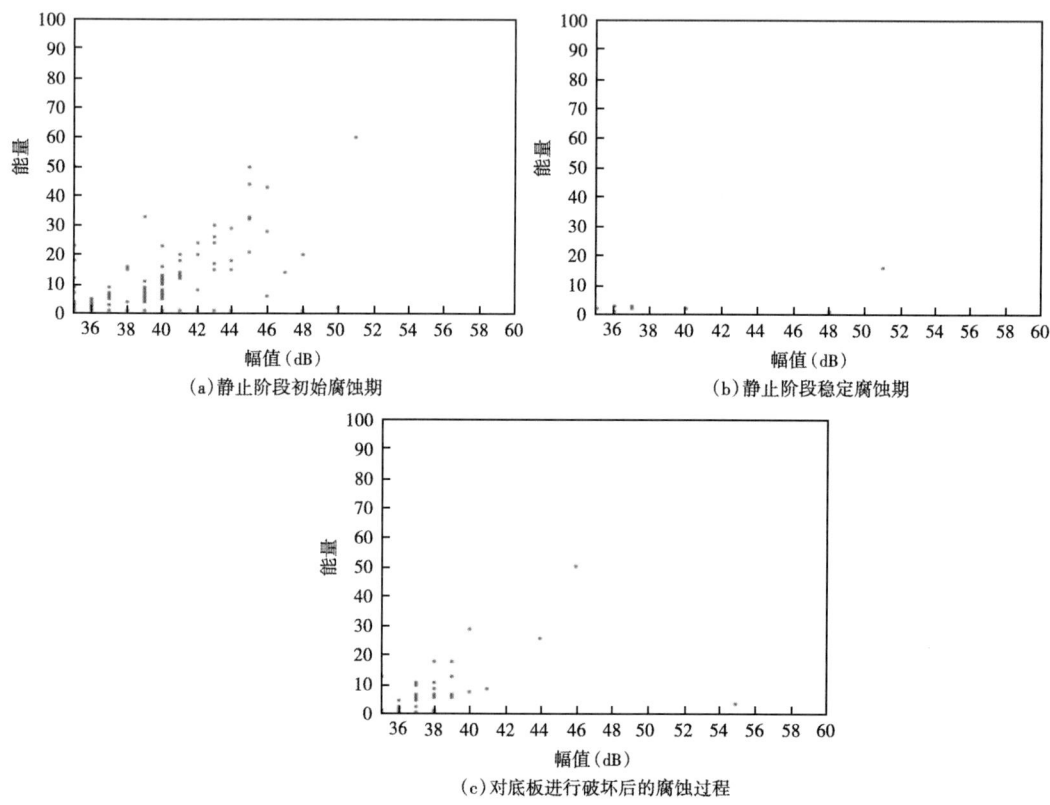

图 7.14　4 号储罐工况变化前后能量—幅值相关图

第 8 章 大型储罐底板腐蚀微弱信号采集技术

一直以来储罐底板腐蚀声发射检测方法都是将传感器布置在罐外壁靠近底板的位置，对声源信号进行采集，存在收到信号少、信号弱的问题，为此考虑两种方法提高罐底腐蚀声发射信号强度和可测性的问题，一是开发声发射检测二次放大技术，二是浸入式储罐底板腐蚀弱声信号采集系统的开发与应用。

8.1 二次放大技术

由于储罐底板腐蚀信号属于弱声信号，并且现阶段中国的储罐越来越趋于大型化，在储罐底板中央部位就形成检测的薄弱区域，往往信号传播到靠近底板的储罐外壁时，被布置在这里的传感器接收的信号幅值较低。为了提高接收信号的强度，研制开发了二次放大器。对于二次放大器在储罐底板腐蚀弱声信号采集方面应用的效果，在模拟储罐及金属钢板上分别进行了一组对比试验。储罐声发射检测常用（2/4/6）前置放大器如图 8.1，二次放大器如图 8.2 所示，相关信息见表 8.1。DP3I 型与 R3α 型传感器均为储罐声发射检测常用传感器，谐振型，在 30kHz 频率处相应最佳。由于供电电压原因，DP3I 型内置前放传感器只能接二次放大器，不能接 2/4/6 前置放大器；而 R3α 型传感器可以接 2/4/6 前置放大器。

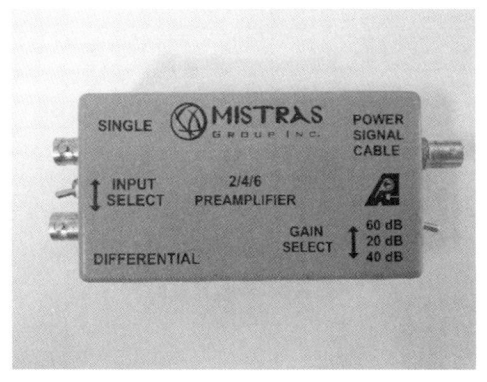

图 8.1 2/4/6 前置放大器

图 8.2 二次放大器

表 8.1 放大器的型号与参数

放大器型号	放大倍数	带宽（kHz）	供电方式
2/4/6 前置放大器	20dB，40dB，60dB 三档可调	0~1200 插拔滤波器	声发射卡供电
二次放大器	20dB	通带	声发射卡供电

8.1.1 储罐检测二次放大技术

1) 前期准备

在模拟储罐上布置一个 R3α 型传感器即 1 号传感器，一个 DP3I 型传感器即 2 号传感器，其中 1 号传感器依次连接 2/4/6 前置放大器，二次放大器，声发射采集卡；2 号传感器依次连接二次放大器，声发射采集卡。2/4/6 前置放大器选择 40dB 增益，二次放大器选择 20dB 增益。门槛 35dB，如图 8.3 所示。在储罐内部 1 号和 2 号传感器连线的中垂线上断铅，观察并记录 1 号、2 号传感器接收信号的幅值。

2) 储罐检测

1 号、2 号传感器接收的信号幅值见表 8.2。两个通道接收的信号幅值基本相同。DP3I 型传感器是集成传感器，内置放大器

图 8.3 模拟储罐底板腐蚀二次放大实验图

40dB 增益，再接 20dB 增益的二次放大器，总增益为 60dB；R3α 型传感器无内置放大器，外接 40dB 增益前放，再接 20dB 二次放大器，总增益同样为 60dB。因此 1 通道与 2 通道的增益幅度是相同的，收到的信号幅值也基本相同。

表 8.2 各通道接收信号幅值

通道	各次断铅信号幅值（dB）		
	1	2	3
1	97	96	94
2	97	95	95

8.1.2 二次放大技术应用

1) 应用前期准备

为了更加明确二次放大技术的应用效果，在储罐常用材料钢板上进行了补充实验。在钢板上耦合 3 个 R3α 型声发射传感器编号分别为 1、2、3，其中 1 号传感器依次连接 2/4/6 前置放大器，分别设置 20dB、40dB、60dB 增益，声发射采集卡；2 号传感器依次连接 2/4/6 前置放大器 40dB 增益，二次放大器 20dB 增益，声发射采集卡；3 号传感器位于 1 号、2 号传感器连线的中垂线上，连接 FieldCAL 信号发生器，用于发射不同幅值的模拟 AE 信号。门槛 35dB，如图 8.4 所示。观察并记录 1 号、2 号传感器接收到的信号幅值。

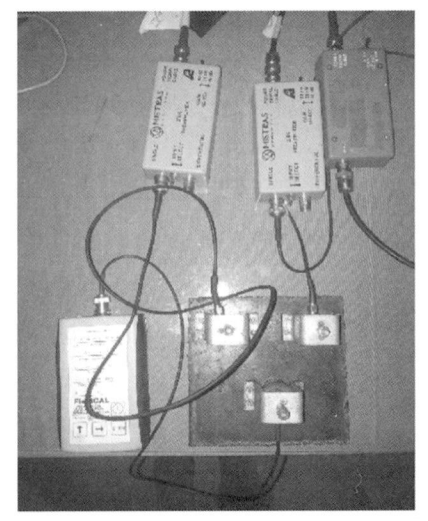

图 8.4 二次放大效果实验图

2）二次放大技术应用分析

声发射模拟信号幅值、1号、2号传感器接收的信号幅值见表8.3。可以看出，对于R3α型传感器这种没有内置前放的传感器来说，如果按照平时储罐检测使用的前置放大器40dB增益，再外接一个二次放大器，其效果与直接使用2/4/6前置放大器60dB增益效果相同。因此二次放大器主要是针对储罐声发射检测常用DP3I型传感器这种内置前放的传感器设计的。

表8.3 各通道信号幅值 单位：dB

3（模拟信号源）	40	60	80
1（+20dB）	—	39	59
1（+40dB）	40	59	79
1（+60dB）	59	79	99
2（+40+20dB）	59	79	99

二次放大技术虽然可以提高采集到的声发射信号强度，但是前提是布置在储罐外壁的声发射传感器可以接收到该信号，即罐底腐蚀信号传播到传感器处的幅值要高于系统设置的门槛，若声发射信号尤其是罐底中央区域的信号传播到传感器处的幅值衰减到门槛以下，仍然可能存在信号丢失，因此该方法有局限性。为此开展浸入式储罐底板腐蚀弱声信号采集方法研究，首先进行可行性实验研究。

罐底腐蚀声发射源定位技术作为储罐声发射检测技术的一种辅助分析手段，能够反映声发射源的活跃程度，对其检测的结果具有一定的预见性。但是，由于定位声速的复杂性、现场信号类型的多样性以及门槛值的限定性等，会影响其定位的准确性，使检测到的缺陷位置与实际位置的误差偏大。同时由于储罐的设计已经趋于大型化，若储罐底板存在缺陷声源，经介质传播被罐壁上的传感器所检测到，这一过程中由于储罐容积过大，会造成信号幅值的衰减增大，其定位事件数丢失，不能合理地反映缺陷的活度，影响对罐底腐蚀安全评价结果的可信度。因此急需一种新的定位方法来解决上述问题，既可以减小定位误差过大，又可以合理地反映缺陷的活度；既可以结合时差定位和区域定位应用在小型储罐的检测中，又可以满足大型储罐的区域定位要求。本章提出一种新的罐底定位方法来解决上述存在的问题。

8.2 罐底声发射源定位识别

AE信号主要分为两种类型，分别为连续型和突发型。连续型信号定位，主要应用于泄漏源的定位。这里着重讨论突发型信号定位。突发信号源定位包括时差定位和区域定位两种方式。时差定位法包括一维（线）定位、二维（平面）定位、三维定位。传统罐底声源定位主要为二维定位中的平面任意三角形定位方法。而区域定位主要包括独立通道控制和按信号到达顺序定位两种方式。

8.2.1 平面任意三角形定位

在同一平面内放入3个传感器分别为1#（x_1，y_1），2#（x_2，y_2），3#（x_3，y_3），其中规定1#传感器位于参考坐标系的原点，在S（x，y）处有一声发射源，距1、2、3号传感器的距离分别为r_1，r_2，r_3，定位布置示意图如图8.5所示。

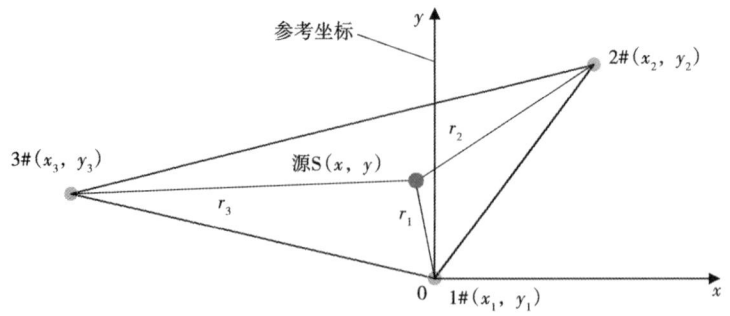

图 8.5 平面任意三角形定位示意图

另外 t_1,, t_2, t_3 分别为到达 1、2、3 号传感器的时间,则声源 S 距 1#与距离 2#、3#的距离差为：

$$\delta_1 = \Delta t_{21} \cdot v = (t_2 - t_1) \cdot v \qquad (8-1)$$

$$\delta_2 = \Delta t_{31} \cdot v = (t_3 - t_1) \cdot v \qquad (8-2)$$

则有

$$r_2 = r_1 + \delta_1 \qquad (8-3)$$

$$r_3 = r_1 + \delta_2 \qquad (8-4)$$

其中,v 为定位声速,其大小由传播介质所决定；Δt_{21}、Δt_{31} 分别为信号到达 1#、2#和 1#、3#的时间差。然后,分别以 1#、2#、3#为圆心,r_1、r_2、r_3 为半径画圆,交点则为 S(x,y),其组成的方程组为：

$$\begin{cases} (x-x_1)^2 + (y-y_1)^2 = r_1^2 & (8-5) \\ (x-x_2)^2 + (y-y_2)^3 = r_2^2 & (8-6) \\ (x-x_3)^2 + (y-y_3)^2 = r_3^2 & (8-7) \end{cases}$$

将式 (8-5) 代入式 (8-6) 和式 (8-7) 中,则可得：

$$2(xx_2 + yy_2) = (x_2^2 + y_2^2 - \delta_1^2) - 2r_1\delta_1 \qquad (8-8)$$

$$2(xx_3 + yy_3) = (x_3^2 + y_3^2 - \delta_2^2) - 2r_1\delta_2 \qquad (8-9)$$

将式 (8-8) 和式 (8-9) 作极坐标变换,令 $x = r_1\cos\theta$,$y = r_1\sin\theta$,并令 $L_1 = x_2^2 + y_2^2 - \delta_1^2$,$L_2 = x_3^2 + y_3^2 - \delta_2^2$ 可得：

$$2r_1(x_2\cos\theta + y_2\sin\theta + \delta_1) = L_1 \qquad (8-10)$$

$$2r_1(x_3\cos\theta + y_3\sin\theta + \delta_2) = L_2 \qquad (8-11)$$

那么,当 $x_2\cos\theta + y_2\sin\theta + \delta_1 \neq 0$,$x_3\cos\theta + y_3\sin\theta + \delta_2 \neq 0$ 时,可由极坐标方程式 (8-10)、式 (8-11) 推得：

$$r_1 = \frac{L_1}{2(x_2\cos\theta + y_2\sin\theta + \delta_1)} = \frac{L_2}{2(x_3\cos\theta + y_3\sin\theta + \delta_2)} \qquad (8-12)$$

将等式两边互乘变形,从而有:

$$(L_1x_3 - L_2x_2)\cos\theta + (L_1y_3 - L_2y_2)\sin\theta = L_2\delta_1 - L_1\delta_2 \tag{8-13}$$

为进行余弦变换创造条件,因此令

$$M = [(L_1x_3 - L_2x_2)^2 + (L_1y_3 - L_2y_2)^2]^{\frac{1}{2}} \tag{8-14}$$

将式(8-13)两边同时除以式(8-14),可得:

$$\frac{(L_1x_3 - L_2x_2)\cos\theta}{M} + \frac{(L_1y_3 - L_2y_2)\sin\theta}{M} = \frac{L_2\delta_1 - L_1\delta_2}{M} \tag{8-15}$$

对式(8-15)作余弦变换,令 $\cos\varphi = \frac{L_1x_3 - L_2x_2}{M}$,$\sin\varphi = \frac{L_1y_3 - L_2y_2}{M}$,由于前面已经做过假设 $x_2\cos\theta + y_2\sin\theta + \delta_1 \neq 0$,$x_3\cos\theta + y_3\sin\theta + \delta_2 \neq 0$,因此,很明显 $\cos\theta$ 与 $\sin\theta$ 的系数均小于 1,故根据余弦定理可取 $\cos(\theta - \phi) = k$ 的形式,其中

$$k = \frac{L_2\delta_1 - L_1\delta_2}{M} \tag{8-16}$$

且

$$\tan\varphi = \frac{L_1y_3 - L_2y_2}{L_1x_3 - L_2x_2} \tag{8-17}$$

因为 $\tan\varphi$ 可由 2 号和 3 号传感器的位置坐标 (x_2, y_2) 和 (x_3, y_3) 测得的 AE 信号到达时差 Δt 和传播速度 v 求得,故角 φ 在 $[-\pi, \pi]$ 范围内可确定。假设 M 取正值,则 θ 在 $[-\pi, \pi]$ 内有两个解,为得到有效解,θ 值必须使 r 得到正值,此时可以确定声源 S 的位置了。

8.2.2 独立通道控制式区域定位

当 AE 信号幅值衰减过大 或者 AE 通道个数有限难以满足时差定位条件时,则选用区域定位进行 AE 源定位。而储罐具有容积大,底板直径长的特点,在进行声发射检测时,信号幅值的衰减过大,因此对于大型储罐底板的声发射检测,须采用区域定位方式,而对于小型储罐采用区域定位与时差定位相结合的方式。

独立通道控制是按信号衰减的程度,将试件分为多个区域,每个区域的中心附近布置一个传感器,每个传感器主要接收复合衰减范围区域内的 AE 波。它不要求传感器必须按一定的阵列方式布置,传感器的间距可以较大,但在被检测的区域内任意位置处的声源信号至少被一个传感器所接收到。图 8.6 为定位原理图。R 为传感器的检测区域半径,其大小由声波在不同材料中的传播特性、传感器的频率范围等因素决定。阴影区域为罐底被检区域。

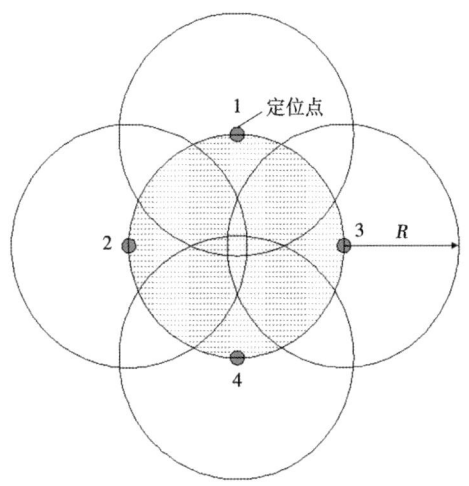

图 8.6 独立通道控制区域定位

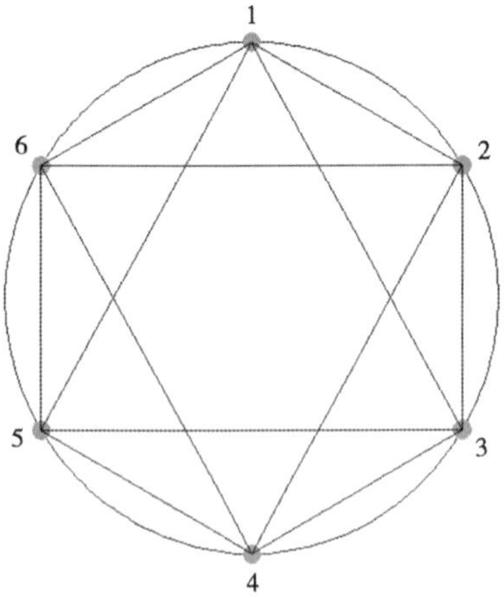

8.3 浸入式储罐底板腐蚀声发射监测

传统储罐底板腐蚀声发射检测方法的传感器布置方案为，根据储罐的尺寸型号，在靠近罐底附近的罐壁周围均匀阵列若干个传感器；定位方法采用三角时差定位。图 8.7 是一个罐底平面任意三角定位网罗图，在储罐周围均匀耦合 6 个传感器，每 3 个传感器之间形成三角定位，形成多组定位三角形。

尽管常规的定位方式可以形成多组三角定位，但是这种定位方式对于一个声发射事件，需至少有 3 个传感器接收到信号才可以形成定位，可以看出在罐底中央部分为监测的薄弱区域。对于储罐容积的大型化，根据第 3 章的实验结果，罐底腐蚀信号的幅值较小，属弱信号，信号再经过传播过程的衰减，可能形成腐蚀缺陷信号的漏检。再者，研究表明罐底产生的声发射信号在罐内的传播途径主要有三种：第一种是直接在罐内液体中以球面波形式传播到罐壁声发射传感器处，如图 8.8（a）所示；第二种是在罐底板中以柱面波形式传播一段距离遇到焊缝后发生

图 8.7 罐底平面任意三角定位网罗图

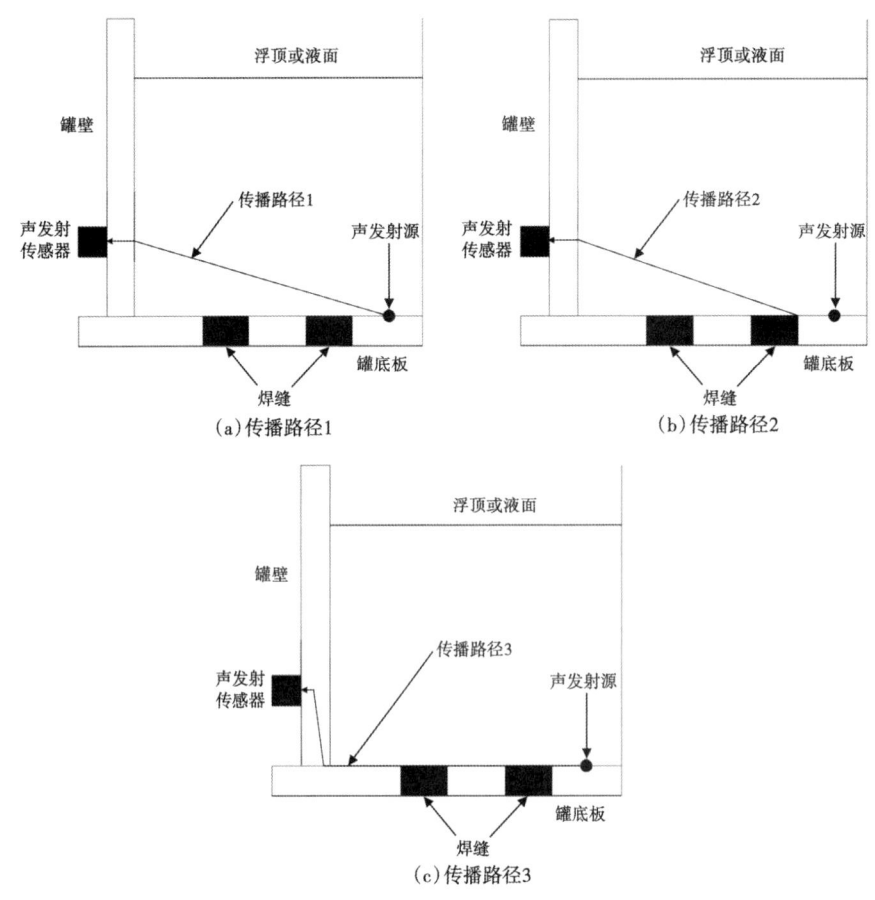

(a) 传播路径1

(b) 传播路径2

(c) 传播路径3

图 8.8 罐底声发射源传播路径示意图

模态转换,部分信号能量传播到罐内液体中,最后在液体中以球面波形式传播到罐壁声发射传感器处,如图 8.8 (b) 所示;第三种是在罐底板中以柱面波形式传播到与罐壁焊接处发生模态转换,部分信号能量传播到罐壁上,最后经由罐壁一直传播到声发射传感器处,如图 8.8 (c) 所示。这种多途效应和声波在传播过程中的衰减和散射,应用时差定位方法反推声源位置,会使储罐底板定位误差偏大。并且定位的意义在于识别罐底腐蚀声发射源,找出活性较大区域,判断其严重程度,不在于确定每一个声发射事件的确切位置。

为此提出浸入式储罐底板声发射,即在罐底中央部位放置传感器阵列,与储罐外壁布置的传感器对罐底腐蚀状态共同监测。这样,提高了罐底声发射检测技术监测的灵敏度,声源识别的精度和评价的可靠性。如图 8.9 和图 8.10 所示,在罐底中心区域放置一个传感器,对于声源 S,减少一半衰减。针对储罐的实际运行情况,提出浸入式和预埋式两种罐底腐蚀声发射全域监测方法。

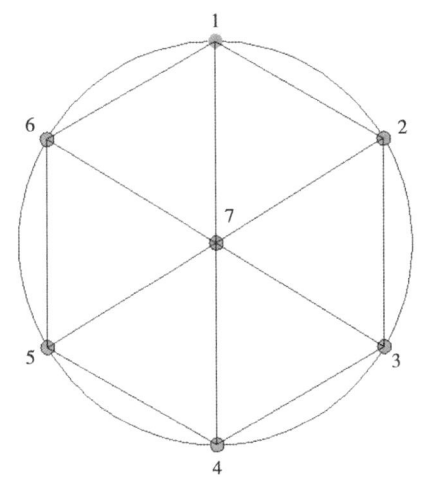
图 8.9 罐底中心放置单个传感器的三角定位网罗图

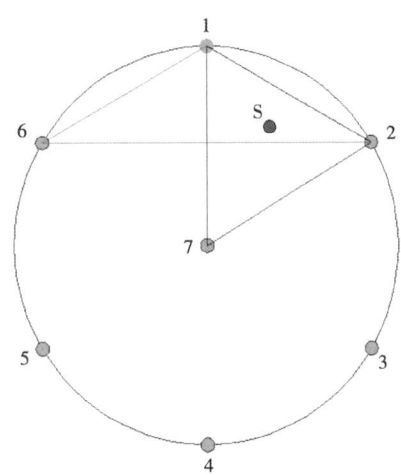
图 8.10 罐底 S 处声源定位对比图

8.4 浸入式罐底腐蚀声发射全域监测

对于已建成储罐,若要在罐底中心区域放置声发射传感器,需向罐内投放,因此采取浸入式罐底腐蚀声发射全域监测方法。

8.4.1 传播特性

1)衰减实验方案

本实验分别对断铅声发射波在罐内水中和罐壁金属衰减进行测量,得出其衰减规律并加以分析对比。实验采用硬度为 2H (0.5mm) 的铅笔芯折断信号作为模拟源,在 1 号传感器附近断铅,分别标定 12 个高度,相邻的高度差为 100mm,每个高度标定 3 次,以减小标定值的误差,记录幅值的变化,实验装置连接如图 8.11 所示。

采用两种传感器,一种是 PAC 的 DP3I 型,工作频率范围为 20~220kHz,峰值频率为

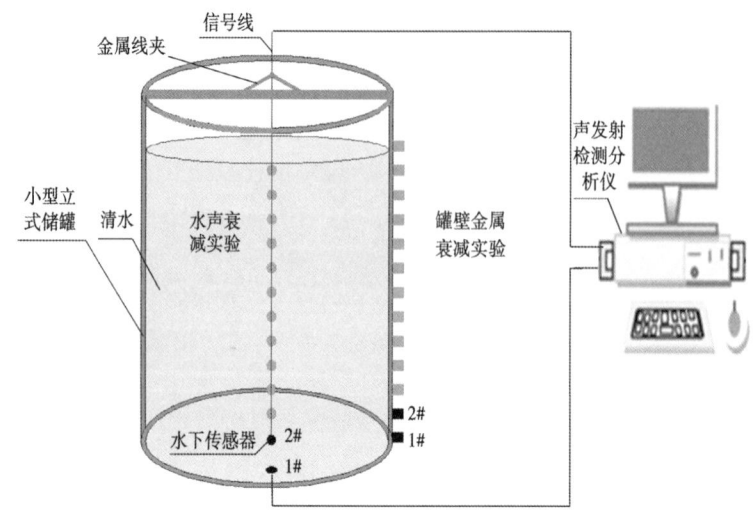

图8.11 声波衰减实验装

31.74kHz，40dB 增益，温度范围为 -65~175℃，真空脂耦合；另一种为 PAC 最新的 R.45IUC 型水下传感器（Underwater Sensor，图 8.12），工作频率范围为 20~220kHz，峰值频率为 22.461kHz，40dB 增益，温度范围为 -35~65℃，并带有 5m 长的同轴电缆线，水介质耦合。

由于实验在室内进行，因此没有明显的外界干扰信号，故设置门槛值为 30dB，并且经过多次实验测试和储罐的尺寸，最终确定了 PDT、HDT 以及 HLT 值，见表 8.4。

图8.12 R.45IUC 型水下传感器

表 8.4 声发射检测系统参数设置

门槛（dB）	采样率 SPS	PDT（μs）	HDT（μs）	HLT（μs）
30	2048	300	600	600

2）衰减系数的理论计算

AE 波在介质中传播时会发生能量的衰减，其主要包括三方面的衰减，分别为扩散衰减、散射衰减和吸收衰减。而 AE 波在水中的衰减主要为扩散衰减，即随着传播距离的增加，声场的声压分布会不同的，声波将会扩散，从而单位面积上声波的能量和声压都将会逐渐减少。不同的是在罐壁金属中的衰减为三种衰减的和，但是由于实验条件所限，本文主要比较声波在两种介质中的扩散衰减。因此通过下面的 AE 波扩散衰减公式计算出声发射信号在水介质和金属介质中的衰减系数，即：

$$\alpha = \frac{1}{x_1 - x_0} 20\ln\left[\frac{U(x_0)}{U(x_1)}\right] \qquad (8-18)$$

式中 α——衰减系数，dB/mm；

x——测量点的距离，mm；

$U(x_0)$——声源处传感器输出端的 AE 信号峰值电压值的大小，μV；

$U(x_1)$——测量点传感器输出端的 AE 信号峰值电压值的大小，μV。

对于传感器输出端的声发射信号峰值电压值 $U(x)$ 与声发射信号幅度值 $A(x)$ 有一定的换算关系，幅度值的计算公式为：

$$A(x) = 20\lg U(x) \tag{8-19}$$

$$U(x) = 10^{\frac{A(x)}{20}} \tag{8-20}$$

因此衰减系数 α 可以用声发射信号幅度值 $A(x)$ 表示为：

$$\alpha = \frac{1}{x_1 - x_0}\ln10[A(x_0) - A(x_1)] \tag{8-21}$$

3）实验结果及规律分析

根据所制定的实验方案进行水中衰减实验，表 8.5 为断铅 AE 波在水中的衰减特性表。

表 8-5 断铅 AE 波水中衰减数据表

距离 D (mm)		100	200	300	400	500	600	700	800	900	1000	1100	1200
信号幅值 A (dB)	n=1	96	95	94	92	91	90	88	87	85	83	80	78
	n=2	96	95	93	92	91	89	88	87	85	82	81	77
	n=3	96	95	94	92	90	88	87	86	85	83	81	79
	平均值	96	95	93.7	92	90.7	89	87.7	86.7	85	82.7	80.7	78
	源平均幅值	98	98.3	99	98.3	98.3	97	98	98	97.3	97.3	98.3	98
α (dB/mm)		0.036	0.034	0.037	0.036	0.035	0.033	0.034	0.033	0.031	0.034	0.035	0.034

根据所制定的实验方案进行罐壁断铅衰减实验，表 8.6 所示为断铅 AE 波在罐壁金属中的衰减特性。

表 8-6 断铅 AE 信号罐壁衰减数据表

距离 D (mm)		100	200	300	400	500	600	700	800	900	1000	1100	1200
信号幅值 A (dB)	n=1	95	93	92	89	86	82	79	76	73	69	67	64
	n=2	95	94	91	89	86	83	79	76	73	71	68	64
	n=3	95	93	92	88	85	82	80	76	73	70	67	64
	平均值	95	93.3	91.7	88.7	85.7	82.3	79.3	76	73	70	67.3	64
	源平均幅值	98.3	98	98.3	97.3	97	98	98.3	98	97	97.3	98	98
α (dB/m)		0.048	0.050	0.051	0.049	0.052	0.05	0.054	0.053	0.056	0.052	0.051	0.053

由表 8.5、表 8.6 所得数据绘制断铅 AE 波在水中和罐壁金属中的衰减曲线以及衰减系数曲线图，横坐标为测量点距声源点的距离，纵坐标分别为在各个测量点测量到的声波幅度值和根据式 8.4 计算得到的衰减系数，如图 8.13 和图 8.14 所示。

由图 8.13 和图 8.14 可知：

（1）由图 8.13 可知，从断铅 AE 波在水中的衰减曲线可以看出，整条曲线呈线性下降趋势并且较平滑，在 1200mm 的高度范围内，信号幅度值由平均 98dB 衰减到 78dB，衰减损

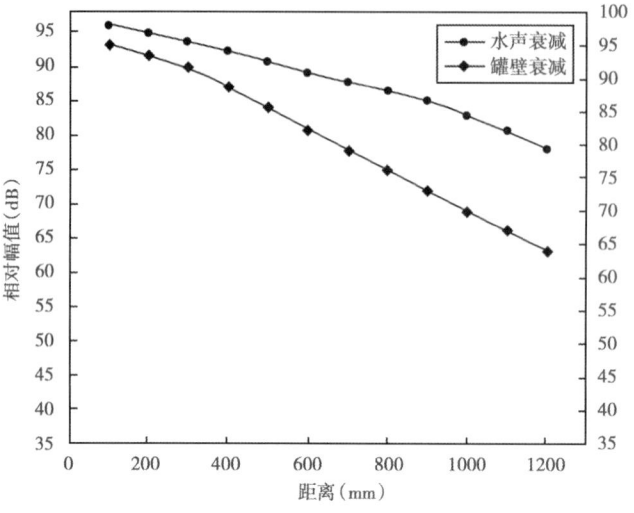

图 8.13　不同介质中的衰减曲线

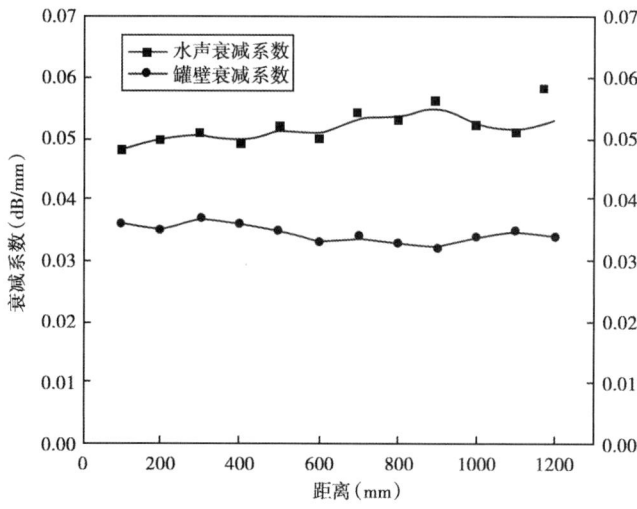

图 8.14　不同介质的衰减系数曲线

失近 20dB，平均每 100mm 衰减 1.67dB。

（2）从断铅 AE 波在罐壁金属中的衰减曲线可以看出，整条曲线同样呈线性下降趋势，在 1200mm 的高度范围内，信号幅度值由平均 98dB 衰减到 64dB，衰减损失近 34dB，平均每 100mm 衰减 2.83dB；由以上两条衰减曲线对比可以得出在相同距离范围内，AE 波在水中衰减较罐体金属中的衰减幅度小，由实验数据可得平均每 100mm 减少 1.16dB，因此在水中放入传感器进行声发射检测的方法具有可测性。

（3）由图 8.14 可知，从水声衰减系数曲线可以看出，AE 波在水中的衰减系数并不是很大，并且在水中的衰减较平稳（数值的波动可能由采集仪和传感器耦合的误差所致）；而从罐壁衰减系数曲线可以看出，AE 波在罐壁金属中的衰减系数较在水中的大，由实验数据可得平均每 100mm 罐壁金属中的衰减系数大于水中衰减系数 0.017dB/mm，因此进一步证明在罐内介质中进行声发射检测的方法具有可测性和可行性。

8.4.2 浸入式模拟罐底腐蚀声发射监测

1) 实验系统

与 8.4.1 中实验系统相同。

2) 实验方法

模拟储罐内部盛装纯净水溶液，底板放置一个腐蚀源。罐内放置 R.45IUC 型水下传感器 1，罐外壁靠近底板处均匀布置 3 个 DP3I 型传感器编号为 2、3、4。4 个传感器共同对腐蚀源进行监测。

3) 实验结果与分析

监测结果表明，1 号、2 号、3 号、4 号传感器均能接收到腐蚀源发出的声发射信号。由于模拟储罐直径较小，4 个通道接收到的信号幅值相差不大，如图 8.15 所示。

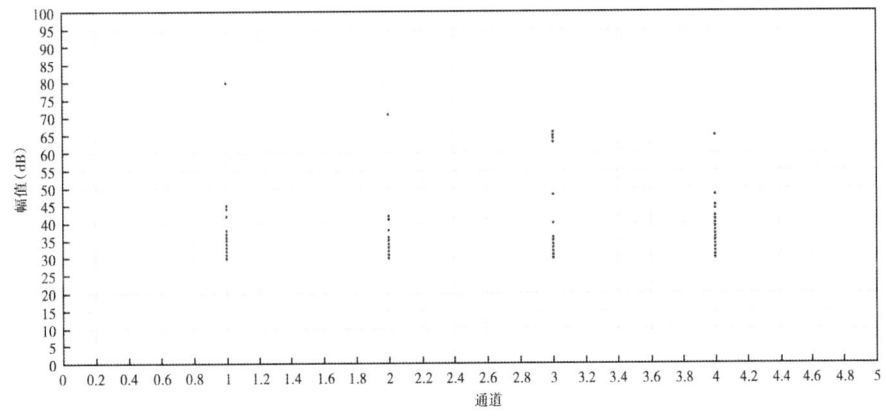

图 8.15 各通道信号幅值

选取 1 个声发射事件，以 1 号和 2 号传感器为例，比较布置在储罐内部和储罐外壁的声发射传感器对腐蚀声源信号的接收效果。从图 8.16 中可以看出 1 号传感器接收到的信号幅值略高于 2 号传感器接收到的信号幅值。并且前者信号的轮廓线较后者清晰，说明罐内传感器接收到的信号混杂的噪声信号少，信噪比更高。

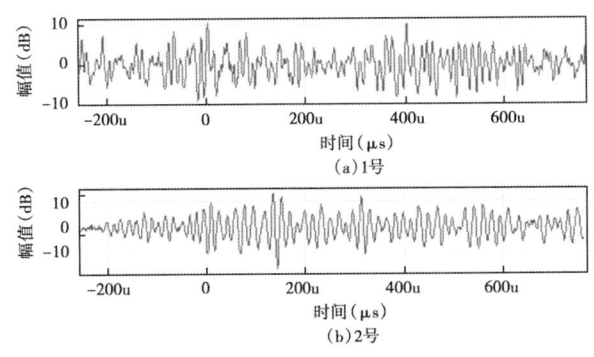

图 8.16 1 号和 2 号接收器信号

实验结果表明，水中传感器接收信号信噪比高，抗干扰强，灵敏度高。从波形分析（频域，时域）包含信息更为丰富。

第9章 基于多源统计参量的储罐底板腐蚀状态声发射评价

9.1 浸入式储罐底板腐蚀声源识别

9.1.1 短基线平面网格拓扑阵列

鉴于上述传统罐底声源定位识别方法中存在的问题，提出浸入式储罐底板腐蚀声源网格识别方法。对于一个声发射源，声波按照由近及远的顺序，依次触发声发射传感器。并且距离越近的传感器接收到的信号幅值越大，距离越远的传感器接收到的信号幅值越小。直到距离达到一定程度，声波的幅度无法越过门槛。这种触发时间和信号参数的差异性即可提供有关声源归属区域、强度、活度的信息。

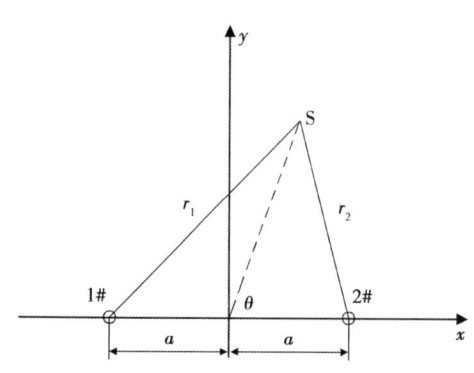

图9.1 声源与两传感器相位阵列图

依据声传播原理，与一声源距离相等的传感器接收到同一事件声信号的时间相同，强度相等。如图9.1所示，若声源在两传感器的中垂线上，即 $r_1 = r_2$ 处，由于声波到达两传感器的距离相同，到达两传感器的时间相同，信号强度相同；当声源与两传感器距离 $r_1 < r_2$，声波先触发1#传感器，且信号强度更高；当声源与两传感器距离 $r_1 > r_2$，声波先触发2#传感器，且信号强度更高。因此，对同一声源发生的同一声发射事件，若1#传感器先接收信号到且强度更高，则该声源离1#传感器更近；反之，离2#传感器更近。可以两传感器连线中垂线为网格拓扑的依据。

采用更为灵活的短基线阵列系统，每个基阵由包括一个以上的传感器构成。将接收到同一声源发生的同一声发射事件信号的传感器划分为一个基阵中的基元，可见基元的归属是由声发射事件决定的，同一个声发射传感器在不同事件中可能属于不同基阵。对一个基阵中传感器接收到的信号触发时间和参数特征进行两两比较，任意两个传感连线的中垂线所划分形成的区域即为声源判别归属区域，进而形成储罐底板平面网格拓扑结构。通过对基阵中多组传感器接收到的同一声发射事件的信号的判别，可以缩小该声发射事件的所属区域，更加准确地识别声源的归属网格，进而分析罐底声源的严重程度。根据储罐的典型规格（表9.1），及不同规格储罐所必需的传感器数量（表9.2），设计的相应罐底网格拓扑结构如图9.2所示。

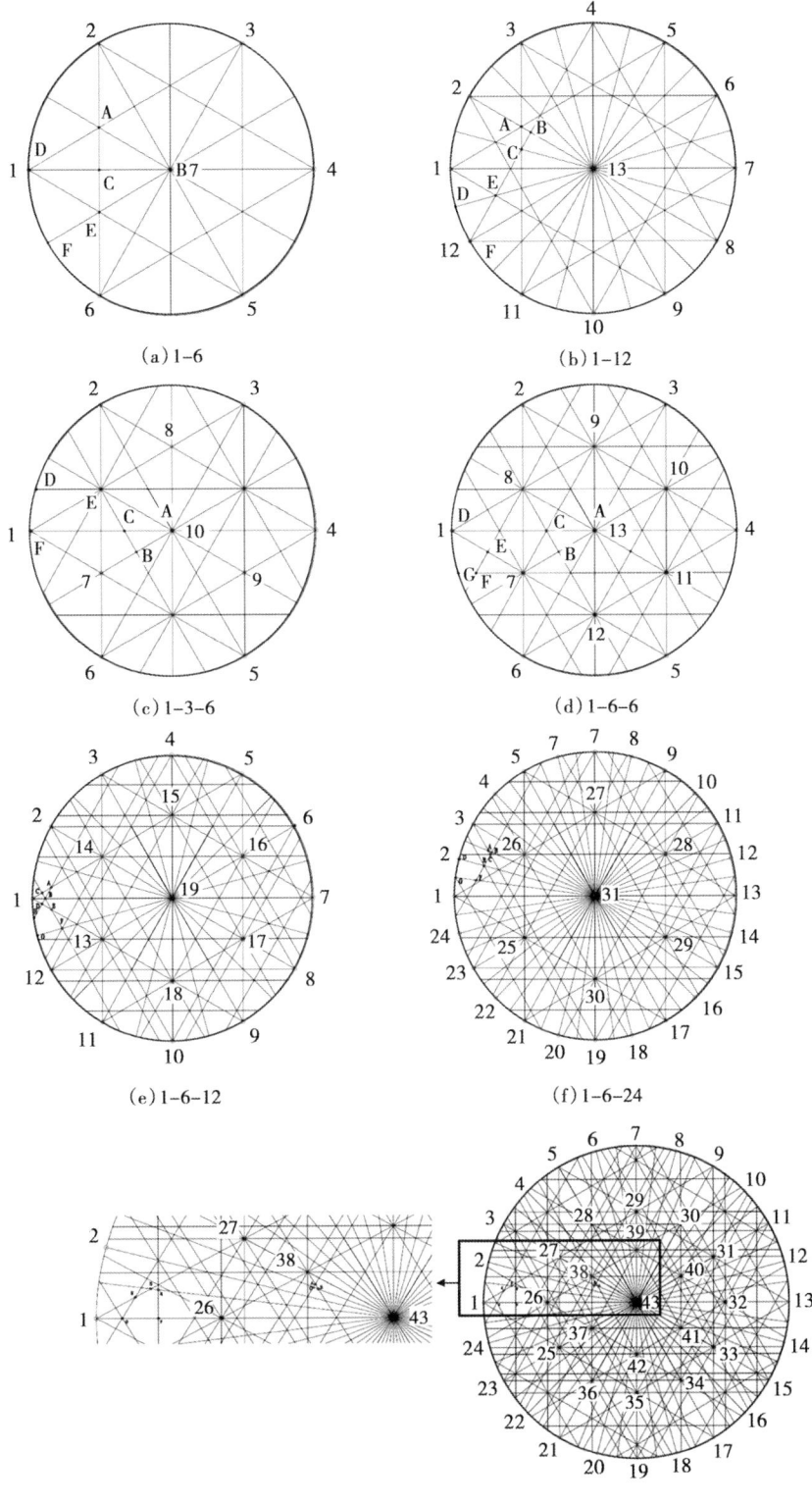

图9.2 浸入式罐底平面基阵网格拓扑结构

163

表 9.1 典型规格储罐底板直径

储罐容积（m³）	罐底直径（m）
1000	11
2000	16
5000	24
10000	31
50000	60
100000	80
150000	93

表 9.2 储罐底板腐蚀声发射检测必要的传感器数量

储罐直径（m）	<12.5	12.5~25.0	25.0~37.5	37.5~50.0	50.0~62.5	62.5~75.0	75.0~87.5	>87.5
传感器数（个）	3	6	9	12	15	18	21	24

9.1.2 声源识别

罐底全域监测的传感器阵列方式不同，基阵中基元对网格内声源的识别逻辑不同，平面网络拓扑结构的识别能力也不同。一个网格的判别由围成该网格的中垂线的传感器所接收的信号决定。对传感器进行坐标表示，底板半径设为 R_0，由外至内进行编号，第一层传感器总数为 n_1，第二层传感器总数为 n_2，第三层传感器总数为 n_3，传感器编号为 i（$i=1,2,3,\cdots,n$），中心坐标为（0,0）（图 9.3）。

表 9.3 传感器坐标

传感器层	不同阵列传感器坐标		
	1-6, 1-12	1-3-6, 1-6-6, 1-6-12, 1-6-24	1-6-12-24
1	$x=-R_0\cos\left(\dfrac{i-1}{n_1}\cdot 2\pi\right)$ $y=R_0\sin\left(\dfrac{i-1}{n_1}\cdot 2\pi\right)$	$x=-R_0\cos\left(\dfrac{i-1}{n_1}\cdot 2\pi\right)$ $y=R_0\sin\left(\dfrac{i-1}{n_1}\cdot 2\pi\right)$	$x=-R_0\cos\left(\dfrac{i-1}{n_1}\cdot 2\pi\right)$ $y=R_0\sin\left(\dfrac{i-1}{n_1}\cdot 2\pi\right)$
2	$x=0$ $y=0$	$x=-\dfrac{1}{\sqrt{3}}R_0\cos\left(\dfrac{i-n_1-1}{n_2}\cdot 2\pi-\dfrac{\pi}{6}\right)$ $y=\dfrac{1}{\sqrt{3}}R_0\sin\left(\dfrac{i-n_1-1}{n_2}\cdot 2\pi-\dfrac{\pi}{6}\right)$	$x=-\dfrac{1}{2}R_0\cos\left(\dfrac{i-n_1-1}{n_2}\cdot 2\pi-\dfrac{\pi}{6}\right)$ $y=\dfrac{1}{2}R_0\sin\left(\dfrac{i-n_1-1}{n_2}\cdot 2\pi-\dfrac{\pi}{6}\right)$
3	—	$x=0$ $y=0$	$x=-\dfrac{1}{4}R_0\cos\left(\dfrac{i-n_1-n_2-1}{n_3}\cdot 2\pi-\dfrac{\pi}{6}\right)$ $y=\dfrac{1}{4}R_0\sin\left(\dfrac{i-n_1-n_2-1}{n_3}\cdot 2\pi-\dfrac{\pi}{6}\right)$
4	—	—	$x=0$ $y=0$

对平面网格拓扑阵列的识别能力进行分析，识别比例 $P=S_{网格}/S_{罐底}$，识别比例越小，能够识别的网格区域面积越小，识别精度越高，所达到的识别效果越好；反之，识别比例越大，所识别的网格区域面积越大，识别精度越低。由于网格由传感器的中垂线围城，识别逻辑即为这些传感器接收到的信号强度的判别。根据传感器坐标，罐底半径 R_0，可以求出所识别网格面积为关于 R_0 的表达式，从而求出识别比例。最大识别比例与最小识别比例的比为该阵列的识别不均匀系数 k，$k=P_{max}/P_{min}$。

以 1-6 平面网格拓扑阵列为例，该阵列可以识别出的最小网格为△ABC。其中 AB 边为 1 号和 2 号传感器连线的中垂线上的线段，因此该网格属于 1>2 的区域；BC 边为 2 号和 6 号传感器连线的中垂线上的线段，该网格属于 2>6 的区域；CA 边为 1 号和 7 号传感器连线的中垂线上的线段，该网格属于 7>1 区域。这样△ABC 通过 1>2&7>1&2>6 的逻辑判别即可限定，也可以认为，满足该逻辑判别的声发射事件可以识别位于△ABC 网格内。$S_{△ABC}=\dfrac{R_0^2}{8\sqrt{3}}$，$S_{罐底}=\pi R_0^2$，即可得到最小识别比例 $P_{min}=0.023$。同理，该阵列可以识别出的最大网格为扇 DEF。DE 边为 6 号和 7 号传感器连线中垂线上的线段，该网格属于 6>7 的区域，EF 边为 1 号和 6 号传感器连线中垂线上的线段，该网格属于 1>6 的区域。扇 DEF 通过 6>7&1>6 的逻辑判别即可限定，也可以认为，满足该逻辑判别的声发射事件可以识别位于扇 DEF 网格内。$S_{扇DEF}=\dfrac{\pi R_0^2}{12}-\dfrac{R_0^2}{4\sqrt{3}}$，$S_{罐底}=\pi R_0^2$，即可得到最大识别比例 $P_{max}=0.060$。不均匀系数为 2.61。图 9.2 中的平面网络拓扑结构的识别逻辑、识别比例以及不均匀系数见表 9.4。

表 9.4 浸入式的罐底平面基阵网格识别

阵列方式	最小面积网格 S_{min}	识别逻辑	识别比例 P_{min}	最大面积网格 S_{max}	识别逻辑	识别比例 P_{max}	不均匀数 k
1-6	△ABC	1>2&2>6&7>1	0.0230	扇 DEF	7>6&1>6	0.0600	2.61
1-12	△ABC	1>3&2>13&13>1	0.0016	扇 DEF	12>1&2>13	0.0120	7.50
1-3-6	△ABC	1>6&10>7&6>2	0.0077	扇 DEF	7>2&2>10	0.0250	3.25
1-6-6	△ABC	8>12&13>7&7>8	0.0077	四边形 DEFG	6>13&1>7&8>6	0.0130	1.69
1-6-12	△ABC	2>14&13>12&19>3	0.00052	五边形 DEFGH	11>19&12>13&1>12&14>2	0.0084	16.15
1-6-24	△ABC	2>3&3>26&31>23	4.95×10⁻⁵	四边形 DEFGH	1>3&3>26&2>1&	0.0065	130.3
1-6-12-24	△ABC	37>43&3>2&43>27	4.94×10⁻⁵	五边形 DEFGH	1>2&1>26&24>27&3>43>5	0.0030	60.71

可以通过增加传感器数量来提高识别效果。其中 1-6-6 阵列的识别效果较好，不均匀系数最低，是优选阵列。

9.2 浸入式储罐底板腐蚀多声源辨识

开罐检查时发现，罐底腐蚀不是呈现均匀腐蚀，而是局部区域出现腐蚀坑。低碳钢在酸性环境中发生均匀腐蚀，而在 pH 值为 7~8 溶液中易发生钝化。对能够钝化的金属，杂质则会使其更容易钝化,如铁碳合金中的碳元素会促进铁的钝化。凡是表面上有钝化膜或保护膜的金属,当其在与含有 Cl⁻ 或含氯成分化合物的腐蚀介质溶液相接触时,点蚀是有可能发生的。以 Cl⁻ 为例来看点蚀的发生过程,Cl⁻ 会优先与金属钝化膜发生吸附作用,氧原子被挤出后,钝化膜中的阳离子会与 Cl⁻ 结合从而形成可溶性物质,从而金属表面露出新的底基金属,即蚀核。在较多情况下,随着蚀核的不断长大,宏观蚀孔逐渐形成,声发射信号不断产生。该种蚀孔则具有继续深挖的特性,蚀孔内金属基体表面电位较负且一直处于活性状态。反之蚀孔外的金属表面则电位较正处于钝态。从而在蚀孔凹坑内外处,有一个活态—钝态微电偶腐蚀电池存在。该电池的面积比结构呈大阴极小阳极,蚀孔深入速度很快。又由于保护层的阻断,相对孔外介质来说孔内介质呈滞留态,外部的溶解氧不容易进来,且金属阳离子又不容易向外扩散。由于孔内阳离子浓度继续增加,氯离子不断迁入,氯化物溶液也就在孔内形成了,从而使孔内的金属表面一直处于活性状态。但由于氯化物会水解,孔内介质增加酸度的同时则会使阳极溶解的速度也随之增加,声发射撞击率增加,又加上介质之间存在重力的相互影响,蚀孔继续加深,严重时导致穿孔等。其金属的电化学反应式为:

坑内阳极反应为:$Fe \longrightarrow Fe^{2+} + 2e$

坑外阴极反应为:$\frac{1}{2}O_2 + H_2O + 2e \longrightarrow 2OH^-$

阴极产生的 OH⁻ 及阳极产生的 Fe^{2+} 向溶液中相互接触,化合作用生成 $Fe(OH)_2$,与氧气接触进一步被氧化为 $Fe(OH)_3$,既而转成铁锈,这即是所谓的吸氧腐蚀。

这样,一个腐蚀坑形成一个大的声发射源,储罐底板则存在多个这样的声发射源,表现为多源化。这些不同腐蚀源发出的声波触发声发射传感器,可能间隔时间很短甚至混叠。因此,对于第 4 章声源识别的方法有一个判别前提,即进行判别的传感器收到的信号需来自同一声源,且为同一事件,否则会出现事件缺失或重复计算事件的现象,将不能准确地识别声发射源。

9.2.1 模拟储罐底板多声源辨识

1) 实验系统

实验采用常压立式储罐底板常用材料 Q235 碳素结构钢所制成的圆形钢板,其直径为 900 mm,厚度为 8 mm。基于第 3 章实验采集的罐底金属腐蚀声发射信号频率范围与峰值频率,选用美国 PAC 公司生产的 DP3I 型传感器,其工作频率范围为 20~220kHz,中心响应频率为 31.74kHz,操作温度为 -65~175℃,采用真空脂耦合,以及集成化更高、更适用于压力容器检测的第 3 代全数字化系统。

2) 参数设定

结合实验所采用的材料及结构尺寸,经过多次实验测试,最终设定系统有关参数 PDT 为 300 μs,HDT 为 600 μs,HLT 为 600 μs。由于本实验的定位声源来自于 2H(0.5) 断铅模拟声源,因此检测门槛设为中灵敏度范围的 40 dB。

3) 实验内容

将 6 个传感器均匀耦合在圆板外围,与此同时,在圆板中心耦合 1 个传感器,传感器布置简图如图 9.3 所示,图 9.4 为实验实物图。表 9.5 为 1-6 号传感器坐标表。

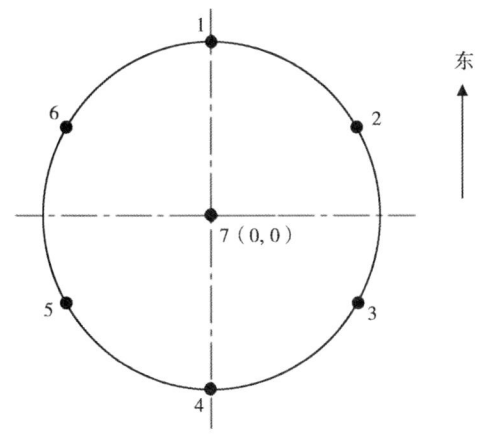

图 9.3 传感器布置与断铅位置示意图

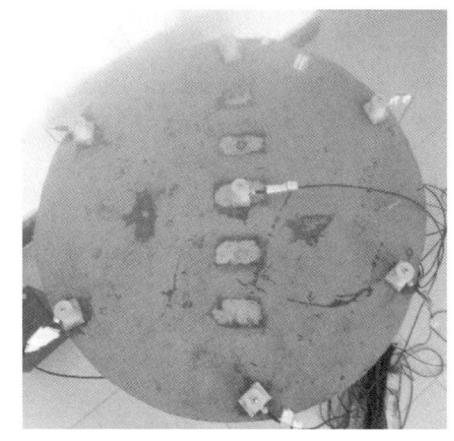

图 9.4 模拟储罐底板传感器布置方案实验图

表 9.5 各传感器坐标表

传感信号	1	2	3	4	5	6
坐标（mm）	(0, 400)	(346, 200)	(346, -200)	(0, -400)	(-346, -200)	(-346, 200)

按图 9.4 所示传感器布置方案，在圆板上耦合传感器后，进行传感器灵敏度标定，各通道的接收到的信号幅值均在 97 dB 以上，且波动不超过±2 dB，保证各通道传感器的灵敏度基本相同。

9.2.2 基于独立分量分析的信号分离

1）快速独立分量分析

储罐底板的声源情况一般比较复杂，往往呈现多信号的混合，而对于声发射信号这种多通道、非平稳、非高斯信号，适用于盲源分离的独立分量分析方法可以实现其混叠信号的分离。独立分量分析（Independent Component Analysis，ICA）是一种由盲信源分解技术发展的多通道信号处理方法，是一种在只有观测数据且信号源混叠方法未知的情况下，对信号独立源进行特征提取的信号处理方法。该方法特点是可以将多通道观察信号，按照统计独立的原则，通过优化算法分解成若干相互独立的成分，从而帮助实现信号的增强和分析。而在众多 ICA 算法中，快速独立分量分析（FastICA）算法以其收敛速度快，非线性最佳化，内存占用小等优点，而被广泛应用。FastICA 算法本质上是一种最小化估计分量信息的神经网络方法，利用最大熵原理来近似负熵，并通过一个合适的非线性函数使其达到最优。其算法如下。

独立分量分析方法（FICA）是一种统计方法，在一定条件下能有效地从多通道观测信号中分离出源信号，并使得这些分离出来的源信号之间尽可能独立。

独立分量分析方法问题可简单描述为：假定有 N 个传感器拾取到 N 个观测信号 X_i（其中下标 i 表示观测信号的通道序数，$i=1, 2, \cdots, N$）。而每个观测信号是由 M 个独立源信号 S_i（$i=1, 2, \cdots, M$）的线性混合，即 $X = A \cdot S$。A 是一个 $M \times N$ 维矩阵，一般称为混合矩阵。在信号源 S 和混合矩阵 A 都是未知的情况下，希望能找到一个解混矩阵 W，从混合信号中分离出相互独立的源信号，即 $S' = W \cdot X$，并希望 S' 能较好地逼近真实源信号 S。使用独立分量分析方法时必须考虑两个条件：（1）观测变量的个数大于或等于独立源的个数;(2)所有独立成分 S_i 只允许有 1 个是服从高斯分布。

快速独立分量分析算法本质上是一种最小化估计分量互信息的神经网络方法,利用最大熵原理来近似负熵,并通过一个合适的非线性函数使其达到最优。文中将独立分量分析算法用在声发射混合信号分离中,以快速独立分量分析算法为核心,对混合声发射信号进行盲源分离,估算出源观测信号。

2) 信号分离

为了验证快速独立分量对混合信号盲源分离的有效性,采集 3 次断铅(序号 8~10 组)各个通道接收到波形信号,分别如图 9.5 (a)、图 9.6 (a)、图 9.7 (a)、图 9.8 (a)、图 9.9 (a)、图 9.10 (a)、图 9.11 (a) 所示。以 Matlab 为仿真平台,利用快速独立分量分析方法对 3 次断铅信号的混合信号进行分离。利用 3×3 随机矩阵对每个通道的 3 次断铅信号进行混合,随机矩阵见表 9.6。混合后的波形图如图 9.5 (b)、图 9.6 (b)、图 9.7 (b)、图 9.8 (b)、图 9.9 (b)、图 9.10 (b)、图 9.11 (b) 所示,利用快速独立分量分析方法对 3 次断铅信号的混合信号进行分离,各通道独立声发射信号分离结果如图 9.5 (c)、图 9.6 (c)、图 9.7 (c)、图 9.8 (c)、图 9.9 (c)、图 9.10 (c)、图 9.11 (c) 所示。

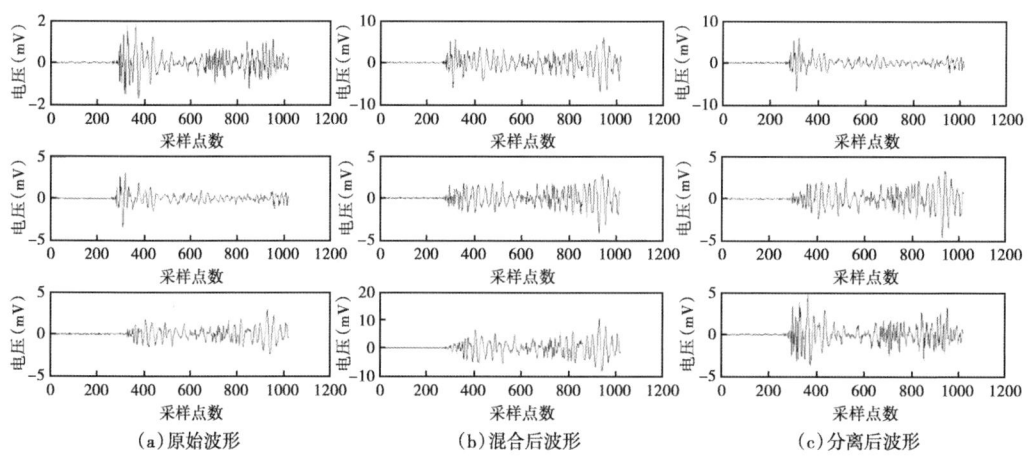

(a)原始波形　　　　　　　(b)混合后波形　　　　　　　(c)分离后波形

图 9.5　3 次断铅 1 通道原始波形、混合后的波形及分离后的波形图

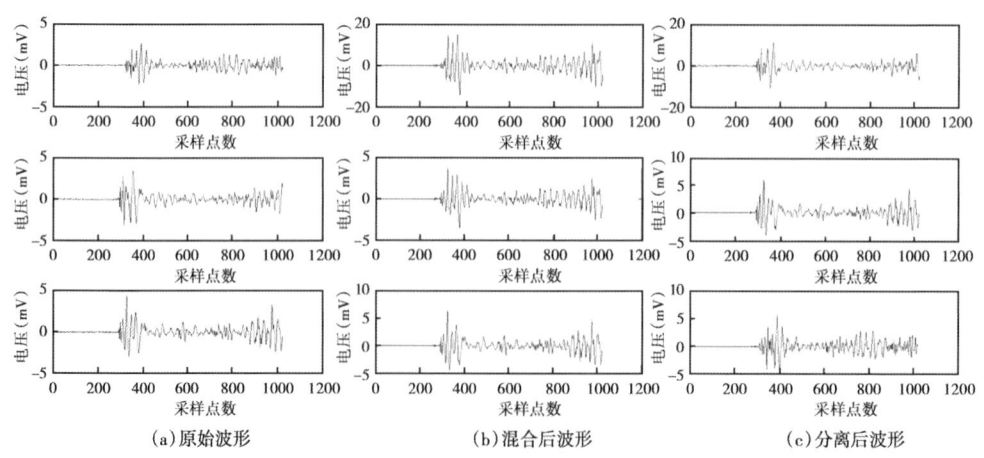

(a)原始波形　　　　　　　(b)混合后波形　　　　　　　(c)分离后波形

图 9.6　3 次断铅 2 通道原始波形、混合后的波形及分离后的波形图

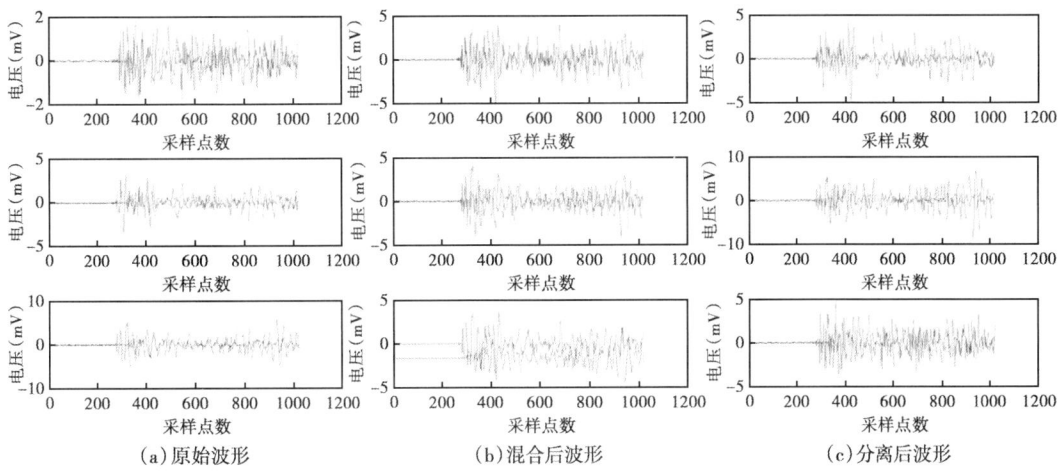

(a)原始波形　　　　　　　　(b)混合后波形　　　　　　　　(c)分离后波形

图9.7　3次断铅3通道原始波形、混合后的波形及分离后的波形图

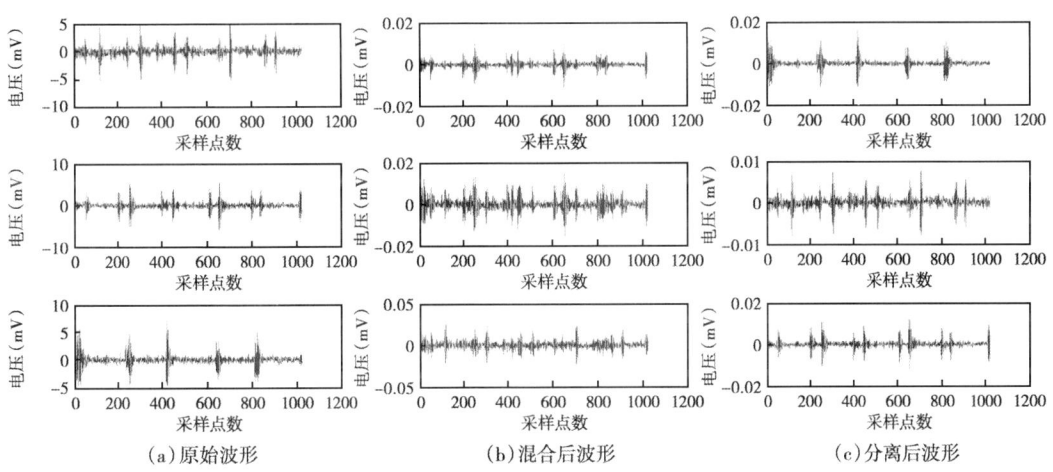

(a)原始波形　　　　　　　　(b)混合后波形　　　　　　　　(c)分离后波形

图9.8　3次断铅4通道原始波形、混合后的波形及分离后的波形图

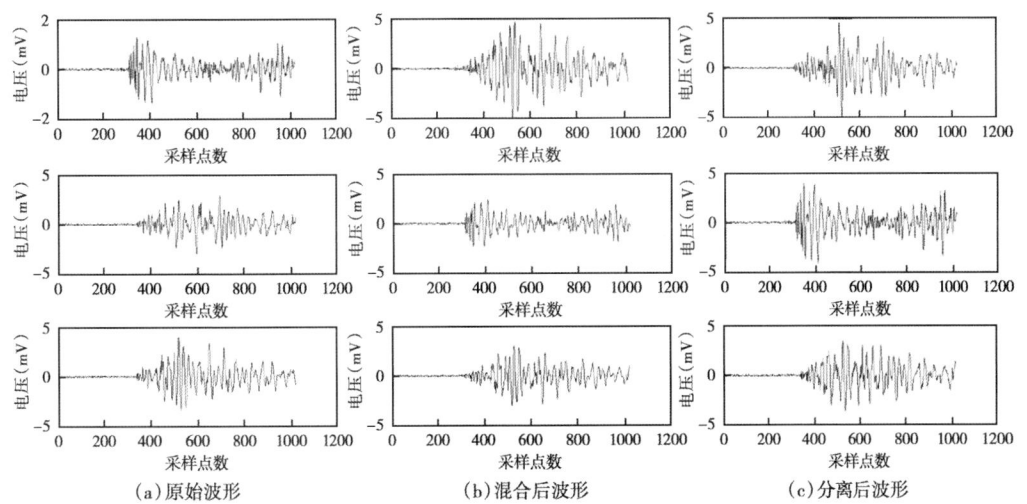

(a)原始波形　　　　　　　　(b)混合后波形　　　　　　　　(c)分离后波形

图9.9　3次断铅5通道原始波形、混合后的波形及分离后的波形图

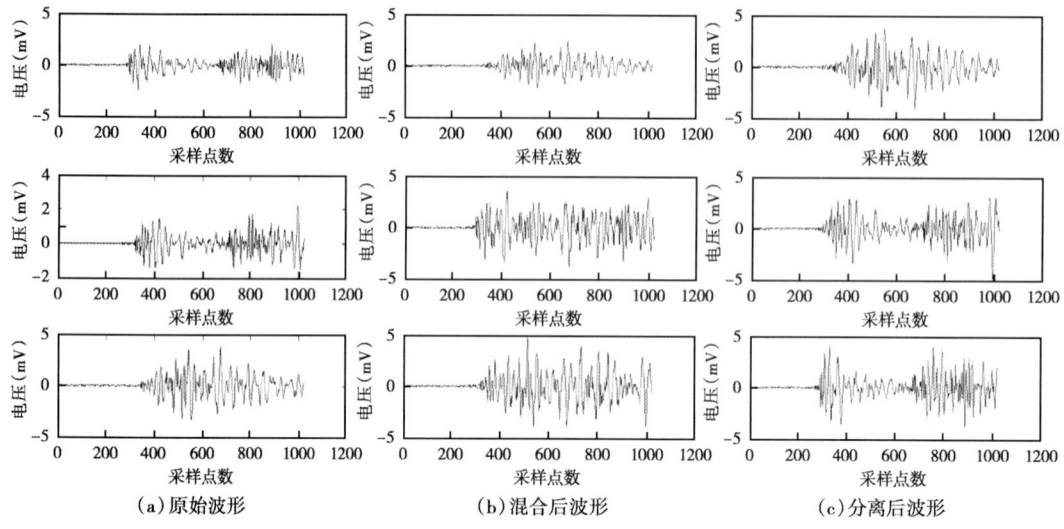

(a)原始波形　　　　　　　(b)混合后波形　　　　　　　(c)分离后波形

图 9.10　3 次断铅 6 通道原始波形、混合后的波形及分离后的波形图

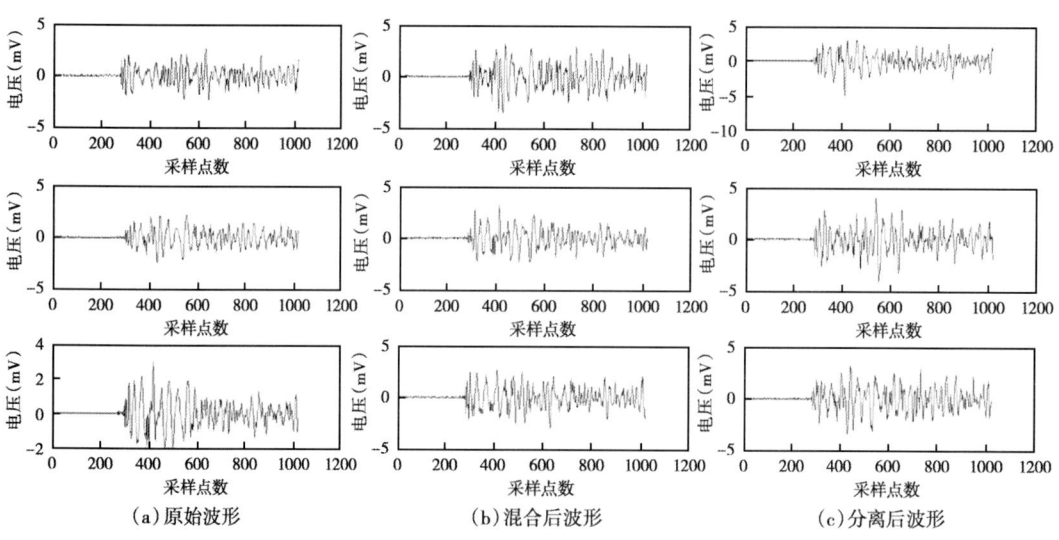

(a)原始波形　　　　　　　(b)混合后波形　　　　　　　(c)分离后波形

图 9.11　3 次断铅 6 通道原始波形、混合后的波形及分离后的波形图

表 9.6　各通道信号混合矩阵

通道	混合矩阵
1	$\begin{bmatrix} 0.5377 & 0.8622 & -0.4336 \\ 1.8339 & 0.3188 & 0.3426 \\ -2.2588 & -1.3077 & 3.5784 \end{bmatrix}$
2	$\begin{bmatrix} 2.7694 & 0.7254 & -0.2050 \\ -1.3499 & -0.0631 & -0.1241 \\ 3.0349 & 0.7147 & 1.4897 \end{bmatrix}$

续表

通道	混合矩阵
3	$\begin{bmatrix} 1.4090 & -1.2075 & 0.4889 \\ 1.4172 & 0.7172 & 1.0347 \\ 0.6715 & 1.6302 & 0.7269 \end{bmatrix}$
4	$\begin{bmatrix} -0.3034 & 0.8884 & -0.8095 \\ 0.2939 & -1.1471 & -2.9443 \\ -0.7873 & -1.0689 & 1.4384 \end{bmatrix}$
5	$\begin{bmatrix} 0.3252 & -1.7115 & 0.3192 \\ -0.7549 & -0.1022 & 0.3129 \\ 1.3703 & -0.2414 & -0.8649 \end{bmatrix}$
6	$\begin{bmatrix} 0.3252 & -1.7115 & 0.3192 \\ -0.7549 & -0.1022 & 0.3129 \\ 1.3703 & -0.2414 & -0.8649 \end{bmatrix}$
7	$\begin{bmatrix} -0.0068 & 0.3714 & -1.0891 \\ 1.5326 & -0.2256 & 0.0326 \\ -0.7697 & 1.1174 & 0.5525 \end{bmatrix}$

将各通道分离后的波形图与原始波形进行比较，可以看出分离后的信号从波形上很好地保持了原始信号的波形，只是在波形幅度和顺序等方面发生了变化，实现了混合波形的分离，验证了独立分量分析法对混合波形分离的有效性，这为下面的多声源声发射信号的辨识提供了必要的准备。

9.2.3 基于相关分析的同源信号聚类

1) 基于相关分析的聚类算法

若要准确地识别声发射源，需要判断哪些信号来自同一事件，属于同一声源。而各传感器收到的同一声发射源信号应该具有比较高的相似性。根据这一特点，基于互相关系数法对同一声源信号进行聚类分析。设 $x = (x_1, x_2, \cdots, x_N)$，$y = (y_1, y_2, \cdots, y_N)$ 为被判定的两个信号序列，其相关函数为：

$$R_{x,y}(m) = \frac{1}{N} \sum_{n=1}^{N-m} x(n) y(n+m), \quad m = 0, 1, \cdots, N \tag{9-1}$$

互相关函数是两个不同信号 $x(n)$ 和 $y(n)$ 之间的乘积，这两个被去除均值的信号之间存在共性部分（确定量）和非共性部分（随机量），共性部分的相乘总是取相同符号，使得该部分得到累积加强，而非共性部分由于其随机性相乘后有时取正号有时取负号，经过平均运算后趋于相互抵消。因此，两个信号的互相关运算能够将其共性部分提取出来并抑制掉非共性部分，互相关函数的最大值反映了两个信号之间相似性的程度。由于互相关函数的最大值是绝对量值，与信号幅值有关，不便于统一度量。因此，对 x、y 的最大值进行归一化处理，得到两个信号的互相关系数。

$$\rho_{x,y} = \frac{\max(R_{x,y})}{\sqrt{\sum_{n=1}^{N} x^2(n) \cdot y^2(n)}} \tag{9-2}$$

互相关系数的值越接近 1 表明两信号之间相似程度越高，来自同一个声源的可能性越大。在聚类融合过程中，根据两个信号之间的互相关系数是否超过阈值来确定其是否属于同一个聚类。属于同一聚类的信号则被判定来自同一声源，为一个声发射事件。这样用相关系数法可以判断两个信号是否来自同一声源。平均相关数：

$$\rho(x, C) = \frac{1}{n'} \sum_{i=1}^{n'} \rho(x, y_i), \; y_i \in C \tag{9-3}$$

式中 n' 为聚类 C 中的信号数量。当 $\rho(x, C_1)$ 的意义在于判断目标信号与已知聚类的相关性。

设在事件定义时间内 i 号传感器接收到的撞击信号集合为 $H_i = \{h_{i1}, h_{i2}, \cdots, h_{in}\}$，$n = 3, 4, 5, \cdots$，$H$ 中的信号按时间顺序排列，信号类别数量未知。选取 h_{11} 信号为基准，分别与 $h_{21}, h_{22}, \cdots, h_{2n}$ 中的信号做相关系数计算，取相似度最大的那个信号（不妨假定为 h_{2k}）与 h_{11} 信号共同构成 C_1 聚类。接着将信号 $h_{31}, h_{32}, \cdots, h_{3n}$ 与 C_1 进行平均相关系数运算，取平均相关系数最大的那个（不妨假定为 h_{3m}），可判定 h_{3m} 属于聚类 C_1。这样 h_{11}，h_{2k}，h_{3m} 属于聚类 C_1。依次类推，可知以 h_{12} 信号为基准的聚类 C_2。最终可以得到 $C_1, C_2, \cdots, C_n$，这样就得到了所有聚类集合。

2）同源信号聚类

设 1、2、3、4、5、6、7 通道接收信号集合依次为 {aa, ab, ac}、{ba, bb, bc}、{ca, cb, cc}、{da, db, dc}、{ea, eb, ec}、{fa, fb, fc}、{ga, gb, gc}，利用相关系数法，以 1、2、3 通道接收到的信号为例进行相关分析，其相关性图如图 9.12 至图 9.14 所示。

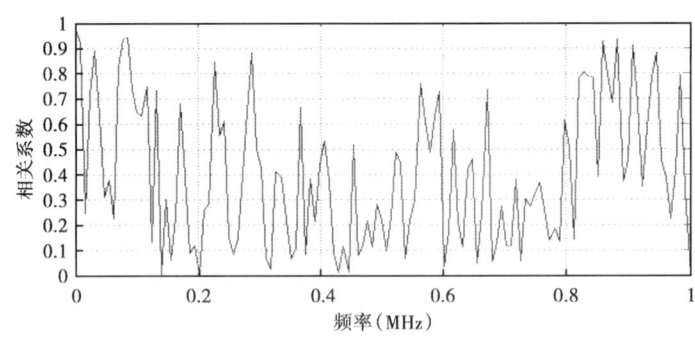

图 9.12　aa 和 ba 信号相关性

通过对信号进行谱分析发现，断铅信号在 30kHz 处功率谱密度最大。由图 9.12 至图 9.14 可知 aa，ba 信号在 30 kHz 处相关系数最大，即相关性更大，故把 aa 和 ba 信号归于同一聚类 C_1，即 aa、ba $\in C_1$。

同理，由图 9.15、图 9.16 可知 ab，bb 信号相关性更大，故把 ab 和 bb 信号归于同一聚类 C_2，即 ab、bb $\in C_2$。显然 ac 和 bc 信号归于聚类 C_3，即 ac、bc $\in C_3$。同样，对 4~7 通道

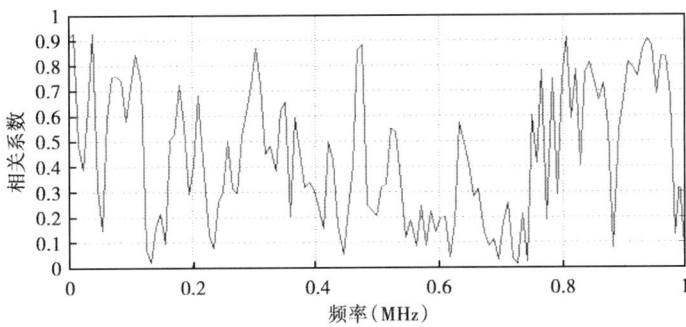

图 9.13 aa 和 bb 信号相关性

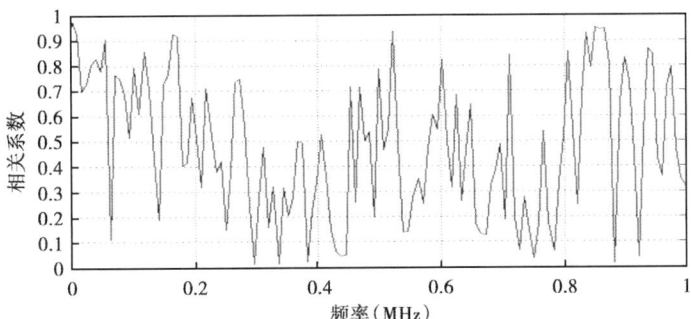

图 9.14 aa 和 bc 信号相关性

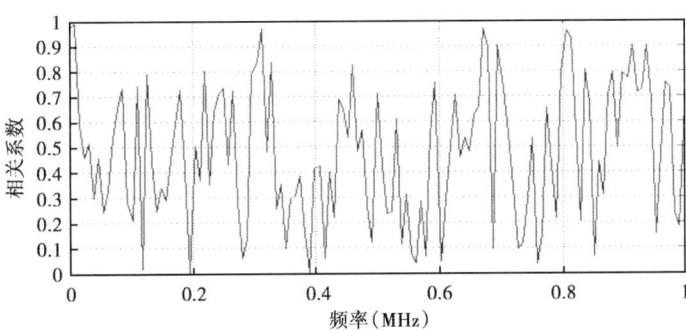

图 9.15 ab 和 bb 信号相关性

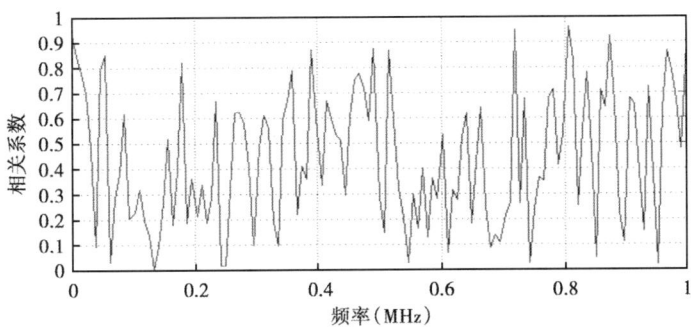

图 9.16 ab 和 bc 信号相关性

进行类似上面的相关系数分析，可得到 3 个聚类 C_1、C_2、C_3，C_1、C_2、C_3 分别对应一个声发射信号，且 C_1 = {aa, ba, ca, da, ea, fa, ga}，C_2 = {ab, bb, cb, db, eb, fb, gb}，C_3 = {ac, bc, cc, dc, ec, fc}。多声源声发射信号聚类的完成表明多声源的辨识成功，这为声源信号的定位提供了基础。

9.3 基于多源统计参量的储罐底板腐蚀状态声发射

9.3.1 基于多源统计参量的罐底腐蚀声发射监测

实验采用材质为 Q235 的低碳钢模拟储罐，其尺寸为 $D = 600mm$，$H = 700mm$，底板厚度 4mm。罐底预留①、②、③、④，4 个 $\phi 36mm$ 圆形区域，如图 9.17 所示，除预留区域罐底板和罐壁均喷涂 D-31 环氧/聚氨酯底漆，满足防腐、绝缘及密封要求。模拟储罐内盛装水溶液。按照实验方案在罐内预留区域放置腐蚀源。腐蚀试件为 50mm×50mm×2mm 的 Q235 低碳钢板，用 1200 目的砂纸对试件进行连续打磨，表面满足腐蚀实验粗糙度要求，蒸馏水清洗，无水乙醇中漂洗，冷风吹干，干燥器内放置一晚。试件一面用环氧树脂连接外 D40×2 的圆筒形有机玻璃管，内盛腐蚀溶液，如图 9.18 所示，实验装置图如图 9.19 所示。

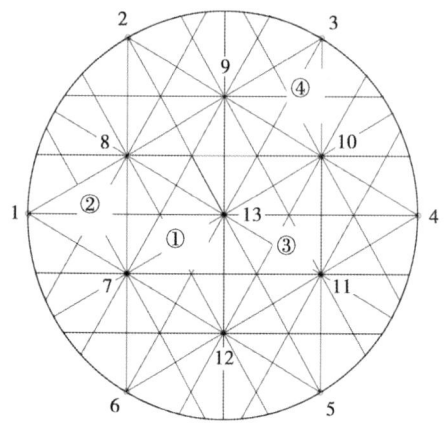

图 9.17 模拟储罐罐底示意图

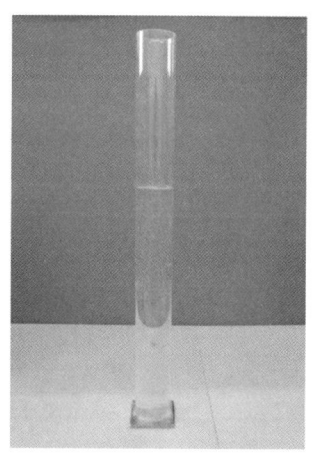

图 9.18 模拟腐蚀源

采用 PCI-8 的 SAMOS 系统，4-Channel Wireless AE Node 无线系统，CorrTest CS310 电化学工作站。采用 1-6-6 的传感器阵列方案，罐外壁靠近底板位置布置 6 个 DP3I 型传感器，编号分别为 1、2、3、4、5、6；罐底下表面布置 3 个无线传感器（PK15I），编号为 7、9、11，布置 3 个 DP3I 型传感器，编号为 8、10、12；罐内中央部位布置 1 个水声传感器（R.45IUC），编号为 13，如图 9.20 所示。

所应用的传感器均为内置前放型，采用材料声学特性测试矩阵对传感器的灵敏度和位置进行标定。各通道幅值均为 99dB，通过 1~12 号传感器与 13 号的距离计算，及传感器之间的距离计算，所布置传感器满足实验阵列要求。空采背景噪声，确定背景噪声水平，将系统阈值设置在背景噪声之上，采集参数设置见表 9.7。

图 9.19 实验装置图

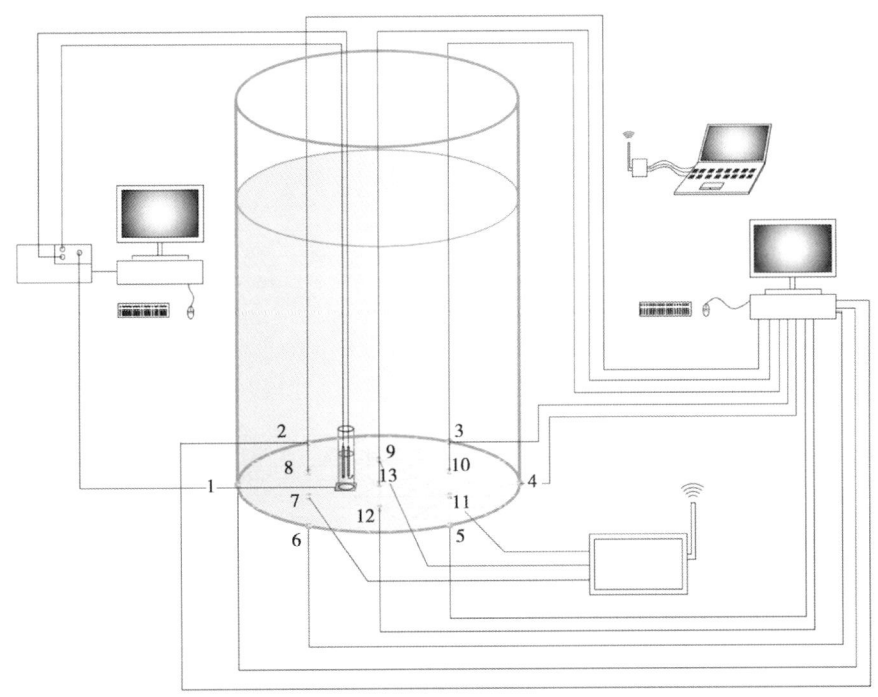

图 9.20 模拟储罐底板多源腐蚀电化学监测和声发射全域监测实验

表 9.7 采集参数设置

门槛 (dB)	模拟滤波器频率 (kHz)		波形设置		定时参数		
	上限	下限	采样率	采样长度	峰值定义时间 (μs)	峰值闭锁时间 (μs)	撞击闭锁时间 (μs)
30	1	400	1MSPS	2k	300	600	600

按照表9.7中的参数设置，根据表9.8中腐蚀严重程度划分的腐蚀电流密度，进行如下实验。

（1）将盛有0.1mol/L HCl溶液的腐蚀源1放入罐内，布置在罐底预留区域①，如图9.17所示，真空脂耦合。②、③、④区域用真空脂封涂隔离。采用稳态极化的恒电流极化方法，使腐蚀电流密度分别恒定为A：$3.22×10^{-6}$ A/cm^2；B：$1.54×10^{-5}$ A/cm^2；C：$1.67×10^{-5}$ A/cm^2；D：$3.22×10^{-5}$ A/cm^2，4个腐蚀程度状态，每一极化过程持续1h。同时进行声发射系统的监测，采集声发射信号，如图9.20所示。

（2）腐蚀源2内放入0.1mol/L NaCl，腐蚀源3内放入2.0mol/L NaCl，腐蚀源4内放入1.0mol/L HCl溶液。先应用电化学工作站测试腐蚀源1、腐蚀源2、腐蚀源3的自腐蚀电流，再将其放入罐内，分别布置在②、③、④区域，①区域用真空脂封涂。对其自腐蚀过程进行声发射系统的监测，如图9.21所示。

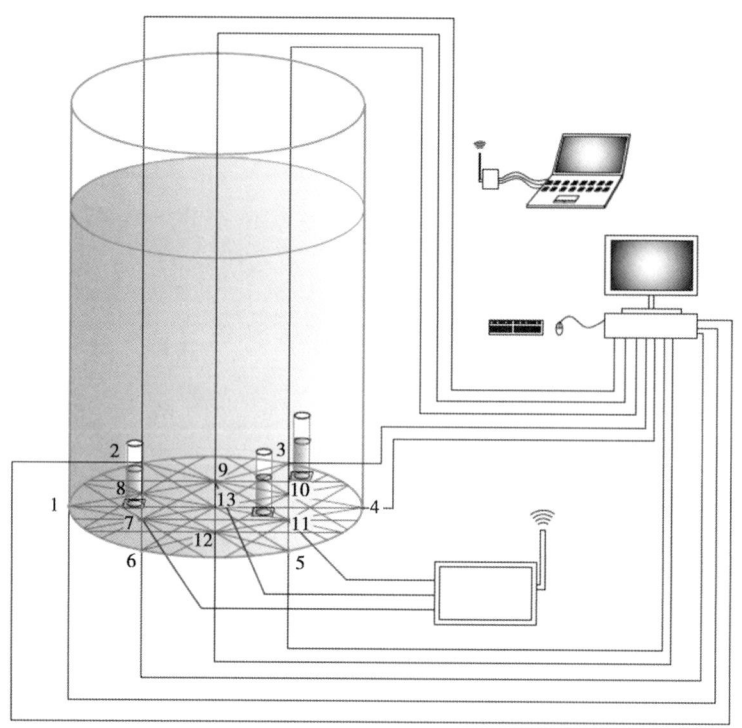

图9.21 模拟储罐底板多源腐蚀声发射全域监测实验

9.3.2 基于多源统计参量的罐底腐蚀声发射监测对比

根据罐底腐蚀多声源辨识方法，对实验数据进行信号的分离与聚类，声源识别结果如图9.22所示，声发射源均有效落在图中黑色网格区域。

根据国内外对介质腐蚀性评价标准，确定罐底腐蚀严重程度的判别标准。SY/T 5329—1994《碎屑岩油藏注水水质推荐指标及分析方法》中规定，介质对碳钢的腐蚀速率达到0.076 mm/a以上，就认为该介质对碳钢具有一定腐蚀性。NACE 0775—2005《美国腐蚀工程师协会标准》将腐蚀程度分为四类，相应指标见表9.8。根据法拉第定律，通过腐蚀速率

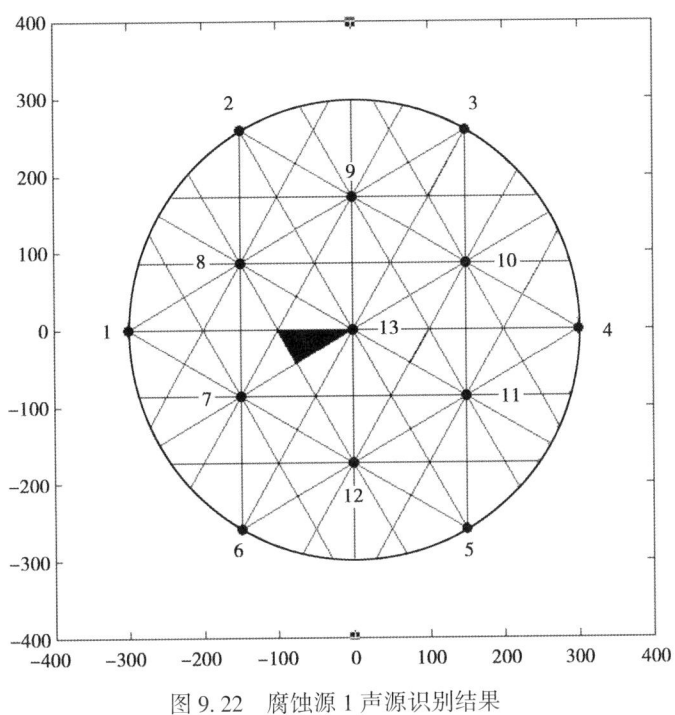

图 9.22 腐蚀源 1 声源识别结果

计算单位时间内反应的金属质量，计算消耗总电子数，求得电流，腐蚀速率与腐蚀电流密度的换算式（9-4），不同腐蚀严重程度对应的腐蚀电流密度见表 9.8。

表 9.8 罐底腐蚀网格区域腐蚀严重程度划分

腐蚀严重程度	低	中	高	严重
声发射评价级别	Ⅰ	Ⅱ	Ⅲ	Ⅳ
平均腐蚀速率 V（mm/a）	<0.025	0.025~0.12	0.13~0.25	>0.25
最大点蚀速率 V（mm/a）	<0.305	0.305~0.611	0.611~2.438	>2.428
腐蚀电流密度 I（A/cm²）	<3.22×10⁻⁶	3.22×10⁻⁶~1.54×10⁻⁵	1.67×10⁻⁵~3.22×10⁻⁵	>3.22×10⁻⁵
典型参量指标范围	<A	A~B	C~D	>D

$$I = \frac{VnD}{3270A} \tag{9-4}$$

式中 I——腐蚀电流密度，A/cm²；

V——腐蚀速率，mm/a；

A——原子量；

n——得失电子数；

D——金属材料密度，g/cm³。

对于罐底金属 Q235，由于二价铁离子不稳定，所以 n 的值为 3，D 为 7.85 g/cm³。

当罐底腐蚀声源处于不同严重程度状态时，其声发射特征参数会呈现不同的变化。可以通过计算罐底网格区域腐蚀不同程度状态划分的综合指标 A、B、C、D，得到不同严重程度的综合指标范围，见表9.8。同样的计算方法，确定待评估罐底网格区域腐蚀状态的综合指标，确定的归属区间，评估网格区域腐蚀严重程度，进而评估整个罐底的腐蚀状态。

对于不同的腐蚀状态 A、B、C、D，声发射源表现为不同的严重程度，事件数分别为 21、63、70、120，如图9.23所示。

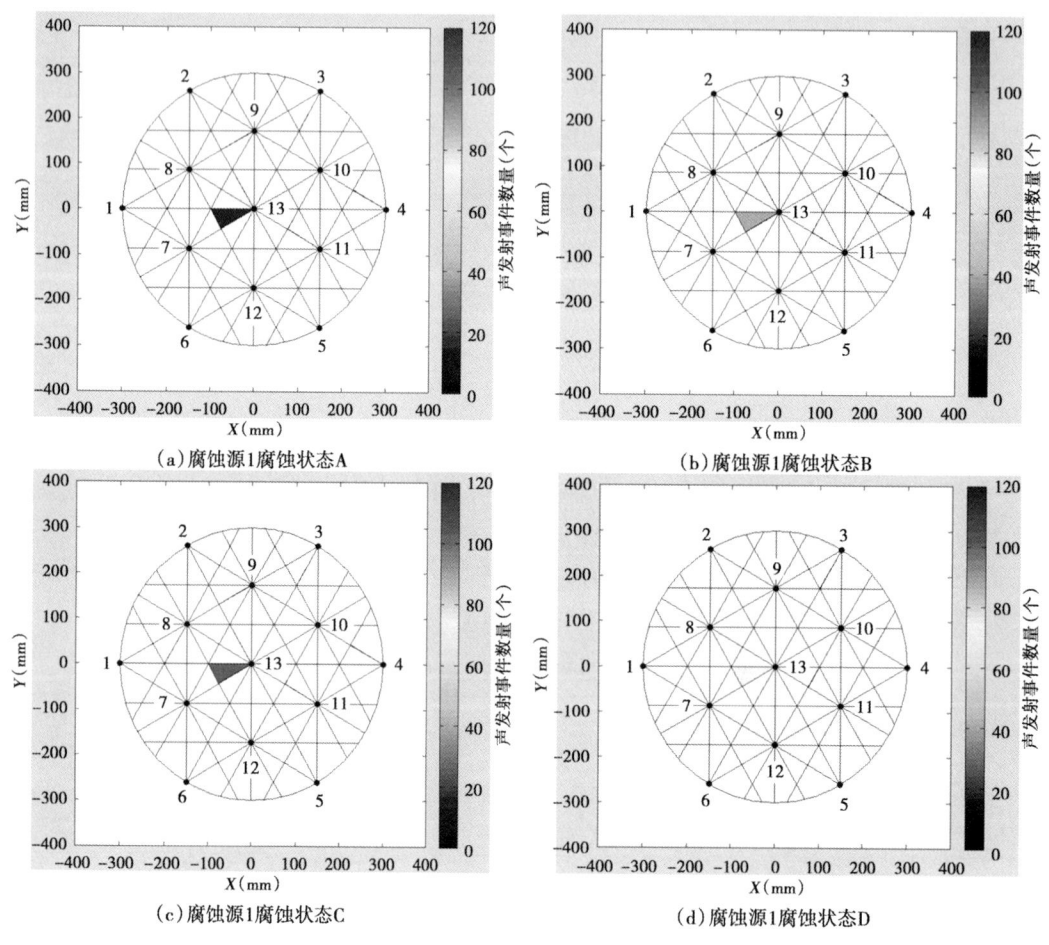

图 9.23 不同腐蚀状态的严重程度表示

图9.23（a）中阴影区域代表腐蚀严重程度低的区域，声发射评价级别为Ⅰ，事件数为[0, 23]；图9.23（b）中阴影区域代表腐蚀严重程度中的区域，声发射评价级别为Ⅱ，事件数为[24, 67]；图9.23（d）中阴影区域代表腐蚀严重程度高的区域，声发射评价级别为Ⅲ，事件数为[68, 119]；图9.23（c）中阴影区域代表腐蚀严重程度严重的区域，声发射评价级别为Ⅳ，事件数为[120, ∞]。对腐蚀源2、腐蚀源3、腐蚀源4进行监测的结果表明，三个网格区域的声发射事件数分别为13、37、268，声发射级别分别为Ⅰ、Ⅱ、Ⅳ。如图9.26所示，颜色直观的显示出腐蚀严重程度。②区域腐蚀严重程度低，不需要维修；③腐蚀严重程度中，可以考虑再使用一段时间维修；④区域腐蚀严重，需要马上维修更换金属板。

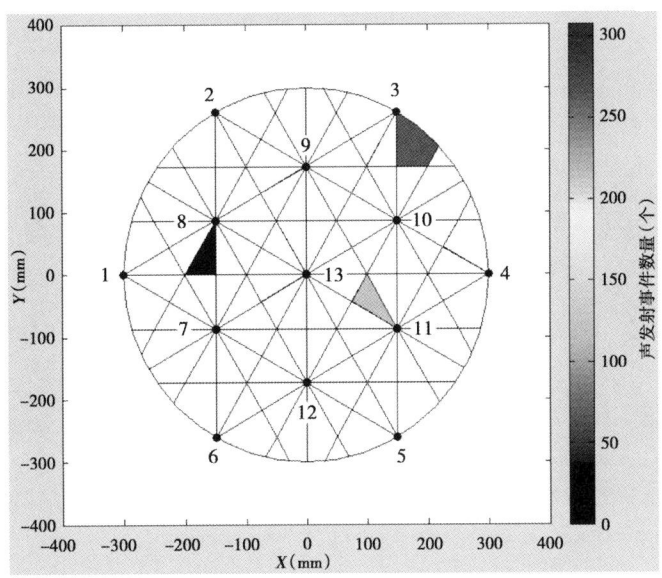

图 9.24 模拟储罐底板多源腐蚀状态声发射评价

参 考 文 献

[1] 王光，李光海，贾国栋．常压储罐群的完整性评价技术［J］．压力容器，2009，26（7）：29-32．
[2] 赵雪娥，蒋军成．原油储罐的腐蚀机理研究及防护技术现状［J］．中国安全科学学报，2005，15（3）：104-107．
[3] 申晓丽．浅谈大型金属储罐检测技术及应用［J］．中国新技术新产品，2016（6）：59-59．
[4] 蒋林林，韩文礼，徐忠苹，等．储罐底板声发射在线检测技术的研究现状［J］．腐蚀与防护，2016，37（5）：375-382．
[5] 丛成龙．常压储罐罐底声发射在线检测技术研究与实践［J］．检测技术，2016，32（2）：32-36．
[6] 杨明纬．声发射检测［M］．北京：机械工业出版社，2005．
[7] Knopoff L. Surface Motions of a Thick Plate［J］. Journal of Applied Physics, 1958, 29（4）: 661-670.
[8] Darowicki K. Mirakowski A. Investigation of pitting corrosion of stainless steel by means of acoustic emission and potentiodynamic methods［J］. Corrosion Science, 2003, 45（8）: 1747-1756.
[9] Fregonese M., Idrissi H., Mazille H., et al. Initiation and propagation steps in pitting corrosion of austenitic stainless steels: monitoring by acoustic emission［J］. Corrosion Science, 2001, 43（2001）: 627-641.
[10] Jirarungsatian C., Prateepasen A.. Pitting and uniform corrosion source recognition using acoustic emission parameters［J］. Corrosion Science, 2010, 52（1）: 187-197.
[11] Park S., Kitsukawa S., Ket K., et al. AE source and relation between AE activity and rate of corrosion of oil tank bottom plate on acidic soils［J］. Materials Transactions, 2005, 46 108（11）: 2490-2496.
[12] Medvedeva, M., Ratanova, M., Barat, V., et al. Acoustic Emission in Monitoring Corrosion of Crude Distillation-Unit Equipment［J］. Chemical and Petroleum Engineering, 2015, 51（7）: 574-577.
[13] 耿荣生，傅刚强．金属点蚀过程声发射源机制研究［J］．声学学报，2002，(4)：369-372．
[14] 李伟．低碳钢点蚀声学检测与信号处理技术研究［D］．大庆：大庆石油学院，2006．
[15] 杨平．罐底腐蚀声发射机理研究［D］．沈阳：沈阳工业大学，2014．
[16] 鄢虓，单宏祥，许凤旌，等．TANKPAC技术用于储罐底部腐蚀状况在线评估［J］．油气田地面工程，2005，24（8）：56-56．
[17] 韩磊，刘小辉．原油储罐底板的检测技术及阴极保护［J］．石油化工腐蚀与防护，2009，(S1)：138-142．
[18] 刘涛，沈士明．大型储罐的应力腐蚀开裂［J］．施工技术，2009，(S1)：543-546．
[19] 倪余伟，王建宇，李永，等．大型储罐的应力腐蚀开裂［J］．油气储运，2009，(S2)：43-46．
[20] 王琳．油田联合站储罐健康状态评价技术研究及系统实现［D］．哈尔滨：哈尔滨工业大学，2010．
[21] 张涛．储罐声发射罐底腐蚀检测数据采集环节的若干问题研究［D］．天津：天津大学，2010．
[22] 张涛，李一博，王伟魁，等．声发射技术在罐底腐蚀检测中的应用与研究［J］．传感技术学报，2010，23（7）：1049-1052．
[23] 林明春，康叶伟，王维斌，等．护卫传感器在拱顶储罐底声发射检测中的应用［J］．无损检测，2010，32（8）：620-622．
[24] 沈功田，戴光．无损检测常压金属储罐声发射检测及评价方法［C］//中国声发射学术研讨会．2006．
[25] 康叶伟，林明春，王维斌，等．立式储罐底板在线检测技术国内外动态［J］．无损检测，2010，32（9）：725-729．
[26] 谈平庆，董绍平．声发射技术在大型储罐腐蚀检测中的应用［J］．石油化工腐蚀与防护，2007，24（3）：45-49．
[27] 徐彦廷，刘富君，王亚东，等．大型立式储罐综合检测技术［J］．无损检测．2007，29（8）：482-485．
[28] 戴光，李伟，王娅莉，等．常压立式储罐腐蚀状态检测与评价技术的研究与应用［J］．无损检测，2011，33（12）：58-61．

[29] 丛蕊,戴光,张颖,等.立式油罐底板腐蚀的声发射在线检测技术及应用[J].化工机械,2008,35(1):43-45.

[30] 杨志军,戴光,李伟,等.常压立式储罐罐底腐蚀检测技术的研究与应用[J].科学技术与工程,2009,9(18):5472-5475.

[31] 蒋鹏,张璐莹,李伟.基于小波神经网络的储罐声发射检测信号分析方法[J].无损检测,2014,36(9):1-4.

[32] 林明春,辛爱华,高金杰,等.罐底声发射在线检测及其可靠性验证[J].油气储运,2010,29(10):776-779.

[33] 朱建伟,杨宏宇,王维斌,等.储罐底板声发射在线与开罐检测对比[J].无损检测,2014,36(6):67-70.

[34] 邬康迪,曾为民.大型常压储罐底板腐蚀的联合检测与评价[J].化学工程与装备,2014:168-171.

[35] 沈功田,耿荣生,刘时风.声发射信号的参数分析方法[J].无损检测,2002,24(2):72-77.

[36] 戴光,张宝琪,金国梁,等.应力腐蚀破裂过程中的声发射监测与分析[J].钢铁,1990,(5):43-48.

[37] 李伟,王少凡,李颖,等.低碳钢腐蚀声发射检测实验研究[J].化工机械,2012,39(6):714-717.

[38] 李伟,张春辉,马济美,等.Q235均匀腐蚀过程声发射监测实验研究[J].化工机械,2012,(4):431-434.

[39] 李伟,戴光,龙飞飞,等.地上立式金属罐底储罐在线声学检测及评价方法[J].大庆石油学院学报,2003,(1):93-94.

[40] 李伟,戴光,张颖,等.地上立式金属储罐腐蚀损伤的实验[J].大庆石油学院学报,2003,(1):99-102.

[41] 李伟,宫羽丽,杨宇,等.金属点蚀过程中声发射源机制研究[J].化工机械,2013,40(6):743-747.

[42] 张春辉.Q235钢均匀腐蚀声发射监测实验研究[D].大庆:东北石油大学,2012.

[43] 方江涛.金属腐蚀声源信号识别技术研究[D].大庆:大庆石油学院,2007.

[44] 张颖,陈荣刚,戴光.储罐底板腐蚀状况的贝叶斯判别预测方法[J].压力容器,2010,27(1):31-34.

[45] 张颖,陈荣刚,宋美萍,等.基于在线检测信息的储罐底板腐蚀状态智能评价方法[J].中国安全科学学报,2011,21(7):40.

[46] 张颖,陈荣刚,戴光,等.贝叶斯网络在储罐底板腐蚀状况预测的应用研究[J].兵器材料科学与工程,2011,34(1):51-54.

[47] 陈荣刚.基于在线检测信息的储罐底板腐蚀状态智能评价方法研究[D].大庆:大庆石油学院,2008.

[48] 戴光,邱枫,陈荣刚,等.储罐底板腐蚀状态的人工神经网络智能评价方法[J].无损检测,2012,34(6):5-7.

[49] 戴光,邱枫,张颖,等.基于风险腐蚀速率的储罐底板腐蚀声发射量化评价方法研究[J].压力容器,2012,29(11):52-56.

[50] 高胜,王少凡,付玉,等.Q235、Q345R与304不锈钢在NaCl溶液中腐蚀声发射监测实验研究[J].化工机械,2014,41(2):163-168.

[51] 龙飞飞.新型声发射检测系统与定位技术研究[D].大庆:大庆石油学院,2002.

[52] 李一博,孙立瑛,靳世久,等.大型常压储罐底板的声发射在线检测[J].天津大学学报(自然科学与工程技术版),2008,41(1):11-16.

[53] 邢菲菲,李一博,靳世久.基于LMBP算法的罐底腐蚀声发射信号模式识别[J].计算机测量与控制,2008,16(12):1945-1947.

[54] 邢菲菲.储罐罐底腐蚀声发射信号模式识别研究[D].天津:天津大学,2008.

[55] 王伟魁,杜刚,曾周末.酸性 NaCl 溶液中 304 控氮不锈钢腐蚀过程的声发射特征[J].化工学报,2010,61(4):916-922.

[56] 王伟魁,曾周末,孙立瑛,等.基于相关分析的声发射储罐罐底检测降噪方法[J].振动与冲击,2010,(8):178-180.

[57] 王伟魁,曾周末,杜刚,等.304 控氮不锈钢应力腐蚀过程中声发射信号聚类分析[J].化工学报,2011,(4):1027-1033.

[58] 王伟魁.储罐罐底腐蚀声发射检测信号处理关键技术研究[D].天津:天津大学,2011.

[59] 王伟魁,曾周末,李一博等.基于小波聚类的罐底声发射源聚集区域自动识别[J].纳米技术与精密工程,2012,(6):531-536.

[60] 王伟魁,曾周末,杜刚,等.基于聚类分析的罐底声发射检测信号融合方法[J].振动与冲击,2012,(17):181-185.

[61] 杜刚,靳世久,付铜玲,等.基于平均频谱的储油罐罐底腐蚀声发射特征分析[J].纳米技术与精密工程,2011,09(2):157-161.

[62] 杜刚.基于声发射技术的不锈钢应力腐蚀过程研究[J].航天器环境工程,2014,31(14):401-408.

[63] 徐耀松,李一博,付铜玲,等.有限空间液态场中声发射信号时延估计方法[J].压电与声光,2012,10(5):434-438.

[64] 徐耀松,李一博,靳世久,等.基于粒子滤波的液态场环境声源定位方法[J].纳米技术与精密工程,2012,10(5):434-438.

[65] 于洋,张雯雯,杨平,等.腐蚀声发射信号降噪方法[J].声学学报,2014(3):372-379.

[66] 于洋.罐底腐蚀声发射信号传播仿真研究[D].沈阳:沈阳工业大学,2012.

[67] 马佳良.基于蜂群算法的储罐底板腐蚀声发射评价[D].沈阳:沈阳工业大学,2014.

[68] 曹慧.基于模糊聚类的储油罐底声发射源识别[D].沈阳:沈阳工业大学,2014.

[69] 姚舜刚.立式储罐声发射在线检测技术的试验研究和应用[D].杭州:浙江工业大学,2006.

[70] 闫河.金属常压储罐底板声发射源特性研究[D].北京:北京工业大学,2010.

[71] 常向东,赵丽新.应用神经网络研究地面储罐罐底声发射检测中渗漏信号与腐蚀信号的差异[J].石油石化节能,2010,26(7):48-51.

[72] 李光海,沈功田,闫河.常压储罐声发射检测技术[J].无损检测,2010,32(4):256-259.

[73] 黄瑾.储罐的声发射检测技术应用研究[D].西安:西安石油大学,2012.

[74] 方伟,刘丽川,杨继平,等.声发射技术在覆土油罐检测中的应用[J].无损检测,2012,34(1):46-48.

[75] 陈涛,刘丽川,方卫红,等.油罐声发射检测信号数据库研究及应用[J].应用声学,2013,32(2):152-159.

[76] 潘渊,陈伟文.常压储罐声发射检测技术研究[J].甘肃科技,2013,29(3):44-46.

[77] 张延兵,顾建平.化工储罐底板失效声发射监测分析[J].中国特种设备安全,2013(1):32-35.

[78] 张延兵,顾建平.储罐长周期腐蚀声发射监测试验[J].无损检测,2014(2):32-36.

[79] 宗福兴,李政硕,汪辉,等.基于独立分量分析的罐底腐蚀声发射信号去噪方法[J].无损检测,2014,36(7):67-73.

[80] 李志刚,李德峰,钟建强,等.铝合金腐蚀声发射信号小波剔噪技术研究[J].无损探伤,2008,32(3):1-4.

[81] 赵淑楠.油水污水组分对其腐蚀性能的影响研究[D].广州:华南理工大学,2010.

[82] 汪文强.原油储罐内底板腐蚀机理分析与涂层防腐技术研究[D].上海:华东理工大学,2014.

[83] 闫康平,陈匡民.过程装备腐蚀与防护[M].北京:化学工业出版社,2009.

[84] 曹楚南.腐蚀电化学原理[M].北京:化学工业出版社,2008.